УДК 82-31
ББК 84(2Рос-Рус)6-4
А 42

Разработка макета: *Андрей Бондаренко*

Художники обложки: *Ирина Киреева* и *Татьяна Семенова*

Фотографии, опубликованные в книге, предоставлены съемочной группой киноромана «Московская сага»

Аксенов В.

[А]42 Московская сага. Война и тюрьма. Книга вторая. — М.: Изографус, Эксмо, 2004. — 560 с.

ISBN 5-699-09245-5 (Эксмо)

ISBN 5-94661-101-1 (Изографус)

«Поколение зимы», «Война и тюрьма», «Тюрьма и мир» — эти три романа составляют трилогию Василия Аксенова «Московская сага». Их действие охватывает едва ли не самые страшные в нашей истории годы: с начала двадцатых до начала пятидесятых — борьба с троцкизмом, коллективизация, лагеря, война с фашизмом, послевоенные репрессии.

Вместе со страной семья Градовых, три поколения российских интеллигентов, проходит все круги этого ада сталинской эпохи.

УДК 82-31
ББК 84(2Рос-Рус)6-4

[ISBN 5]-699-09245-5
[ISBN 5-]94661-101-1

Василий Аксенов

Московская сага

Война и тюрьма

книга вторая

*Создатели телесериала
и Издательство «Эксмо»
благодарят Первый канал
и лично Константина Эрнста
за участие в осуществлении этого проекта*

«Изограф
ЭКСМ
Москва

А

ISBN 5
ISBN 5

Для человеческого ума непонятна абсолютная непрерывность движения.
Лев Толстой. «Война и мир»

Предваряя повествование эпиграфом, писатель иной раз через пару страниц полностью о нем забывает. В таких случаях цитата, подвешенная над входом в роман, перестает бросать свет внутрь, а остается лишь в роли латунной бляшки, некоего жетона, удостоверяющего писательскую интеллигентность, принадлежность к клубу мыслителей. Потом в конце концов и эта роль утрачивается, и, если читатель по завершении книги удосужится заглянуть в начало, эпиграф может предстать перед ним смехотворным довеском вроде фигурки ягуара, приваренной к дряхлому «Москвичу». Высказывая эти соображения, мы понимаем, что и сами себя ставим под удар критика из враждебной литературной группы. Подцепит такой злопыхатель наш шикарный толстовский эпиграф и тут же осклабится — вот это, мол, как раз и есть «ягуар» на заезженной колымаге! Предвидя такой эпизод в литературной борьбе, мы должны сразу же его опровергнуть, с ходу и без ложной скромности заявив, что у нас, в нашей многолетней беллетристической практике, всегда были основания гордиться гармонической связью между нашими эпиграфами и последующим текстом.

Во-первых, мы эпиграфами никогда не злоупотребляем, а во-вторых, никогда не использовали их для орнамента, и если уж когда-нибудь прибегали к смутным народным мудростям вроде «В Рязани грибы с глазами, их едят, а они глядят», то с единственной лишь целью дальнейшего усиления художественной смуты. Вот так и тот наш, там, позади, только что оставленный эпиграф, вот эта-то, ну, чеканки самого Льва Николаевича идея о непостижимости «абсолютной непрерывности движения» взята нами не только для приобщения к стаду «великих медведиц» (как бы тут все-таки не слукавить), но и, главным образом, для того, чтобы начать наш путь через Вторую мировую войну. Эпиграф этот для нас будет чем-то сродни яснополянской кафельной печке, от которой и намерены танцевать, развивая, а порой и дерзновенно опровергая, большую тупиковую мысль национального гения. Отправимся же далее по направлению к войне, в которой среди большого числа страждущих миллионов обнаружим и лица наших любимых членов семьи профессора Градова. Вклад их в громоподобный развал времен не так уж мал, если держаться точки зрения Л.Н.Толстого, сказавшего, что «сумма людских произволов сделала и революцию, и Наполеона, и только сумма этих произволов терпела их и уничтожила».

Следовательно, и старый врач Б.Н.Градов, и его жена Мэри, столь любившая Шопена и Брамса, и их домработница Агаша, и даже участковый уполномоченный Слабопетуховский в гигантском пандемониуме человеческих произволов влияли на ход истории не хуже де Голля, Черчилля, Рузвельта, Гитлера, Сталина, императора Хирохито и Муссолини. Перечитывая недавно «Войну и мир» — впервые, должен признаться, с детских лет и вовсе не в связи с началом «Войны и тюрьмы», а для чистого читательского удовольствия, — мы столкнулись с рядом толстовских рассуждений о загадках истории, которые порой радостно умиляют нас сходством с нашими собственными, но порой и ставят нас в тупик.

Отрицая роль великих людей в исторических поворотах, Лев Николаевич приводит несколько примеров из практической жизни. Вот, говорит он, когда стрелка часов приближается к десяти, в соседней церкви начинается благовест, но из этого, однако, не значит, «что положение стрелки есть причина движения колоколов». Как же это не значит, удивится современный, воспитанный на анекдотах ум. Ведь не наоборот же? Ведь не колокола же двигают стрелки. Ведь звонарь-то тоже взялся за веревки, предварительно посмотрев на часы. Толстой, однако, приводя этот пример, имел в виду что-то другое.

Глядя на движущийся паровоз, слыша свист и видя движение колес, Толстой отрицает за собой право заключить, «что свист и движение колес суть причины движения паровоза». Свист, разумеется, не входит в число причин, но вот насчет колес позвольте усомниться — именно ведь они, катясь вперед или назад, вызывают движение всей нагроможденной на них штуки. Тут снова нам не остается ничего иного, как предположить, что Толстой что-то другое имел в виду для иллюстрации исторических процессов.

Последний пример, приведенный в третьей части третьего тома «Войны и мира», совсем все запутывает, если только не катить бочку на издательство «Правда», выпустившее в 1984 году собрание сочинений в двенадцати томах. Крестьяне считают, пишет Толстой, что поздней весной дует холодный ветер из-за того, что раскрывается почка дуба. Цитируем с экивоком к нашему блестящему эпиграфу: «...хотя причина дующего при развертывании дуба холодного ветра мне неизвестна, я не могу согласиться с крестьянами в том, что причина холодного ветра есть развертыванье дуба, потому только, что сила ветра находится вне влияния почки».

Тут как-то напрашивается предположить обратное развитие событий, то есть раскрытие почки под влиянием холодного ветра, однако Толстой этого не касается, и мы предполагаем, что он совсем не то имеет в виду, что на поверхности, что мысль его и его сильнейшее религиозное чувство полностью отмежевываются от позитивистских теорий XIX столетия и уходят в метафизические сферы. То есть мысль его вдруг распахивает дверь в бездонные пустоты, в неназванность и неузнанность, где предстают перед нами ошеломляющие все эти «вещи в себе».

Увы, несколькими строками ниже граф вдруг возобновляет связь со своим веком «великих научных открытий», чтобы заявить: «...я должен изменить совершенно свою точку наблюдения и изучать законы движения пара, колокола и ветра. То же должна сделать история. И попытки этого уже были сделаны».

В общем, в результате этих отвлеченных и нерешенных (как он считает — пока!) задач Толстой приходит к мысли, что «для изучения законов истории мы должны изменить совершенно предмет наблюдения, оставить в покое царей, министров и генералов, а изучать однородные, бесконечно малые элементы, которые руководят массами».

Почти марксизм. Ленин, очевидно, и эту жажду познаний имел в виду, присуждая графу новый титул «зеркала русской революции». Вождь, впрочем, должен был бы знать, что с Толстым всегда не все так просто, что он не только отражением «суммы людских произволов» занимался, но и свой немалый «произвол» добавлял в эту сумму: а прежде всего полагал, что движение этих бесконечных сослагательных направляется Сверху, то есть не теориями задвинутых экономистов или антропологов, а Провидением.

Но вот бывает же все-таки, что некоторые теоретики и практики выделяются из «суммы произволов» и посылают миллионы на смерть и миллиарды в рабство, стало быть, произвол произволу рознь и нам при всем желании трудно прилепиться к роевой картине, какой бы впечатляющей она ни была, и отвергнуть роль личности в истории.

Все эти размышления на толстовские темы, как бы являющиеся полным подтверждением нашего эпиграфа, понадобились нам для того, чтобы подойти к началу сороковых годов и глянуть сквозь магический кристалл в очередную даль все того же, единственного мирового «свободного романа», одной из частей коего мы хотели бы видеть и наше повествование, и там обозреть феерию «человеческих произволов», известную в истории под названием Вторая мировая война.

Глава первая
Вы слышите, грохочут сапоги

Колонна новобранцев, несколько сот московских юнцов, вразнобой двигалась по ночной Метростроевской улице (бывшей Остоженке) в сторону Хамовнических казарм. Несмотря на приказ «в строю не курить», то тут, то там в темной массе людей занимались крошечные зарева, освещая губы, кончики носов и ладони. Вчерашним школярам не впервой было дымить втихаря, в кулак. Они и шли-то из школы, что в Сивцевом Вражке, где был сборный пункт, то есть из привычной обстановки. Шуршали штатские штиблеты, мелькали и шикарные белые туфли, еще вчера натиравшиеся зубным порошком «Прибой», бесшумно пролетали матерчатые тапочки.

Куда направляется марш, не было сказано, однако все уже знали: в Хамовнические казармы на санобработку, медосмотр и распределение. Москва была пустынна, затемнена, фонари не горели, окна были закрыты плотными шторами обязательной светомаскировки, но небо светилось, в нем стояла полная луна, хотя не она была главным источником света, а прожекторы, пересекавшие лучами священный свод в разных направлениях, то скрещиваясь, то образуя гигантские лейтенантские шевроны. Под эти лучи попадали только колбасы аэростатов воздушного заграждения, но все знали, что в любой момент может высветиться и что-нибудь другое. В городе ходили глухие слухи, что над столицей уже не раз кружили немецкие разведчики.

В глубине строя, среди однолеток, шагал девятнадцатилетний Митя Градов (Сапунов). Он стал за эти годы довольно рослым парнем, с широкими плечами, развитым торсом, чуть длинноватыми руками и чуть коротковатыми ногами, хорошим чубом, скуластым и челюстным лицом, сильными и непонятно светящимися глазами; в общем, славный юноша. Как раз за три дня до начала войны он окончил среднюю школу, готовился поступать в медицинский (естественно, по совету и по протекции деда Бориса), но все повернулось иначе: не прошло и полутора месяцев, как был призван.

Кто-то в строю уже завел: «Пусть ярость благородная вскипает, как волна, идет война народная, священная война!» Песня эта совсем недавно стала вылетать из репродукторов и сразу же вошла в обиход. Что-то в ней было мощно-затягивающее, не оставляющее сомнений. Даже и Мите, который всегда чувствовал себя чужаком в советском обществе, казалось, что тяжелый маршевый ритм и кошмарные слова («Гнилой фашистской нечисти загоним пулю в лоб, отребью человечества сколотим крепкий гроб...») заполняют и его какой-то могучей, хоть и не очень отчетливо адресованной яростью. Впрочем, сейчас, в этом строю, в ночи, во время первого своего марша к войне, не песня его беспокоила, а присутствие Цецилии Розенблюм. Колонна сопровождалась кучкой мамаш, и в ней семенила Цецилия. Кто ее звал сюда и кому нужны эти телячьи нежности? Мамаша в ней, видите ли, проснулась! Экая бестактность, крутилась в голове у Мити чужая, разумеется, из лексикона деда Бориса фраза. Экая бестактность! За все эти годы приемный сын ни разу не назвал Цецилию Розенблюм матерью. Ее отца Наума Матвеевича он охотно звал «дед», да, впрочем, не только звал, но и считал своим, почти естественным, почти таким же, как дед Борис, дедушкой. Отца приемного, Кирилла Борисовича, давно уже пропавшего в колымских тундрах, помнил все-таки отцом, может быть, даже больше, чем отцом, потому что не стерлась еще в нем память о настоящем отце Федоре Сапунове, жестоком и диком мужике. Он часто и в какие-то самые сокровенные моменты вспоминал, как однажды, за год до ареста, Кирилл присел у его кровати и, думая, что он спит, глядел на него с доброй любовью. Притворяясь спящим, сквозь ресницы, как сквозь сосновые кисти, он смотрел на Кирилла и думал: какое лицо у моего отца, какие глаза человеческие! И сейчас он всегда в своих мыслях называл его отцом: как там отец, жив ли, не убили ли изверги отца моего? Он не очень-то помнил, называл ли его когда-нибудь отцом вслух, или так до конца и держалось изначальное «дядя Кирилл», однако убеждал себя, что называл, и не раз, и в конце концов убедил, что называл своего спасителя от казахстанской высылки, в которой вымерло три четверти односельчан, не дядей, но отцом. А вот жену отца, и ведь тоже спасительницу, Цецилию Наумовну даже в самых отдаленных мыслях Митя не мог назвать матерью. Вот ведь вроде и тетка незлая, даже временами чрезвычайно добрая, а в матери не годится. Никак не могла бестолковая, рассеянная, всегда донельзя нелепо одетая и не всегда идеально чистая (он иногда замечал, что она по утрам в беспрерывном бормотании, чертыхании, поисках книг и папирос забывает умываться), да, не вполне благовонная ученая марксистка не могла вытеснить из Митиной памяти гореловскую тощую мамку с ее зуботычинами, постоянным хватанием за уши, этим единственным педагогическим методом, что был в ее распоряжении. Обидные и болезненные щипки не очень-то и запомнились Мите, запомнилось другое: иной раз схватит мамка за ухо, чтобы наказать, больно сделать, а вместо этого вдруг прикроет ухо всей ладонью и приголубит, словно маленькую птицу. Вот это от нее и осталось, от сгоревшей мамки.

Повестка пришла, естественно, не в Серебряный Бор, где Митя жил почти постоянно, а на квартиру Цецилии, по месту прописки. Поэтому и в сборном пункте он оказался не на окраине, а в центре, на Бульварном кольце. В этой школе их держали чуть ли не сутки, туда и полевая кухня приходила из Хамовнических казарм, и всякий раз, как он выглядывал из окна, за железной решеткой забора видел среди других толпящихся мамаш и Цецилию. Тоже мне, и в этой мамаша проснулась! Теперь она быстро шла вровень с колонной, иногда переходя на трусцу. Юбка сзади чуть ли не по асфальту волоклась, а спереди косо задралась до левого колена в морщинистом толстом чулке. Вдруг вспомнилось совсем уж стыдное — титьки Цецилии, как Кирилл их хватал, как ласкал их во время первого свидания в том сарае. Ту сцену, которую подыхавший от голода пацан подсмотрел сквозь щели в гнилых бочках, Митя всегда старался забыть и вроде бы забыл, а вот сейчас вспомнилась. Трудно себе представить, что та рыжая деваха с очень белым, веснушчатым телом и эта пожилая еврейка — одно лицо. Ну, как это можно быть такой ужасной еврейкой, такой, можно сказать, просто вопиющей старой еврейкой, подумалось Мите, и он содрогнулся от отвращения. От отвращения не к «тете Циле», а к самому себе. Впервые ему пришло в голову, что он, может быть, потому и не называет ее матерью, что она слишком еврейская, что он ее, может быть, даже стыдится. В доме Градовых не было антисемитизма, и в этом духе Митя и был воспитан, но вдруг вот как бы приоткрылась где-то в глубине какая-то заслонка, и он понял, что ужасно стыдится Цецилии, стыдится перед новыми товарищами, новобранцами, как бы они не подумали, что она его мать.

Колонна стала уже пересекать Садовое, когда Цецилия, заметив, что сопровождающий сержант ушел вперед, прямо замешалась в ряды и стала совать Мите узелок с едой.

— Возьми, Митенька, пачка печенья «Земляничного», фунт «Белки», ты же всегда любил, полдюжины яиц, банка рыбьего жира, смотри, выпей обязательно!

Рыбий жир в этом кульке, наверное, давно уже просочился через пробку, желтые пятна расползлись по узелку, воняло. Митя отталкивал узелок локтем:

— Не надо. Да не надо же, тетя Циля!

Боялся, конечно, не запаха, а причастности к еврейке, которая еще и вонючий узелок сует, как будто нарочно, как будто для пущего анекдота. Какого черта, еще рыбий жир туда засунула?! Видно, вспомнила, что детям рыбий жир дают... Эх, какая же я, очевидно, сволочь, злился он.

— Если тея сразу отправят, Митенька, немедленно напиши. Сразу же по приезде напиши, а то м все с ума сойдем от волнения, — бормотала Цецилия, приближая к нему свое лицо; верхняя губа с большой родикой под левым крылом носа сильно вытягивалась, кажется, хотела поцеловать.

Ребята вокрг посматривали, хмыкали. Митю прошибало потом от смущения.

— Хорошо, хорошо, тетя Циля. Напишу, тетя Циля. Идите домой, тетя Циля!

Она прервала его бормотание почти отчаянным возгласом:

— Да какая же я тебе «тетя Циля»! Я ведь мама тебе, Митенька!

Сержант, вернувшийся к середине колонны, вдруг заметил в рядах инородное тело. Ухватил Цецилию за рукав: «Ты что, гражданка, очумела? В воинскую колонну? Под арест захотела?!» Рукав вискозной кофты непомерно растягивался, образуя что-то вроде крыла летучей мыши. Цецилия споткнулась. И узелок уронила, и книги рассыпались из соломенной сумки. Колонна тут же оставила ее позади, только в задних рядах захохотали: «Во ползет еврейка!»

Шагавший рядом с Митей тощий маленький Гошка Круткин, из работяг со стройки Дворца Советов, подтолкнул его локтем и спросил довольно равнодушно:

— А ты что, Мить, на самом деле из евреёв будешь?

Митя тут взорвался:

— Русский я! На сто процентов русский! Ты что, не видишь? Никакого отношения к этим... к этим... не имею! А эта... эта... просто так, соседка!

Они уже стали проходить под арку длинного желтого казарменного здания, когда вдруг завыли сирены и совсем рядом забухала зенитная пушка. Уже из окон казармы новобранцы увидели, как над крышами Замоскворечья стало разгораться зарево пожара. Первые бомбы упали в ту ночь на Москву.

Тревога продолжалась несколько часов. День занялся, а сирены все выли, то там, то сям били зенитки, но теперь уже явно в пустое небо. Пожар на Шаболовке в конце концов погасили. Видимо, немцы целились в радиобашню, но не попали, подожгли несколько жилых домов.

Трамваи в то утро пошли на два часа позже. Их брали штурмом такие огромные толпы, что Цецилия даже и приблизиться не решилась, отправилась в Лефортово пешком. Ну, а когда добралась, оказалось, что очередь на передачу посылок в этот день совсем непомерная. Ей дали огрызок химического карандаша, и она, немного его послюнявив, написала вслед за впереди стоявшей женщиной пятизначный номер на ладони. Номер этот означал, что стоять придется весь день, до темноты, а может быть, и уйти ни с чем. Так уж и рассчитывайте, гражданочка, что на весь день, сказала ей соседка, у которой припасено было на этот случай вязанье. Публика знала, что в Лефортовской тюрьме НКВД только три окошка для передачи продовольственных посылок, а иногда из этих трех работают только два или одно, и в обеденное время все три закрываются на два часа.

У Цецилии был уже большой опыт по стоянию в тюремных очередях. Обычно она брала с собой книги, И.Сталина «Вопросы ленинизма», скажем, или что-нибудь еще фундаментальное, делала закладки, выписывала цитаты, это потом очень помогало на лекциях. Книги, вечные ее друзья, надежные марксистские книги, помогали ей также бороться с отвратительной тревогой, которую она всегда испытывала в этих очередях. Дело в том, что посылки в адрес Кирилла не всегда принимались. В его деле, очевидно, существовала какая-то путаница, какая-то бюрократическая ошибка. Иногда, после целого дня стояния, посылку из окошечка выбрасывали, говоря, что Градова Кирилла Борисовича в списках лиц, имеющих право на получение посылок, нет. Это могло означать самое ужасное... нет, нет, только не это, не самое ужасное, могло ведь что-нибудь произойти и менее ужасное, ну, скажем, его временно лишили права на получение посылок за какую-нибудь провинность там, внутри. При его принципиальности, при его, прямо скажем, упрямстве он мог рассердить каких-нибудь товарищей из администрации, не правда ли? Ведь иногда же посылку просто принимали без разговоров, просто давали расписаться в какой-то ведомости и все, а ведь это явно означало, что он есть в списках лиц, имеющих право на получение продовольственных посылок, логично?

Очередь к окошечкам тюрьмы вилась по тихим лефортовским переулкам, где не чувствовалось ни войны, ни вообще двадцатого века. Заборчики, голубятни над низкими крышами, в окнах резеда, напиток «гриб», киски, на углу керосинная лавка, какие-то глухие времена, как бы восьмидесятые годы, общественный застой. Только уж при самом приближении возникало современное строение, бесконечная и безликая бетонная стена, на которой иногда можно было видеть приклеенные газеты или агитационные плакаты.

Редкие прохожие, обитатели близлежащих тихих переулков, старались проходить, как бы не замечая вечной, глухо бормочущей очереди родственников «врагов народа». Может быть, иные из прохожих и сами были родственниками «врагов народа», и стояли где-нибудь в каких-нибудь других подобных очередях, здесь же никто из них не выказывал никакой симпатии к усталым «посылочникам», тем более что то тут, то там в укромных местах переулков можно было увидеть присевших женщин или сосредоточенно опустившего голову редкого мужчину: волей-неволей народ выходил из очереди пописать, нарушая тем самым идиллию лефортовских переулков и дворов.

Книги помогали Цецилии не только коротать время в очередях, но и отгораживаться от окружающих, то есть не ставить себя с ними на одну доску. Все-таки кто их знает, что за народ вокруг. Ведь не могли же наши органы совершить столько ошибок, как в случае с Кириллом, а эти женщины рядом, может, просто и по случайностям судьбы оказались женами, сестрами, матерями осужденных политических преступников, а может быть, и еще не выявленные соучастницы? Поручиться нельзя.

Отгораживаться надо было и от разговоров вокруг, которые нередко велись совершенно безответственно, даже на грани провокации. Вот это удавалось Цецилии труднее всего. Хоть сама и не разговаривала, но невольно прислушивалась: в этих разговорах то и дело проскальзывало что-то относящееся к Кириллу. Вот сейчас, например, две женщины за спиной шепчутся об осуждении «без права переписки». «Мой муж осужден на десять лет без права переписки, но я все-таки надеюсь...» — бормотал плачущий голосок, как бы напрашивающийся на утешение. «Бросьте ваши надежды, дорогая, — отвечал другой голос, хоть и приглушенный, но почти вызывающий. — Лучше ищите себе другого мужа. Неужели вы не понимаете, что означает это «без права переписки»? Они все расстреляны, все без исключения!» Сквозь сдавленные рыдания первая женщина еле слышно выговаривала: «Но ведь посылки-то иногда принимают... иногда принимают...» — «Ах, оставьте! Зачем вам этот самообман?» — безжалостно парировала этот аргумент вторая.

Цецилия вспыхнула, не выдержала, оглянулась. Прислонившись к фонарному столбу, стояли двое — одна молоденькая, худенькая, беззвучно рыдающая, вторая — круглолицая женщина средних лет, с короткой стрижкой и папиросой. Цецилия, забыв о своих правилах, взвилась на нее:

— Ну что вы несете?! Что за дерьмо вы тут выдумываете?! Кто это вас такой вонючей информацией снабжает? Если кто-то осужден с лишением права переписки, это только то и означает, что ему не разрешается переписываться, и больше ничего! А вы, гражданка, не слушайте никого! Если у вас посылки принимают, значит, ваш муж жив!

Молоденькая дамочка плакать перестала, испуганно и часто кивала Цецилии, как бы говоря: «Да-да, жив, жив, только, пожалуйста, не повышайте голос!» Вторая же, круглолицая, с вызовом закусив папиросу, молча смотрела в сторону; в ней чувствовался враг.

Приблизившиеся несколько женщин обменялись понимающими взглядами. Одна добрая старушка взяла Цецилию под локоть: «Да ты не убивайся, милочка, жив, значит, жив, на все воля Божия. — Она повернулась к окружающим, взиравшим на разгорячившуюся ученую еврейку, и пояснила: — У ей посылки не принимают, вот какое дело».

Цецилия отдернула руку, еще более возмущенная: значит, ее уже заметили завсегдатаи этих очередей, значит, уже знают, что... Ах, какой позор уже в самой общности с этими обывательницами, какой позор!

— Если вас не извещают о смерти родственника, значит, он жив! — выкрикнула она, все еще пытаясь держать апломб. — Есть закон, есть порядок, и не надо распространять вредные сплетни!

Через несколько часов, пройдя все переулочные изгибы, она вышла под сень километровой тюремной стены, в самом начале которой наклеен был плакат с огромным кулаком, занесенным над рогатой фашистской каской. Большие черные буквы доносили до народа уверенное сталинское изречение: «Наше дело правое, враг будет разбит, победа будет за нами!»

«Сколько силы всегда чувствуется в его словах, — думала Цецилия. — Какая весомость! Какое было бы счастье, если бы дело Кирилла когда-нибудь дошло до него, и он отменил бы позорный приговор, и мы вместе с моим любимым отправились бы на фронт, где и Митенька наш уже сражается, и защищали бы Родину, социализм!»

Висевший над стеной репродуктор пел, как в мирное время: «Утро красит нежным светом стены древнего Кремля, просыпается с рассветом вся советская земля!» Дело между тем шло не к рассвету, а к закату, за стеной было совсем темно, женщины изнемогали. Цецилию подташнивало от голода: как всегда, она забыла прихватить с собой что-нибудь съестное, и, как всегда, нашелся кто-то добрый, предложил ей печенья. На этот раз это была та самая зловредная круглолицая баба в берете. Развернув Цецилино любимое «Земляничное», протянула на открытой ладони: «Ешьте!»

Цецилия взяла один за другим три ломтика дивного рассыпчатого продукта, с неловкой благодарностью взглянула на женщину:

— Вы уж извините, может быть, я слишком погорячилась, но...

Женщина отмахнулась от извинений:

— Да я понимаю, у всех нервы... берите еще печенье. Курить хотите?

Цецилия вдруг поняла, что знает эту особу, что она вроде бы даже принадлежит к ее «кругу».

— А у вас, простите, муж тут?..

— Ну разумеется, я — Румянцева, вы же меня знаете, Циля.

Цецилия ахнула. И в самом деле: Надя Румянцева из расформированного Института красной профессуры! А муж ее был видным теоретиком, ну, как же, Румянцев Петр, кажется, Васильевич. Его еще называли «в кругах» — Громокипящий Петр! Пережевывая остатки «Земляничного», Цецилия поймала себя по крайней мере на трех грехах: во-первых, вступила в контакт с очередью, хоть и зарекалась никогда этого не делать; во-вторых, подумала о Петре Румянцеве не как о враге народа, а просто как об очень порядочном теоретике марксизма-ленинизма; в-третьих, подумала о нем в очень далеком прошедшем времени, «был», как будто вошедший под эти своды уже не вполне и существует, а значит, и он, ее любимый, ее единственный свет в окне, ее мальчик, как она всегда его мысленно называла, тоже не вполне существует, если не...

К окошку она подошла совсем незадолго до закрытия. Там сидела женская особь в гимнастерке с лейтенантскими петлицами.

— Фамилия! Имя! Отчество! Статья! Срок! — прогаркала она с полнейшим автоматизмом.

— Градов Кирилл Борисович, 58-8 и 11, десять лет, — трепеща пробормотала Цецилия, просовывая в окошко свой кулек.

— Громче! — гаркнула чекистка.

Она повторила громче любимое имя с омерзительным наростом контрреволюционной статьи. Чекистка захлопнула окошко: так полагалось, чтобы не видели, каким образом производится проверка. Потянулись секунды агонии. Менее чем через минуту окошко открылось, кулек был выброшен обратно.

— Ваша посылка принята быть не может!

— Как же так?! — вскричала Цецилия. Белая кожа ее немедленно вспыхнула, веснушки будто заполыхали в пожаре потрескивающими искрами. — Почему?! Что с моим мужем?! Умоляю вас, товарищ!

— Никакой информацией не располагаю. Наводите справки, где положено. Не задерживайтесь, гражданка! Следующий! — бесстрастно и привычно прогаркала чекистка.

Цецилия совсем потеряла голову, продолжала выкрикивать что-то совсем уже не подходящее к моменту:

— Как же так?! Мой муж вообще ни в чем не виноват! Он скоро будет освобожден! Пойдет на фронт! Я протестую! Бездушный формализм!

— Проходите, гражданка! Не задерживайте других! — вдруг резко, со злостью прокричал сзади голос молодой женщины, что рыдала утром по поводу «осуждения без права переписки». Очередь зашумела, сзади надавливали. Цецилия совсем уже потеряла голову, схватилась за полку перед окошком, пыталась удержаться, визжала:

— Он жив! Жив! Все равно он жив! Назло вам всем!

На шум подошел один из двух дежуривших у дверей брюхатых сержантов, ухватил шумящую еврейку за оба плеча, рванул, оттащил от окна.

Было уже совсем темно, когда Надежда Румянцева выбралась из тюремной приемной, и тоже ни с чем, вернее, с тем же, с чем пришла, — с пакетом продуктов для мужа.

Проклиная про себя «коммунистическую сволочь» (вчерашняя комсомолка, став жертвой режима, и не заметила, как быстро докатилась до белогвардейских словечек), она потащилась к трамвайной остановке и вдруг увидела в маленьком сквериĸе сидящую на скамье, расплывшуюся в полной прострации Цилю Розенблюм. На коленях у нее были листки, покрытые расплывшимся чернильным карандашом, — единственное за все время письмо, пришедшее от Кирилла.

Надя присела рядом. Она почему-то сочувствовала этой «оголтелой марксистке» (опять какое-то антисоветское выражение выплывает неизвестно откуда), хотя и обижалась, что при прежних встречах в очереди у Лефортово та ее в упор не замечала.

— Ты еще счастливая, — вздохнула она, — тебе пишут.

Цецилия вздрогнула, взглянула на Надю и вдруг уткнулась ей, малознакомой женщине, в плечо.

— Это еще в тридцать девятом, — бормотала она. — Единственное письмо. Одни общие фразы.

Надя повторила: «Ты еще счастливая», хотя и слукавила, она от «своего» получила за три года все-таки три письма. Неожиданно для себя самой она погладила Цецилию по волосам. Откуда эти телячьи нежности? Обнявшись, обе женщины в охотку зарыдали.

— Почему они не принимают посылки, Надя? — спросила потом Цецилия.

Румянцева привычно оглянулась, в те времена оглядывался любой советский человек, перед тем как произнести более или менее энергичную фразу.

— Эх, Циля, может быть, просто не знают, где эти люди. Не удивлюсь, если у них там такой же бардак, как везде.

Они поднялись и тяжело поплелись к трамваю, словно две старухи, хоть и были еще вполне молодыми здоровыми бабами. Не говоря уже обо всем прочем, система полностью переломала их половую жизнь.

— Война все изменит, — проговорила Надя. — Им придется пересмотреть свое отношение к народу.

— Может быть, ты права, — сказала Цецилия. — И первое, что мы должны пересмотреть, это отношение к партийным кадрам.

Они говорили уже совсем дружески и не замечали, что одна называет их «они», а другая — «мы».

— А тех, «без права переписки», всех шлепнули, — сказала Надя.

— Неужели это правда? — еле слышно прошептала Цецилия, потом заговорила громче: — Прости мою вспышку, Надя. Нервы на пределе. Однако у Кирилла ведь не было этой формулировки в приговоре, и вот видишь, все-таки... письмо...

— Да-да, все будет хорошо, Циля, — ободрила ее новая подруга.

Они завернули за угол, и тут прямо им по макушкам из какого-то низкого открытого окна заговорило радио: «От Советского Информбюро. На Смоленском направлении идут ожесточенные бои. Потери противника в живой силе и технике растут...»

— Слышишь?! — панически воскликнула Цецилия. — Смоленское направление! Они подходят! Что с нами будет?

Новое московское небо с аэростатами и лучами прожекторов диким контрастом стояло над захолустной Лефортовской слободой. Старый Кукуй в ужасе съежился перед подходом соплеменников.

Глава вторая
Ночные фейерверки

За десять с лишком лет, что прошли с нашего первого появления на Белорусском вокзале, он основательно изменился, не в том смысле, разумеется, что ушла куда-то его псевдорусско-прусская архитектура или испарился прокопченный стеклянный свод, роднящий его с семьей великих европейских вокзалов, а в том, что вместо мирной, хотя и основательно милитаризированной, атмосферы 1930 года, в которую мы даже умудрились вплести завитушку любовной интриги, мы оказались сейчас в августе сорок первого, на перевалочном пункте войны, на базе отправки к фронту и эвакуации из горящих западных областей.

Как раз к тому моменту, когда уцелевшие Градовы съехались на проводы всеми любимого Саввы, на дальний путь прибыл поезд из Смоленска, в составе которого несколько вагонов представляли собой лишь выгоревшие остовы. Сомнений не было — поезд с беженцами попал по дороге под бомбежку немецкой авиации. Бледные лица беженцев и раненых красноармейцев, заполнившие все проемы окон в уцелевших вагонах, медленно проплывали вдоль перрона, словно экспозиция старинной живописи, однако и в обуглившихся вагонах, на площадках, и среди руин купе шевелились люди, создавая совсем уже призрачное впечатление.

Перроны и залы ожидания вокзала пребывали в беспрерывном кашеобразном движении, будто некий повар пошевеливал человеческое месиво невидимым черпаком: напирали с мешками, разваливались по кафелю вперемежку с содержимым мешков, вскакивали и неслись, пробирались с кипятком, мочились в углах, потому что проникнуть всем желающим в туалеты было невозможно. Военные патрули замахивались прикладами, пробивая себе дорогу. Гвалт, бабьи вопли, рыдания, детский визг, неразборчивые приказы по громкоговорителю...

Градовы после тишины и безлюдья Серебряного Бора чувствовали себя ошарашенными. Одна лишь Нина как будто не замечала ничего, весело, влюбленно подтрунивала над своим облаченным в мешковатую форму со свежими майорскими петличками мужем.

— Посмотрите на Савку, — взывала она. — Ну, каков?! С каким небрежным щегольством он носит свой изысканный мундир! Я и не подозревала, что выхожу замуж за кавалергарда!

Военврач III ранга Китайгородский старался подыгрывать веселому настроению жены: выпячивал грудь, подправлял воображаемый ус, прохаживался вдоль вагона «кавалергардовской» пружинистой походочкой, потряхивая длинными ляжками, побрякивал воображаемыми шпорами. Семилетняя Ёлка самозабвенно хохотала над вечным комиком папкой. Остальные недоуменно молчали.

Нина, все еще очень подвижная, очень молодая в свои тридцать четыре — с некоторого расстояния, ну, скажем, метров с пятнадцати, вообще сходила за девчонку, — пританцовывала вокруг мужа, теребила его гимнастерку:

— И все-таки чего-то еще не хватает, не все продумано! Нет аксельбантов, например!

— Все мы плевали на ваши аксельбанты давным-давно, давным-давно! — басом пел в ответ Савва строчку песни из популярной пьесы. На душе у него, очевидно, кошки скребли, но он понимал из Нинкиной буффонады, что ей еще хуже, и продолжал ей подыгрывать. Подхватывал под руку, жарко шептал на ушко: «Вы обмишулились, милочка, приняв гусара за кавалергарда, боевого коня за обозную лошадь!»

В конце концов всех рассмешили. Даже Мэри Вахтанговна, у которой все чаще стало появляться на лице выражение застывшей трагедии, улыбнулась. «Экое паясничество перед разлукой, — подумала она. — Странно. Нет, я их не понимаю, но, может быть, так легче?..»

Она еще не успела опомниться после ухода Мити, как вдруг Савва позвонил и сказал, что уезжает на фронт: назначен главным хирургом дивизионного, то есть полевого, госпиталя. Даже и глава семьи, даже Борис, несмотря на свои годы, а ведь ему уже шестьдесят шесть исполнилось, теперь непосредственно связан с войной, выдвинут снова, как в двадцатые, в прямое руководство медицинской службой вооруженных сил, получил звание генерал-майора. Непрерывно на совещаниях и в разъездах, инспектирует медицинское обеспечение фронтов. Она его почти не видит, никто его почти не видит. Вот и сейчас, обещал приехать на вокзал проститься с Саввой, однако до сих пор не появился, а поезд уже может отойти в любую минуту.

Поезд и на самом деле мог отойти в любую минуту, но похоже было и на то, что он может отойти и через несколько часов, а может быть, и совсем не отойти. Савва уже гнал своих с вокзала, однако они упорно не уходили, топтались на перроне, сопротивляясь порывам толпы. И его собственные старенькие родители, мать с отчимом, чудом уцелевшие осколки прошлого, филологи-серебряновековцы, если только можно сказать об осколках чего-то вдребезги разбитого, что они уцелели, и Мэри, и непотопляемый дредноут градовского семейного уюта Агаша, и Борис IV, мужественный подросток, глядящий на него чистейшими, явно отцовскими и дедовскими, градовскими глазами, выражающий всей своей чрезвычайно крепенькой, ладной фигурой могучее подростковое желание уехать вместе и в то же время строго держащий за руку младшую сестру Верулю, в чьих глазах закавказская мягкая ночь нашла себе пристанище, — трогательная, ей-ей, парочка «сирот» при живых, запрятанных в лагеря родителях, и совершенно уже невозможная, полностью уже в репертуаре «комической старухи», хотя ведь ей всего тридцать ссмь, Цилька Розенблюм со своим чрезвычайно позитивным папашей Наумом — все не уходили, толкались вокруг. Господи, как Савва их всех любил и как за всех боялся, экое жалкое и трогательное сборище человеческого рода! Все уже порядком истомились на перроне, уже не знали, о чем говорить и как выражать свои чувства отъезжающему, одна лишь Нинка все теребила своего Савку, то увлекала его в сторону, и там со смехом они шептались, то возвращала обществу и продолжала шутить над «кавалергардом». Чем дальше, тем больше в ее шутках начинали проскальзывать ниточки отчаяния.

— Ну, идите, разъезжайтесь уж наконец! — взывал Савва. — Я устал, пойду в купе и лягу. Доступ к телу прекращается!

Никто, однако, не уходил. Мэри Вахтанговна тем более заявляла, что с минуты на минуту подъедет Борис.

Глава семьи вдруг появился — очень оживленный, в шинели с генеральскими отворотами, в сопровождении адъютанта. Он шел уверенным, бодрым шагом, толпа расступалась при виде авторитетной фигуры медицинского генерала. Мэри Вахтанговна не узнавала своего мужа: с началом войны Борис Никитич радикальнейшим образом переменился, пропал грустно увядающий, философски настроенный профессор, появился энергичный, с огоньком в глазах, вечно в несколько приподнятом настроении деятель обороны.

— Ну, где тут наш военврач? — возгласил Градов.

— Здравья желаю, ваше высокопревосходительство! — гаркнул, вытягиваясь, Савва.

Они обнялись, потом отстранились, любовно друг друга оглядывая.

— На рысях на большие дела! — восхитилась Нина.

Вдруг пробежало вдоль поезда несколько увесистых красноармейцев, выскочил железнодорожник с перекошенной щекой: «Через пять минут отправляемся!»

Нина тогда молча бросилась к мужу, обхватила его шею, влепилась в него всем телом, будто требуя немедленной любви. Все смущенно полуотвернулись. Разлука подступала.

Строгий юноша Борис IV между тем досадовал: так и не удалось задать Савве несколько важных вопросов. Смогут ли новые формирования остановить группу армий «Центр»? Почему бездействуют наши парашютно-десантные части? Правда ли, что танк Т-34 не знает себе равных в мире и когда, по мнению Саввы, можно ожидать его развертывания на театре военных действий? И главное, почему мы так быстро отступаем, отдаем город за городом? Быть может, осуществляется стратегия сродни кутузовской в 1812 году — заманить захватчика в глубь страны, растянуть коммуникации, а потом огромным потоком ударить с фланга? На все эти вопросы лучше всего ответил бы отец, но его нет, «припухает», как говорят пацаны с трамвайного кольца, в лагерях вместо того, чтобы вести войну. Дядя Савва, впрочем, тоже вполне серьезный собеседник, с ним не раз они обсуждали вопросы мировой военной стратегии, однако Нинка — Боря, не отступая от семейной традиции, называл тетку в уменьшительном ключе — не дает к нему даже приблизиться.

Вдруг без всяких дальнейших предупреждений, без звонка и без гудка поезд тронулся. Савва в панике оторвал от себя жену, бросился к вагону, еле успел в куче комсостава уцепиться за поручни, прыгнул, повис, ноги поволоклись, хрясь, зацепился за чью-то ногу, подтянулся. Часть комсостава, к счастью, всосалась, Савва спешил закрепиться на подножке, чтобы хотя бы успеть оглянуться, еще раз, в последний раз увидеть родные лица, лицо любимой; у него было сильнейшее ощущение, что именно в этот момент он вкатывает в другой мир, еще миг — и железная крышка захлопнется над его молодостью... хотя бы поймать еще несколько бликов... Он обернулся, поезд уже приближался к концу перрона, кто-то рядом бежал, размахивая руками, в щеку рядом дышали перегаром... вдруг мелькнуло лицо юнца с горящими глазами, да ведь это же Борька... кого же он тащит за руку, да, это она... как я тебе благодарен за все... волосы упали на глаза... каждый миг с тобой буду вспоминать до конца, все, начиная с серебряноборских мелких, подернутых льдом лужиц... твою холодную ладонь, первое прикосновение... еще бежит, глаз не видно, горький рот... пятно лица пропадает и снова мелькает из-за голов... сладостный рот в горькой гримасе... прощай!

— Пошли в купе, — сказал капитан-артиллерист. — У нас там шесть бутылок водки. Отдохнем напоследок.

Борис Никитич и Мэри Вахтанговна пробирались через зал ожидания на площадь, где их ждал автомобиль. Адъютант шел впереди, прокладывал дорогу. Сзади Агаша тащила за руки Бориса IV и Верулю. Мальчик, шепча проклятия, пытался освободиться, но нянька была неумолима, хотя и делала вид, что это не она его ведет, а он ее, старую и маломощную, да еще и с девочкой, что он тут главный в этой связке — мужчина. В конце концов Боря смирился и обратил свое внимание на окружающий табор. Большинство пожилых людей здесь жевало, как будто боялось, что где-то в неопределенном «там» пожевать уже не придется. Какая-то смоленская с характерным аканьем рассказывала о чем-то ужасном, глаза ее округлились, щеки дрожали. «Воеть и падаить прямо-т-таки на нас, ногируки отнялися, Господи Иесусе, ка-а-ак грабанеть по крыше, дым, пожар, а сам-ш-таки уверх ушедши, как свечка...» Боря догадался, что речь идет об атаке пикировщиков — «штукас». Неподалеку на полу среди мешков кто-то умудрился развести самовар, там царила безмятежность. Две девчонки Бориного возраста накручивали патефон. Доносилась песенка: «Эх, Андрюша, нам ли жить в печали? Не прячь гармонь, играй на все лады! Посмотри, как звезды засверкали, как зашумели зеленые сады!» Боря поморщился: песенка, слащавая и както странно будоражащая, летела из вчерашнего, так называемого мирного, времени, из пасторалей НКВД, где никто против сволочи не дерется, а все безоговорочно подчиняются. К чертям собачьим такое мирное время! Война вдруг распахнула перед мальчиком огромный новый мир, в котором образ «сволочи» оформился в германского нациста, с которым можно и должно драться, как подобает мужчине! Боря, естественно, дико завидовал своему кузену и ближайшему другу Мите, который уже ушел на фронт (странно, без особого энтузиазма), в то время как он вынужден будет еще столько времени ходить в осточертевшую школу, где все учителя знают, что он сын «врагов народа», и смотрят на него либо с мрачной подозрительностью, либо, что еще хуже, с затаенной слезливостью. Больше всего Боря боялся, что война кончится слишком быстро и он упустит свой шанс.

Дед и бабка Бориса IV, проходя через вокзал, тихо беседовали.

— Ах, Бо, нет уже сил на бесконечные проводы, разлуки, аресты... Исчезло из нашей жизни столько любимых — Никитушка, Кирюшка, Викуля, Галактион, Митя, теперь вот Савва... Кто будет завтра? Что останется от нашей семьи?

Борис Никитич вдруг поцеловал старую подругу в щеку, взглянул на нее с некоторой лукавостью:

— А что ты скажешь, Мэри, если вдруг я предложу тебе для разнообразия устроить какую-нибудь встречу вместо проводов?

Изумленная Мэри Вахтанговна приостановилась, приложила руки к щекам:

— Что ты имеешь в виду, Бо? Что за странный шутливый тон у тебя появился в последнее время?

Борис Никитич, по-прежнему с очень веселой миной, хлопнул себя ладонью по рту, потом оба кулака сжал под подбородком, как бы удерживая секрет, с игривостью некоторой поежился плечами:

— Не буду тебе говорить, нет-нет, преждевременно!

— Что это значит?! — вскричала Мэри Вахтанговна. — Тебе что-то важное сказали? Где ты был сегодня? В ЦК, в наркомате?

— Нет-нет, это слишком преждевременно...

— Боже мой, Боже мой... — забормотала Мэри Вахтанговна. — Может быть, хоть Вику отпустят?.. Ты прав, прав, Бо, не надо преждевременно...

Она боялась и подумать о сыновьях, допустила в мыслях только Веронику и тут же поймала себя на том, что вот ее-то упомянула, значит, с ней-то все же меньше боится ошибиться, потому что все же она ей меньше дорога, чем свои, родные, что вот ее-то выпустила вперед, вроде как прикрытье, вроде как заложницу своей надежды, устыдилась и совсем замолчала.

Они уже выехали на шоссе к Серебряному Бору, когда небо позади, над Москвой, стало раскалываться огромными вспышками, сквозь шум мотора донесся гром — еще одна группа бомбардировщиков прорвалась к столице.

Помощник военного атташе Соединенных Штатов Америки полковник Кевин Тэлавер сквозь щелку в шторе затемнения смотрел на Кремль. Посольство располагалось в солидном с полуколоннами семиэтажном здании советского ампира прямо напротив крепости, через огромную Манежную площадь, бок о бок с много повидавшей на своем веку гостиницей «Националь».

Как обычно, по ночам в Кремле было совсем темно, однако время от времени небо призрачно озарялось пускаемыми с бомбардировщиков осветительными ракетами, и тогда отчетливо обозначались зубцы стен, проемы бойниц и окон, башни отбрасывали на купола резкие колеблющиеся тени. Тут же вздымалась в небо стена заградительного огня, среди туч разрывались шрапнели. Где-то в отдалении, раскалывая ночь, падала брошенная наугад тяжелая бомба. Немецкие самолеты кружили на большой высоте, зенитки до них не доставали, однако мешали им снизиться для прицельного бомбометания. Немцы, по всем признакам, норовили поразить главные правительственные здания и даже сам идеологический центр коммунистической империи, крепость Кремль. Пока им это не удавалось, бомбовый груз сбрасывался над Москвой вслепую, падал на жилые кварталы. Впрочем, третьего дня, согласно весьма достоверным слухам, одна бомба упала прямо рядом со зданием ЦК ВКП(б) и убила случайно находящегося в этот момент на улице известного драматурга Александра Афиногенова, женатого, как это ни странно, на подданной США.

Тэлавер раскурил трубочку. Осветительная ракета догорала в небе над Китай-городом. Кремль снова погружался в темноту. Где же Сталин? Неужели сидит в крепости и вот так же, как я, сквозь щелку озирает бомбежку? По некоторым сведениям, его давно уже нет в Москве. Если это так, значит, они совсем потеряли надежду отбить столицу. Неужели 1812 год повторяется?

— Послушайте, Тэлавер, отойдите от окна со своей трубкой, — сказал из глубины комнаты Джеффри Пэнн, помощник посла по политическим вопросам.

— Боитесь, что мой огонек заметит какой-нибудь ас люфтваффе? — усмехнулся полковник.

— Боюсь, что вас заметит патруль с улицы и нам придется тащить свои дринки в бомбоубежище, — хохотнул Пэнн.

Несколько дипломатов и гость, знаменитый журналист Тоунсенд Рестон, коротали время в затемненной гостиной. Единственная слабо светящаяся в углу под кремовым абажуром лампа придавала помещению особый уют осажденного комфортабельного отеля. Этому также способствовала батарея бутылок, сифоны с содовой, ведерко со льдом, словом, то, без чего не завяжешь джентльменского разговора о политической ситуации.

— Ну что, помахал тебе Сталин из своего Кремля, Кевин? — спросил Рестон, когда длинная фигура Тэлавера отошла от окна и приблизилась к маленькому бару, чтобы сделать себе очередной дринк. Они были приятелями еще по Гарварду, не раз пересекались во время той войны, что до недавнего времени именовалась Великой, а нынче, похоже, будет просто «первой», вместе колобродили по Парижу в те первые сумасшедшие послевоенные годы. Потом их дорожки разошлись, и Рестон, добравшись сразу после открытия Восточного фронта до Москвы, очень удивился, найдя в составе посольства Кевина Тэлавера, да к тому же еще и в чине полковника. Оказалось, что тот все эти годы работал в каком-то сугубо теоретическом отделе Пентагона, да к тому же стал большим знатоком Восточной Европы и России, защитил диссертацию по российской истории, овладел русским языком со всеми его жуткими склонениями и наклонениями. Последнее обстоятельство наполнило Рестона черной завистью: в который раз он уже приезжает сюда, русская тема и сделала, собственно говоря, ему имя, а до сих пор не может связать десяти слов в отчетливую фразу. Тэлавер, побрякивая кубиками льда в стакане, приблизился к обществу и сел в глубокое кресло, выпятились вверх донкихотовские колени.

— Сталин пропал, — сказал он. — После той речи третьего июля, после того, хм, библейского обращения к народу — «братья и сестры», видите ли, с того дня о нем ничего не слышно, никто не видел его во внешнем мире. Это ужасно.

— Что же в этом ужасного, Кевин, позволь тсбя спросить? — усмехнулся Рестон. — Народ не видит своего дракона, некому приносить жертвы?

— Речь сейчас идет о другом, — возразил Тэлавер. — Так или иначе, дракон оказался лидером этой великой страны, всей русской цивилизации. Для миллионов людей он был символом могущества страны, и вот сейчас, когда страна разваливается, символ исчез. У меня такое ощущение, что он просто празднует труса, боится за свою шкуру. Это трагедия!

— А по мне, так эти «наци» и «больши» — одного поля ягоды. Я их ничуть не жалею, этих «больши», — заскрипел Рестон. — Конечно, народ страдает, но, если в результате развалятся обе преступные шайки, я не заплачу.

— Прости меня, Рест (так они в Гарварде называли его, чтобы не возиться с неудобным Тоунсендом, из которого при сокращении возникал то «город», то «песок»), прости меня, но разница между «наци» и «больши» все-таки есть. Увы, они не могут развалиться одновременно, а «наци» сейчас стоят под Москвой, а не наоборот; в этом и есть разница.

В других креслах в это время дипломаты говорили о катастрофическом положении на фронте. Джеффри Пэнн пересказывал содержание последних сводок, полученных послом. Группа армий «Центр» под командованием генерал-фельдмаршала фон Бока сконцентрировалась для окончательного штурма Москвы. В ее составе почти два миллиона войск, две тысячи танков, огромное количество артиллерии. Ей противостоят разрозненные и деморализованные паническим отступлением армии русских, в которых нет и половины их штатного состава. Линия фронта фактически отсутствует, многие дивизии попали в «котлы». Немцы не знают, что делать с огромным числом пленных. Ходят слухи о капитуляции целых соединений в полном составе во главе с генералами. В воздухе полное превосходство люфтваффе. Танки красных не выдерживают ни малейшего соприкосновения с немецкими бронированными кулаками. Немцы жгут их сотнями. Поражает оперативная беспомощность советских полководцев. Словом, полный развал. Как бы нам не пришлось, джентльмены, наблюдать парад вермахта прямо под нашими окнами.

Рестон ничего не ответил Тэлаверу. Краем уха он слушал сообщения Пэнна, и ему хотелось подключиться к той, другой группе, где в этот момент проходила главная информация. Кевин же, очевидно, был настроен на рассуждения общего порядка.

— В общем, Рест, должен тебе сказать, что я вовсе не буду в восторге, если над Кремлем вместо полностью красного флага поднимется тоже красный, но с белым кругом и черным пауком в середине, — продолжал Тэлавер. — Помимо всего прочего, я, ты знаешь, никогда не делал секрета из своей любви к России, к ее литературе и истории, и мне вовсе не хочется, чтобы этот народ превратился в стадо «унтерменшей» согласно нацистской доктрине.

— Кевин! — громко обратился тут Джеффри Пэнн. — Это правда, что Сталин за несколько лет до войны уничтожил массу своих генералов?

— Истинная правда, — ответил Тэлавер, но тут поднялся Рестон, обрадованный тем, что беседа вернулась в общее русло.

— Я могу вам рассказать об этом лучше Кевина. В тридцать седьмом году я освещал московские show trials*.

Он начал говорить о событиях всего лишь четырехгодичной давности, о том, как приехал тогда в Москву и как сначала ничего не мог понять, а потом пришел к простейшей отгадке, стал ее прикладывать ко всем сложным советским ситуациям, и все совместилось. Отгадка состояла в том, что если стра-

* Показательные процессы *(англ.)*.

ной правит банда, то и все неясности надо объяснять простейшей уголовной логикой. Он завладел аудиторией, но в этот момент быстро вошла, едва ли не вбежала секретарша посла Лоренса Стейнхардта миссис Свенсон и принесла сенсационную новость: только что, вообразите, джентльмены, почти в девять часов вечера, послу в его Refuge* звонили из Наркомата иностранных дел и сказали, что в связи с осложнением ситуации на фронте некоторые правительственные учреждения и иностранные посольства могут быть эвакуированы в Куйбышев. Куйбышев, джентльмены, это восемьсот миль к востоку, в заволжских степях, нечто вроде Небраски, но там до сих пор, я полагаю, бродят кочевники. Словом, наркомат предложил нам срочно подготовиться к отправке. Кроме того, прошу меня простить за вторжение в ваш столь уютный «мужской клуб», однако человек из наркомата, его имя, кажется, мистер Царап, настоятельно просил или, если угодно, требовал во время воздушной тревоги спускаться в бомбоубежище. В связи с этим посол хотел бы подчеркнуть обязательность его уже сделанных на этот предмет распоряжений.

— Могу я вам чего-нибудь налить в связи в этим, Лиз? — спросил Джеффри Пэнн, но в это время снова забухали зенитки, совсем близко на этот раз, как будто с крыши «Националя» или со двора университета; даже сквозь плотные шторы затемнения стало заметно, что небо снова озарилось зловещими сполохами.

Дипломаты неохотно вылезали из удобных кресел. Теперь придется торчать несколько часов в под-

* Загородный дом *(англ.)*.

вале, хотя вероятность попадания бомбы на самом деле весьма незначительна. Не более значительная, чем спуск немецких парашютистов на лужайку в Refuge, предположил Джеффри Пэнн. Он, как и многие другие сотрудники посольства, почти открыто высмеивал исключительную дальновидность «нашего адвоката» — так они называли непрофессионального дипломата Стейнхардта. Едва лишь началась война между Германией и Россией, посол немедленно приступил к строительству комфортабельного убежища в сорока километрах от Москвы на реке Клязьме. Практическая деятельность посольства почти заглохла. Посол, очевидно, решил пересидеть смутное время за высоким забором в стиле фортов Дальнего Запада. Если только не спустятся парашютисты, шутили дипломаты. Или не ворвутся индейцы, добавлял кто-нибудь особенно ехидный. Так или иначе, приходилось подчиняться. Кое-кто проявил хорошую предусмотрительность, засунув в карман бутылочку «Johny Walker». Кевин Тэлавер забежал в свой офис, чтобы запастись чтением. Рестон подождал его в коридоре. Тэлавер выскочил со стопкой старых книг под мышкой. Оба они посмотрели друг на друга и подумали одновременно одно и то же: «Этот малый еще совсем неплохо выглядит».

Рестон посмотрел, что за книги тащит с собой в бомбоубежище Тэлавер. Это была в основном поэзия: Пушкин, Тютчев, Элиот...

— Ты — самый странный полковник из всех, кого я встречал в жизни, — улыбнулся Рестон.

— Блажен, кто посетил сей мир в его минуты роковые, — явно рисуясь, произнес Тэлавер по-русски.

Из всей этой фразы Рестон поймал только слова «мир» и «минуты». Чертов язык!

Они догнали остальных уже на лестнице. Инструкция запрещала во время воздушных тревог пользоваться лифтом. На нижнем этаже Рестон заметил небольшую дверь с надписью «выход». Он приотстал на несколько шагов, а когда вся группа скрылась за поворотом, повернул набалдашник дверной ручки. Дверь совершенно непринужденно открылась, и через мгновение старый авантюрист оказался на улице, вернее, под аркой проезда, соединяющего посольский двор с Манежной площадью.

В первый миг ему показалось, что он вышел не в Москву, а в какой-то не вполне реальный карнавальный город. Небо трепетало сполохами, смешивались стихии воздуха и огня, из полного мрака вдруг, словно на фотобумаге, проявлялись башни Кремля, ревел звуковой шторм, в котором слышались и басы, и дисканты разрушительных средств, временами вдруг посреди урагана возникали паузы полного молчания, и они, как отсутствие чего бы то ни было, поражали еще больше, чем рев.

Рестон старался, чтобы звук его шагов совпал с грохотом и ревом налета, а само продвижение мимо милицейского поста — с моментами мрака. Ему удалось незамеченным выйти из-под арки, пройти мимо затемненного «Националя» и завернуть на улицу Горького. Эту улицу он долго и упорно называл старым именем — Тверская, пока не перевел новое название на английский. С тех пор стал величать главную улицу столицы победившего социализма на свой лад, the Bitter Street — Горькая улица, что звучало, с его точки зрения, вполне уместно.

Рестон любил такие неожиданные отрывы от расписания солидного журналиста с его приемами, коктейлями, запланированными интервью и пресс-конференциями. Именно такие внеординарные моменты, вспышечки tout-a-coup, впечатлений, делали его репортажи необычным явлением в журналистике. Сегодняшний спонтанный отрыв просто привел его в восторг. Значит, еще не постарел, черт возьми, если позволяю себе такие штуки, думал он, быстро шагая вверх по Горькой улице. Подошвы его будто летели, мышцы будто звенели от восторга, он будто ждал какой-то волшебной встречи, о которой якобы мечтал всю жизнь, он будто бы к ней с каждым шагом приближался. Возле здания телеграфа к его ногам упала дымящаяся гильза зенитного снаряда.

Вдруг откуда-то прорезался милицейский свисток, потом послышалось: «Стой!», в очередном всполохе мелькнул приближающийся мотоцикл, зажглась фара. Он решил во что бы то ни стало не попадаться и побежал. Иначе опять загонят в бомбоубежище, думал он, не зная, что речь в подобной ситуации — ночь, тревога, налет, патруль, убегающий человек — может пойти совсем о другом, а именно о пуле в спину. Он не знал, что в Москве повсеместно вот уже несколько недель распространяются призывы к бдительности, что все, даже школьники, высматривают немецких шпионов, которые якобы во время налетов фонариками подают с земли сигналы бомбардировщикам. Рестон этого не знал и убегал от мотоцикла даже с некоторой шаловливостью. Нырнул во двор, забежал в какой-то темный подъезд, увидел, как мотоцикл промчался мимо, и снова выскочил на Горькую. Больше его никто не тревожил, и он спокойно шел несколько минут и даже постоял немного на Пушкинской площади, глядя, как озаряется огнем какая-то высокопарная скульптура — социалистический ангел, парящий на крыше углового дома.

Стрельба зениток усиливалась, лучи прожекторов метались по всему своду небес. На площади Маяковского он вдруг увидел высоко в небе в пересечении лучей медленно плывущие крестики нацистских бомбардировщиков. Разобрать марку машин было невозможно, но он сказал себе, что это «хейнкели» и «дорнье», и быстро черкнул в записной книжке — «хейнкели» и «дорнье». Вдруг где-то, совсем неподалеку, раздался ужасающий удар, немедленно перешедший в грохот развала. Он понял, что эти мирно проплывающие крестики начали сбрасывать свой груз.

Он уже знал, что метро в Москве используется как гражданское бомбоубежище, и быстро пошел к знакомой ему станции «Маяковская».

Какие-то мальчишки в полувоенной одежде, дежурившие в вестибюле, увидев его, бросились, крича: «Ты что, дядя, охерел?», втащили внутрь. Проклятое слово «бомбоубежище» никак не давалось Рестону, но он все-таки его произнес.

— Англичанин тут какой-то охеревший шатается! — крикнул кому-то какой-то из дежурных и подтолкнул Рестона к эскалатору: — Давай, чбпай вниз!

Движущаяся лестница, естественно, не работала, и он долго шел пешком, удивляясь глубине шахты. Не исключено, что при постройке в начале тридцатых кто-то уже думал о будущих бомбардировках, предположил Рестон.

Как и всех иностранцев, московское метро поражало Рестона изысканностью своей отделки, в которой сквозь нарождающуюся социалистическую пышность еще кое-где просвечивал ныне совсем уже загнанный русский модернизм. Почему вдруг решили с такой роскошью украсить обыкновенную городскую транспортную систему? Скорее всего, это идея самого Сталина, без него тут ничего не делается, но что все-таки он имел в виду? Быть может, хотел в этих дворцах показать массам черты приближающегося коммунизма? Замечательно, что этот идеальный коммунизм возник изначально все-таки под землей.

Лестница кончалась, выступали из мрака два ряда колонн полированной нержавеющей стали, мраморная облицовка стен, купола с мозаичными панно, в которых-то как раз сквозь радостное социалистическое содержание просвечивал какой-то формализм. Пол станционного зала, запомнившийся Рестону своим геометрическим орнаментом, был не виден, поскольку все его пространство было до последнего квадратного сантиметра покрыто сидящими или лежащими в скорчившихся позах людьми.

Рестон остановился в недоумении, потом попытался, балансируя, продвинуться вперед. Вряд ли в этом храме социализма найдется место для моей задницы, подумалось ему, не садиться же, в самом деле, на людей. Тут как раз его позвали: «Эй, садитесь, гражданин!» Он оглянулся и увидел, что кто-то умудрился подвинуться, освободив ему кусочек пола, достаточный для приземления на половину ягодиц. Опустившись, он подумал, что вряд ли уйдет отсюда без воспалсния седалищного нерва. В следующий момент ему стало чертовски неловко, поскольку он увидел, что по-медвежьи привалился боком к какой-то женщине. Еще один момент проскочил, пока Тоунсенд Рестон не сообразил, что ему чертовски повезло: женщина была очаровательна. У нее были густые темные волосы и прозрачные голубые глаза — сочетание, иногда, не часто, встречающееся в Северной Италии. Не там ли он встречал ее? Его не оставляло ощущение, что он уже где-то видел эту женщину. Между тем она сидела словно не на полу в бомбоубежище, зажатая со всех сторон, а в уютном кресле возле камина. Ноги ее были прикрыты клетчатым пледом. От Рестона не ускользнуло, что их очертания были очень милы. На колене она держала блокнот и время от времени что-то в нем записывала. Уж не на журналистку ли напал старый бандит пера? К левому боку женщины привалилась девочка лет семи, она безмятежно спала, посапывая носиком. Справа, увы, громоздился здоровенный, пропахший трубочным табаком и шотландским виски американец. Она улыбнулась ему ободряюще: устраивайтесь, мол, поудобнее.

— I'm awfully sorry, ma'am, for such an inconvinience* , — пробормотал он.

Она удивленно, если не изумленно, подняла брови. Иностранец?! Здесь?!

— Не хорошо русски, — сказал Рестон. — Est-que vous parlez francais, madam?**

Оказалось, что она совсем неплохо говорит по-французски, хотя все время смеется над своими спотыканиями и дурным произношением. Мало практики, вернее, полное отсутствие практики. С мужем они иногда в виде шутки болтали по-французски, но он уже вот почти месяц как ушел на фронт. Он военный, ваш муж, мадам? Нет, он врач, хирург, ну и, как вы понимаете, сейчас там большой спрос на хирургов. Ваш французский, мадам, ненамного хуже мое-

---

* Прошу прощения, мадам, за подобные неудобства *(англ.)*.

** Вы говорите по-французски, мадам *(фр.)*?

го, а я жил в Париже больше двадцати лет. Вы русская? Она улыбнулась: полурусская, полугрузинка.

Задавая этот вопрос, Рестон, как и все американцы, больше имел в виду гражданство, чем происхождение. Собеседница же ответила в типично местном ключе: многонационально-советское гражданство подразумевалось. Грузины — это на юге, вспомнил он, на границе с Турцией. Вот откуда такое замечательное сочетание, Средиземноморье и Север, отголосок Скандинавии — она ведь тоже всегда присутствует на этой равнине, если верить истории.

Простите, мадам, но меня не оставляет ощущение, что мы уже встречались, проговорил он. Из-за сдавленного положения их тел она все время говорила с ним как бы слегка из-за плеча, и эта ее поза уже начинала кружить голову Тоунсенду Рестону. Странно, сказала она, мне тоже кажется, что я вас уже где-то видела, но ведь это невозможно, ведь вы?.. Я американец, но я тут часто бываю. Позвольте представиться, Тоунсенд Рестон. Назвав свое имя, он тут же пожалел, что ставит ее в неловкое, если не сказать страшное, положение. После всех этих ужасов тридцатых годов советские боятся знакомиться с иностранцами, и их, ей-ей, можно понять. Вот и она, как ему показалось, запнулась. Не беспокойтесь, мадам, я все понимаю. Она засмеялась. Вам можно позавидовать, если это так. Я, например, ничего не понимаю. Меня зовут Нина, Нина Градова.

Нина была поражена случайностью этого знакомства. Из тысяч и тысяч людей, спасающихся от бомбежки, словно по произволу романиста, именно к ней прибился, возможно, единственный на всю эту толпу иностранец, да еще эдакий «хемингуэй», международный джентльмен, американец из

Парижа! Да к тому же, оказывается, он еще и журналист, обозреватель европейских событий для «Chicago Tribune» и «New York Times», добрался сюда через Тегеран на английском самолете, чтобы писать о битве за Москву. Она была почти уверена, что это имя ей встречалось в советских газетах в контексте яростных идеологических контратак. «...Небезызвестный Тоунсенд Рестон со своей привычной антисоветской колокольни» — что-то в этом роде. Ну все, подумала она, меня теперь возьмут сразу на выходе отсюда. Впрочем, на него, кажется, здесь никто не обращает внимания. Война все-таки, бомбы падают на Москву, рушатся дома, гибнут люди, кажется, пора НКВД прекратить охоту на своих, а Америка, возможно, будет нашим союзником в этой войне.

Всеобщее внимание в подземелье стала привлекать какая-то малопонятная буча, заварившаяся возле эскалаторов. Там что-то кричали, размахивали руками, куда-то рвались, кого-то сдерживали. Какая-то дикая тревога молниеносно распространялась по гигантскому бомбоубежищу. Может быть, нас завалило, спокойно подумал Рестон. В Испании ему как-то пришлось побывать в подобной ситуации, но, конечно, не на такой глубине. Тревога между тем докатилась и до его собеседницы, она на мгновение закрыла глаза ладонями и что-то быстро беззвучно прошептала, как будто короткую молитву. Рестон ничего не понимал из поднявшихся вокруг криков, кроме «Спокойно, товарищи!», «Товарищи, без паники!». Все остальное — вроде «Пошел ты на хуй!», «Дай пройти, сука!» — тонуло в общем хаотическом хоре.

— Что случилось, Нина? — спросил он.

— Народ перепуган, — ответила она. — Прошли слухи, что в Москве высаживаются немецкие парашютисты, что город уже частично захвачен...

— Они на самом деле так боятся немцев? — спросил он. Этот вопрос занимал его с самого начала войны на Востоке: боятся ли рядовые русские прихода немцев?

— Ну, конечно! — воскликнула она и с удивлением на него посмотрела. Как же, мол, иначе?

— И вы, Нина, тоже? — осторожно спросил он. — Вы тоже думаете, что немцы будут... — Он все-таки не осмелился завершить свой вопрос.

— А-а, — протянула она, — я понимаю, что вы имеете в виду...

Она задумалась на минуту, потом постаралась худо-бедно перевести четверостишие, что недавно слышала от подвыпившего автора Коли Глазкова: «Господи, вступись Ты за Советы! Защити ты нас от высших рас, Потому что все Твои заветы Гитлер нарушает чаще нас...»

— Чаще нас... — повторила она.

«Вы в этом уверены?» — хотел было спросить Рестон, но воздержался. Он смотрел на профиль Нины, и его посещали мысли, которые он всю жизнь презрительно отбрасывал, начиная еще со студенческой поры, когда распростился с любовными иллюзиями, мысли, в общем-то полностью неуместные на многометровой глубине в советской столице под нацистской бомбежкой. Я встретил наконец-то свою женщину, думал он. Вот наконец-то, в пятьдесят два года, встретил свою женщину. Вся моя жизнь до нее, с моим холостяцким эгоизмом, со всеми моими привычками, с так называемой свободой, с так называемым сексом, была свинством, потому что в ней не было этой женщины. Мне нужно жить с этой женщиной и вовсе не для секса в первую очередь, а для того, чтобы заботиться о ней. В моей жизни должен быть кто-то, чтобы я о нем заботился, а именно вот эта женщина, Нина, с ее дочкой. Нет-нет, пока не поздно, невзирая на все разгорающуюся войну или именно потому, что она сейчас разгорается, я должен все перевернуть в своей пустой и затхлой жизни. Именно она выбросит на помойку все мои дурацкие кастовые и клубные привычки, фетиши, продует, прочистит все эти пустоты, заполнит их своим столь очевидным артистизмом, своей легкой походкой, которую я еще не видел, но могу себе представить по очертаниям ее бедер и голеней под этим клетчатым пледом. Мы с ней и с ее дочкой куда-нибудь сбежим, ну, скажем, в Португалию, на ту полоску побережья к северу от Лиссабона, я буду иногда выезжать в воюющие страны и возвращаться к ней.

Такие, столь не свойственные ему мечты проносились в воображении Тоунсенда Рестона, пока он вдруг не сообразил, что приближается в этом стремительном волшебном плавании к большому подводному камню. Муж, черт возьми! Ведь у нее есть муж, хирург в действующей армии. Почему я так быстро решил, что она предназначена для меня, когда она предназначена для своего мужа? Тут его воображение стали посещать некоторые мерзости. Муж на фронте, под огнем, у него есть большие шансы стать добычей немецкого стрелка. Ну, и потом, что такое какой-то русский врачишка по сравнению с известным международным журналистом? Что такое их жалкие московские коммунальные квартиры по сравнению с рестоновским фамильным домом на Cape Cod, не говоря уже о всех возможностях, которые откроет ей мой банковский счет? Вот это уж гадость, оборвал он тут себя. Для нее это все ничего не значит, иначе она не была бы моей женщиной, а ведь она — это как раз то, о чем я мечтал еще в молодом, столь постыдном романтическом периоде, о котором я всю свою жизнь старался забыть...

Между тем, пока он предавался этим столь неуместным мечтам, в подземной станции нарастало паническое настроение. Вдруг пробежал слух, что немецкие танки прорвались, что уже занято Тушино, что Кремль разбомбили до последнего кирпича, что город весь горит, а какие-то банды разбивают магазины и грабят дома, а какие-то отряды, то ли свои, то ли немецкие, в бомбоубежища пускают газ. Вдруг возникли оглушительные вопли: «Давай на выход! Спасайся, кто может!»

Толпа повскакала на ноги, стала хаотически раскачиваться, то устремляясь к эскалаторам, то останавливаясь перед безнадежной пробкой. Мальчишки пытались пролезть между ног или по головам. Их пинали, стаскивали с плеч. Стоял оглушительный визг, рыдали старухи, то там то сям возникали драки. Людей, казалось, охватил ужас клаустрофобии, ими двигал только ужас, слепое желание выбраться из подземного мешка.

Нину трясло, как в лихорадке, она обхватила за плечи Ёлку, прижала ее к себе и только об одном заботилась — как бы у нее не отбили дочку, как бы не потерять ее в толпе. Она уже и думать забыла о своем приятном соседе и, когда Рестон крикнул ей, чтобы она держалась за ним, глянула на него с таким диким неузнаванием, что он даже отшатнулся.

Вдруг, словно кто-то вышиб пробку, толпу понесло. Рестон, как ни старался он быть рядом с Ниной, был выброшен на другую лестницу. Некоторое время он еще видел среди стремящихся наверх голов ее спутавшуюся гривку, потом она пропала. Он еще надеялся найти ее на поверхности и, оказавшись в вестибюле, стал кричать:

— Nina, ou etes-vous?! Repondes, sil vous plait! Repondes donc!*

Ничего, однако, он не услышал в ответ. Вскоре, после жесточайшей давки в вестибюле, его вынесло на улицу, и здесь он снова ничего не увидел, кроме мрака, разбегающихся в разные стороны фигур, и ничего не услышал, кроме проклятий и подвывания сирен, и ничего не почувствовал, кроме холодного дождя за воротником, дождя, наполнившего его тоской, отчаянием и стыдом за свои столь странные подземные мечтания, несомненно связанные с началом мужского увядания. Налет, кажется, уже кончался, взрывов больше не было слышно, и вспышек в небе стало меньше, в проходящих сквозь тучи лучах прожекторов появилась некоторая томность.

Он поднял воротник и зашагал вниз по Горькой улице, в сторону посольства.

— Nina, Nina, — бормотал он. — She's an interesting person, isn't she? Should I try to find her? Nina... Gosh, I lost her last name... Nina who?**

---

* Нина, где вы?! Ответьте, пожалуйста! Ответьте же *(фр.)*!

** Нина, Нина. Интересная личность, не так ли? Попытаться найти ее? Нина... О, я забыл ее фамилию... Нина... Как дальше *(англ.)*?

Глава третья
Подземный бивуак

Первая волна паники, охватившая Москву, улеглась, но приближалась вторая, сокрушающая, как цунами, ростом в десять этажей, — запомнившееся потом надолго 16 октября 1941 года. В промежутке между этими волнами, в сравнительно спокойную ночь, наше повествование снова приблизилось к станции метро «Площадь Маяковского».

На этот раз все подходы к ней были перекрыты военными патрулями. Москвичей, привычно уже направлявшихся туда на ночевку, заворачивали. «Граждане, станция «Маяковская» сегодня закрыта. Используйте другие бомбоубежища». Ну, не иначе как взрыв какой-нибудь, думали москвичи, прорыв воды или канализации.

Станция между тем была в полном порядке, больше того, сияла в ту ночь пугающей чистотой. Медленно и надежно скатывалась вниз одна из лестниц эскалатора. Тускловато, но ровно горели на лестнице фонари, похожие на чаши языческого храма. Привычно, как в мирное время, светились надписи: «Стойте справа, проходите слева!», «Держитесь за перила», названия станций — «Белорусская», «Динамо», «Аэропорт», «Сокол», «Площадь Свердлова», пересадка на «Охотный ряд», «Библиотека им. Ленина», «Дворец Советов», «Парк культуры им. Горького».

Вскоре после полуночи к станции подъехало несколько кургузых бронированных автомобилей командующих фронтами и сопровождающего состава. Из машин вышли и направились внутрь командующий Западным фронтом Жуков, командующий Брянским фронтом Еременко, генералы Конев, Лелюшенко, Говоров, Акимов.

Жуков шел впереди, низкий, кривоногий, кожаное пальто обтягивало мощный зад, вислые плечи, в стеклянных дверях метро мелькнуло отражение мрачных фортификаций его лица. Генералы поехали вниз. Царила полная тишина, только ритмично, чуть-чуть постукивал механизм эскалатора.

Весь орнамент гранитного пола был на этот раз чист и матово светился под тусклыми плафонами. В огромном отдалении станции смутно различался белый бюст. Думал ли когда-нибудь «красивый, двадцатидвухлетний», в желтой кофте и с моноклем в глазу, что обернется божком в подземном народном капище?

Генералы медленно прогуливались под стальными колоннами. Никто не разговаривал. Жуков попрежнему держался чуть впереди группы. Иногда он поднимал левую руку, правой отгибал рукав кожана и смотрел на светящиеся часы. Тогда и другие генералы поглядывали на свои часы. Прошло не менее десяти минут, прежде чем в тоннеле со стороны центра послышался несильный шум приближающегося поезда. Медленно выехал из тоннеля и остановился вдоль платформы обычный пассажирский поезд с пустыми или почти пустыми вагонами. В одном из таких почти пустых вагонов сидели члены Политбюро ЦК ВКП(б) Молотов, Каганович, Ворошилов, Берия, Хрущев... Вместе с ними прибыл большой, как ломовик, маршал Тимошенко Семен Константинович. Генералам, которые давно уже не пользовались городским транспортом, способ прибытия вождей к месту встречи не показался чем-то уж очень-то экстравагантным, адъютанты же были поражены несопоставимостью понятий: обычный поезд метро, а в нем мифические «портреты»!

Открылись пневматические двери. Жуков сумрачно смотрел на выходящих. Сталина среди них опять не было. Не удержавшись, он произнес вслух: «Товарища Сталина опять нет...» Еременко молча на него покосился. В случае появления Сталина Жуков собирался скомандовать «смирно» и затем от имени всех присутствующих отчеканить шаг и отрапортовать о явке по всей форме. Жуков, только что назначенный главкомом Западного фронта, всеми признавался старшим. Теперь он не скомандовал «смирно», и все генералы остались в произвольных позах.

Сейчас у них на физиономиях появятся отеческие улыбки, с отвращением подумал Жуков. Вот чего я не переношу, это их отеческих улыбок. «Гады», — подумал он вдруг, неожиданно для себя самого, и взял под козырек, вполне, впрочем, небрежно, отнюдь не по форме.

— Командование Западным и Брянским фронтами по приказанию Политбюро ВКП(б) прибыло, — сказал он опять же без всякого теплого чувства к народным кумирам. «В мирное время за один этот тон я бы полетел вверх тормашками, — мелькнуло в мыслях. — Сейчас, впрочем, война. Сейчас я им нужен больше, чем они мне».

Отеческих улыбок на этот раз не наблюдалось. Молотов пожал ему руку:

— Давайте, товарищи, сразу приступим к делу!

Он прошел вперед, в глубину зала, где уже, неизвестно откуда, появился большой длинный стол для совещаний, две дюжины стульев, переносные лампы, стенды с военными картами.

Все расселись. Молотов и Жуков смотрели через стол друг на друга, два сильно укрепленных каменных лица, эмоции даже в щелочки не проблескивали.

— Товарищ Сталин просил передать вам горячий привет, товарищи генералы, — сказал Молотов. — Он следит за каждым моментом в развитии ситуации и готовит ключевую встречу Совета Обороны с командующими фронтов и армий. Пока что мы должны решить текущие оперативные задачи..

«Врет, скотина», — подумал Жуков. Ни одна складка на его лице не изменила общей твердокаменной диспозиции. «Почему даже нам не говорят, что на самом деле происходит со Сталиным? Может быть, он давно уже сидит в Куйбышеве? «Текущие оперативные задачи», экий пустяк! Тогда зачем назначать совещание в метро? Зачем темнить даже с теми, с кем совсем не надо темнить? От этих «оперативных задач» сейчас зависит все. Сбежать не удастся никому».

— Георгий Константинович, члены Политбюро хотели бы, чтобы вы доложили обстановку, — сказал Ворошилов.

Жуков чуть повернул голову к нему. «И этот болван хитрит, — подумал он. — Доложи, мол, им, я-то, мол, и сам все знаю. А кто видел тебя на фронте, «первый красный офицер»?» Он кивнул, встал и четкими шагами подошел к одной из карт. Ему показалось, что по членам Политбюро прошел какой-то алюминиевый шелест: карта, к которой подошел Жуков, представляла не центральные области, а попросту Подмосковье, то есть ближайшие подступы. Слепо отсвечивающее пенсне Берии следовало за его указкой. Указка уперлась в Можайск.

— После захвата Калуги танки Гудериана выходят на Можайск, — начал говорить Жуков с полным бесстрастием, как будто на лекции в военной академии. — В районе Малоярославца нам удалось собрать группу войск из состава Сорок третьей армии. В нее входят сто десятая стрелковая дивизия, семнадцатая танковая бригада, Подольское пехотное и Подольское пулеметно-артиллерийское училища, два батальона запасного полка. Здесь мы еще держимся, хотя моральное состояние войск оставляет желать лучшего. Солдаты деморализованы бесконечными налетами пикировщиков «штукас».

У Кагановича при этих словах на мгновение приподнялись брови, чуть выехали вперед маленькие усики-подносники, столь модные в тридцатые годы среди руководителей европейских государств. Движение волосистых частей лица выражало бы даже комическое удивление, если бы не тяжелый, как рельса, взгляд «железного наркома». Чем он был недоволен, завывающими «штукас», вертикально падающими на наших покинутых «сталинскими соколами» ваньков, а потом, оставив за собой смертоносный подол взрывчатки и свинца, резко уходящими вверх, или старорежимным словом «солдаты», которое командующий употребил вместо милых сердцу коммуниста, овеянных славой революции «красноармейцев»?

Жуков сказал еще несколько слов о подавляющем превосходстве немцев в воздухе. Может быть, они уже знают об этом, как знает каждый солдат на фронте и миллионы людей в оккупированной зоне, а может быть, и не знают, тогда будет полезно узнать.

Он продолжал огорчать вождей дальнейшими откровенностями, деталями, до которых государственные мужи могли не дойти среди грандиозных задач. Наши танки не выдерживают ни малейшей встречи с немецкими «Т-III», не говоря уже о «Т-IV». «Тридцатьчетверок» пока очень мало, КВ мы вообще не видим на фронте. Это замечание было прямым пинком в зад Ворошилову: танк КВ (Клим Ворошилов) был, разумеется, его любимым детищем. Самое же ужасное состоит в резкой нехватке кадрового командного состава. Недостаточная подготовка, полное отсутствие боевого опыта у многих командиров приводят к бесчисленным неверным решениям на уровне полка и выше и, в совокупности с прочими факторами, к развалу фронта, образованию «котлов», актам массовой капитуляции, к прямой измене.

«Как разговорился человек, — думал Берия, глядя на малоприятного русского мужика в генеральской одежде. — Как сильно разговорился. Вот вам война, как разговорились люди».

— Я вас правильно понял, товарищ Жуков, что главный вопрос состоит в том, как остановить танки Гудериана? — спросил он.

Жуков повернулся к отсвечивающему пенсне. Ему хотелось усмехнуться прямо в эти страшные стеклышки, но он вообще-то не очень умел усмехаться. «Главный вопрос сейчас стоит не перед нами, а перед Гудерианом, — подумал он. — Хватит ли у него горючего еще на две недели, чтобы взять Москву?» Как военный, Жуков понимал, что в принципе остановить немцев под Москвой может только неудачное для них стечение обстоятельств, какой-то их собственный просчет, но уж никак не сопротивление дезорганизованной Красной Армии. Он этого, однако, не сказал, иначе немедленно зачислили бы в «пораженцы», а то и еще черт знает какой лапши навешали бы на уши, как в тридцать седьмом.

— Говоря о тактической диспозиции, товарищ Берия, — сказал он, — мы должны уметь влезть в шкуру противника и вообразить, какие перед ним стоят трудности. А трудности у него есть, в частности, очень растянутые коммуникации...

Жуков еще говорил некоторое время и показывал указкой как бы с точки зрения генерал-фельдмаршала фон Бока, пока не понял, что этим он нагнал на вождей еще большего страха.

— В общем, товарищи, положение у нас очень серьезное, если не сказать отчаянное. — Он положил указку, вернулся, отстучав шесть раз сапогами по плитам, к столу, сел и добавил: — Но все ж таки пока еще не безнадежное.

Минуту или две царило молчание. Члены Политбюро, как всегда, боялись друг друга. Тимошенко вообще, казалось, жабу проглотил, сидел Собакевичем. Генералы тоже опасались друг друга и боялись членов Политбюро. Каждый, однако, чувствовал, что этот «внутренний» страх все-таки несколько ослабел благодаря страху «внешнему», приближению безжалостного врага извне, который плевать хотел на все их византийские интриги и тонкости кремледворства и просто одним ударом уничтожит их всех, со всей советской Византией.

— А что же народное ополчение? — спросил Каганович. — Может оно сыграть какую-нибудь роль?

Генералы переглянулись. Народное ополчение, тысячи необученных «шпаков» с одной винтовкой на десятерых, лучше бы перестали губить людей и смешить немцев.

— Это несерьезно! — вдруг по-солдатски рубанул генерал-полковник Конев. — Бородинской битвы нам организовать на этот раз не удастся.

Вожди сидели насупившись. Даже если бы и удалось устроить новое Бородино, оно при всей своей исторической славе мало их устраивало, ибо привело — хочешь не хочешь — к падению Москвы, что все-таки тогда, в восемьсот двенадцатом, было не так страшно, потому что правительство-то сидело в Петербурге и ему ничего не угрожало, а сейчас угроза направлена прямо на них, на высочайшее правительство!

Жуков вдруг почувствовал прилив какого-то мрачного вдохновения. Может быть, упоминание Бородина было тому причиной, а может быть, все, что накопилось за последние недели, все унижения перед чужеземной силой и дикое желание отвратить неотвратимое, но он вдруг отбросил все околичности, через которые всегда приходилось пробираться на встречах с высшими партийцами, решил взять все совещание в свои руки и заговорил почти диктаторским тоном:

— Времени у нас осталось очень мало. Перегруппировывать войска под беспрерывным ураганным огнем невозможно. Единственное, чем можно реально остановить бегство и капитуляцию, это заградительные батальоны за линией фронта. И они должны действовать беспощадно.

В этом месте речи главкома Берия одобрительно наклонил голову.

Жуков продолжал:

— Необходимо как можно быстрее обеспечить подход свежих соединений с Урала и из Сибири. Однако для организации этих соединений в боеспособные части, как, впрочем, и для всей последующей кампании, мы должны резко, я подчеркиваю, одномоментно увеличить число высших и средних кадровых командиров. И я прошу об этом немедленно доложить товарищу Сталину.

Вожди сразу поняли, о чем идет речь, тут же углубились в свои папочки с какими-то бумажками, один только Ворошилов воскликнул с присущей ему дешевой театральностью:

— Но как мы можем это сделать одномоментно, Георгий?!

Жуков неулыбчиво посмотрел на него. Никогда не поймешь этого человека, актерствует или дураковствует. Может быть, это его и спасало все эти годы?

— Ну, об этом вы должны знать лучше, чем я, Климент Ефремович!

До Ворошилова, кажется, дошло, он приоткрыл было рот как бы в изумлении, как будто ему и в голову никогда не мог прийти этот странный фактор ошеломляющих поражений Красной Армии, однако тут же рот закрыл и тоже углубился в пустую папочку.

Молотов вдруг разомкнул глиняные уста:

— Что ж, товарищ Жуков, мы непременно доложим о ваших соображениях товарищу Сталину. Со своей стороны я хочу сказать, что в таких чрезвычайных обстоятельствах возможны самые экстраординарные меры. Сейчас решается судьба всего социализма.

Жуков кивнул. Опять же без всяких эмоций, одна лишь железобетонная определенность, последняя линия обороны.

— Рад, что вы меня поняли, товарищи. Решается судьба всего нашего отечества.

Совещание продолжалось еще часа два, если еще можно было отсчитать бег минут в этом замкнутом пространстве, плывущем в глухих глубинах русской земли. Сторонний наблюдатель, скажем автор романа, подивился бы смешению эпох, явленному в этом пятне сумрака среди моря мрака. Округлая римская античность со слепыми глазами представала перед нами в голове и плечах Лаврентия Берии. Генералитет представлял бивуак извечного российского солдафонства на уровне фельдфебелей. Молотов и Ворошилов являли собой типы гоголевских комедий. «Железному наркому» и впрямь как бы предполагалось в кожаном фартуке раннего капитализма высунуться из-за кулис с кувалдой в руках. И над всем этим собранием высилась на постаменте голова футуриста, и вздымались к еще различимым куполам стальные колонны советской утопии, и только лишь временами казалось, что сквозь все толщи земли и бетона сюда проникают и начинают неслышно парить над столом валькирии германского социализма. Чувствуя их присутствие, вожди Политбюро временами млели от ужаса.

Антракт I. Пресса

«Нью-Йорк Таймс», 12 июня 1941 г.

Правительства Соединенного Королевства Великобритании и Северной Ирландии, Канады, Австралии, Новой Зеландии, Южной Африки, правительство Бельгии, временное правительство Чехословакии, правительства Греции, Люксембурга, Нидерландов, Норвегии, Польши и Югославии, представители генерала де Голля, лидера свободных французов, вместе вовлеченные в борьбу против агрессии, пришли к заключению, что они будут продолжать сопротивление германской и итальянской агрессии до победного конца...

20 июня 1941 г.

Бывший посланник Джон Кудай пишет о своей встрече с Гитлером. У диктатора был диспептический вид, выдающий напряжение и предельную усталость. Волосы его быстро седеют. Поражает бледность лица и безжизненность рук.

«Тайм», 20 июня 1941 г.

Итальянские газеты напечатали высказывание Бенито Муссолини: «Эта война приобретает характер войны двух миров».

Мы видим, что тоталитарный мир организуется для решительной битвы, и Россия будет его неотъсмлсмой частью, несмотря на появляющиеся сообщения о том, что Гитлер выкручивает Сталину руки...

30 июня 1941 г.

Пока остальная Россия, припав к своим пушкам, ждала завоевателя с Запада, ученые на Востоке, в Самарканде, проникли в гробницу самого могущественного завоевателя всех времен Тамерлана Великого. Под трехтонной мраморной глыбой и под еще двумя грубыми глыбами гранита был обнаружен гроб, в котором лежал император в своих расшитых золотом одеждах. За исключением головы, скелет хорошо сохранился. Ученые подтвердили догадку филологов: правая нога завоевателя была короче левой...

7 июля 1941 г.

Наш корреспондент в Токио после путешествия через Россию сообщает: шесть недель назад бородатый крестьянин-колхозник в деревне неподалеку от Москвы сказал мне: «Когда же наконец немцы придут навести порядок?»

14 июля 1941 г.

Финны вздыхают, что снаряды русских пожгли сосновые леса вокруг Ханко — их любимого места отдыха в летнее время...

Румыны, хоть и зачарованные перспективой что-нибудь стащить у России, очень обеспокоены высадкой советских парашютистов на нефтяных полях Плоешти. «Железная гвардия» ответила на высадку истреблением 500 «еврейских коммунистов»...

К количеству потерь обе стороны относятся небрежно. Немцы сообщили, что лишили русских 600 тысяч солдат. Русские на следующий день, чтобы не отстать, объявили об уничтожении 700 тысяч немцев. Немцы немедленно подняли число до 800 тысяч. Русские ответили на это — 900 тысяч.

В центре Мадрида стоит статуя Нептуна с трезубцем. Кто-то из вечно голодных испанцев повесил на нее плакат: «Дайте хоть что-нибудь поесть или заберите вилку!»

«Дейли Миррор», 20 июля 1941 г.

Если и был такой человек, кто поднял стартовый пистолет и возвестил начало новой мировой войны, то этим человеком был товарищ И.Сталин... Как бы нам обойтись без этого лицемера?..

«Телеграф», август 1941 г.

Женские брюки впервые появились в большевистской России... Снобы на летних курортах Британии и США нашли эту моду привлекательной и придали ей блеск... Это еще один пример того, как много общего между коммунизмом и плутократией...

Германское агентство печати DNB

Линия Сталина прорвана в нескольких местах. Советские войска отступают в полном смятении, руководство не способно восстановить порядок...

Совинформбюро

Результаты первых трех недель войны свидетельствуют о несомненном провале гитлеровских планов блицкрига...

«Тайм»

...Многое свидетельствует о том, что как немцы, так и русские лгут...

Сталин доверил Ленинград Климентию Ворошилову, Москву Семену Тимошенко, Киев Семену Буденному...

Немецкие войска гордо объявили о захвате мамонтоподобного 120-тонного танка «Слава Сталину». Гигант развивал скорость 6 км в час...

Антракт II. Комнатная магнолия

Фикус презирал (с тем же успехом можно сказать «презирала») соседствующий с ним горшок герани. Ну, разумеется, не сам горшок, а куст, произрастающий из горшка. Герань казалась (казался) ему (ей) бездуховной, бессмысленной тварью. Он не получал от нее никаких сигналов. Иногда он поворачивал свои жесткие листья ребром к ней. Все напрасно, никакого ответа. От комода с вышивками и то больше пользы. Оба растения стояли у окна в квартире стрелка Колымагина, что в Петровской слободе. На подоконнике им соседствовала гнуснейшая слизистая плюха в трехлитровой банке, именуемая «гриб». Этот занят был лишь одним — продуцированием сомнительного «сока» на опохмел Колымагину. Фикус вообще отвергал существование «гриба», как отвергали его родственные души Палеологи залетающих в окна дворца мух с магометанского базара.

Фикус научился смотреть в окно поверх гриба и видеть там то, что ему почти всегда нравилось: кирпичную дорожку к калитке с выломанной доской, два ведра вверх дном на заборе, цинковое корыто с замоченными тряпками, бочку с песком для унылых противопожарных целей, зеленые помидоры, вечной недозрелостью согнувшие свои увядшие стебли, проскальзывающих грязненьких мышек — всю эту атмосферу юдоли, заброшенности срединной земли, на которой в не- кие веки неизвестно почему вдруг возгорелся великолепный ствол огня и произошло слияние двух его начал — предтропического и предполярного, то есть греков и варягов.

Первое вспоминалось в закатные вечера, когда случалось редкое в Москве явление и горизонт на западе оказывался чист. Тогда вдруг нечто весьма отдаленное выплывало: мрачная гордость царевны, всеми оставленной у монастырского окошечка в ожидании кинжала, потом шаги по булыжникам въезда, закат, отсвечивающий в кирасе любимого, вернувшегося с победой из-под Азова. Или с поражением, какая печаль? Важно, что перехватывает под титьками, забывается царство, лишь бы распахнуться перед Рюриковичем, лишь бы продолжить род. Освободи, князь! Ведь не сохнуть же моим византийским чреслам в монастырской келье, ведь не обращаться же при жизни в бесплодную комнатную магнолию, сиречь фикус.

Варяжское же начало растения, естественно, ликовало при виде первого снега, покрывающего дорожку и забор, и открывшейся после падения листьев плоской шапки потешного дворца.

— Эхма! — восклицал обычно в эти часы стрелок Колымагин и, хоть совал в горшок к подножию бывшей магнолии свою цигарку, все же был любим, напоминал каких-то выплывающих из-под снегопада отцов или дядьев, иногда даже и с татарским резвым прищуром.

— Вы бы прекратили совать в растения свой гнусный «Прибой», — проговорила хозяйка, словно прошелестела сухая саранча.

— Жаль, нам не разрешают брать домой табельное оружие, — ответил стрелок Колымагин. — Бля буду, прикончил бы тебя, бляху!

— С вас станется, урод, алкоголик! — свистела саранча.

— Бля буду, запалю твою хибару! — рычал Колымагин, загоняя хозяйку в угол, выкручивая ей руки и ноги. — Партбилет положу, а покончу с хавирой!

Однажды дом и впрямь полыхнул, а вместе с ним и комнатная магнолия. Слияние предтропического и предполярного лишило ее способности плодоносить, однако она (он) мог (могла) великолепно сгорать.

Весь дом трещал, вопили кошки, на пределе возможностей, то есть как электропила, звенела саранча, жизнерадостно ухал, как маршал Чойбалсан, Колымагин.

Листья фикуса сначала пожелтели, потом скукожились, наконец — вспыхнули! Рядом вдруг взвился малым столбиком к потолку пожар герани. Тут вдруг фикус услышал ее сигнал.

— Неужели ты и сейчас не слышишь, не слышишь, не слышишь? — отчаянно взывала герань.

— Ах, это ты! — наконец догадался фикус и окончательно возгорелся.

Глава четвертая
Сухой паек

В двух сотнях километров от Магадана вверх по колымской трассе стояла уже зима. Никита Градов в очередной, третий за сегодняшнее утро раз выталкивая тачку с рудой из штольни, вдруг поразился сильному солнечному свету. Подъем и выход на работу в полной темноте не предвещали ничего, кроме обычного мутного, пуржистого, пронизывающе холодного, сугубо тюремного колымского дня, и вдруг на третьей ходке с верхнего уровня карьера открылись рафинадные дали «чудной планеты», густые и синие, как оберточная бумага, тени, таежная щетина распадков, огромное небо первобытной земли. Под таким небом, если отвлечься от омерзительного зрслища каторжного карьера, можно было забыть о человеческой истории, то есть почувствовать себя свободным. Никита на мгновение задержался на горбушке холма словно для того, чтобы переменить руки, и глубоко вдохнул морозного воздуха. Если меня еще посещают такие мысли, значит, еще держусь, подумал он. С некоторых пор он стал себя наблюдать как бы со стороны, к любому проявлению своей личности и своего тела прикладывая эту формулу: «если еще... значит, еще...». Лагерный опыт научил его пуще всего страшиться того момента, когда ломается это «еще» и человек начинает стремительно превращаться в «фитиля». Как-то раз во время санитарного дня на общей помывке он поймал в мутном стекле в коридорчике помывочного барака отражение юношеской фигуры со впалым животом, прямыми угловатыми плечами, выпирающими костями узкого таза и лишь с некоторым опозданием понял, что это он сам и есть, столь странно помолодевший. Сорокаоднолетний бывший комкор выглядел двадцатилетним солдатом, из-под кожи исчезли малейшие воспоминания о «социалистических наполнениях», полностью выявилась славно задуманная при рождении фигура. Зрелище это отнюдь его не обрадовало, но испугало. Он уже знал, что эта неожиданная молодость проглядывает только из мрака грязных стекол, что она хрупка, как промороженная насквозь сухая ветка, что вечный изнуряющий голод и непроходящая усталость в какой-то момент приведут к слому и быстрому скату на самое дно, где и осуществится излюбленное напутствие чекистских следователей: «Сотрешься в лагерную пыль!» Поэтому и наблюдал за собой, каждый раз примеряя зековскую формулу «если — еще — значит — еще». Если еще иной раз посещали его на нарах эротические сны, видения ласкающей Вероники и он просыпался в разгар волшебного напряга и извержения, значит, еще жив. Если хватало воли утром выскочить из барака, сбросить телогрейку, растереться снегом, значит, еще жив. Если после смены возле печурки вместо того, чтобы бухнуться и отключиться, влезал в спор досужих философов о полном кризисе позитивизма, значит, еще и на самом деле жив, и значит, все это нужно настойчиво делать: грезить о Веронике, даже просто мастурбировать, дрочить, обтираться снегом, растягиваться, даже делать стойку на руках, отстаивать наследственную градовскую позитивистскую философию. Нередко, однако, посещала его и конечная, как он ее называл, мысль: зачем тянуть, выхода отсюда нет, перестать наконец вертухаться, молодости твоей совсем ненадолго осталось. Это уже подступало доходяжничество. Он в ужасе встряхивался, начинал дышать, раздувая живот, зажимая то одну ноздрю, то другую, пропуская по незримым канальчикам тела струйку космической энергии по индийской буддистской системе. Этому дыханию его научил сосед по нарам, учитель-харьковчанин, как раз и схлопотавший свою десятку за приверженность к «идеалистическим учениям Востока и попытку дезориентировать советскую молодежь». Никита был уверен, что система помогает, и, конечно, говорил себе: «Если еще дышу пранаямой, значит, еще жив».

В этих попытках самосохранения Никита почему-то преисполнился странной сухости по отношению к семье. Он старался отгонять от себя тепло серебряноборского дома, лица родителей, сестры, детей, няньки... Даже во сне пытался эту память о невозвратном тепле отгонять, и это удавалось, Серебряный Бор исчезал, лишь прыгала взад-вперед какая-то толстая мужиковатая белка.

Он знал, вернее, почти знал, что жена арестована. В одном из писем, дошедших до него года два назад уже сюда, в колымский лагерь, Мэри написала: «Веронике пришлось нас неожиданно оставить, испариться в неизвестном направлении. Бабочка и Веруля с нами, они здоровы». Разумеется, это было сообщение об аресте, но он, вместо того чтобы полностью осознать ужас пребывания его нежной девочки в чекистской преисподней, вот в таком хотя бы бараке, в карьере, за тачкой, тщательно эти мысли отодвигал, зато допускал другие, почти абсурдные: а может быть, просто мужичок какой-нибудь подвернулся, может быть, какой-нибудь артист ее увез или летчик-полярник... Ревность тогда мощно встряхивала его, и он не без удовлетворения замечал: «Ну, если еще ревную, значит, еще держусь».

В бараке знали, что идет война, но не представляли ее характера и размаха. В начале, когда первые слухи только просочились, Никиту как военного специалиста нередко спрашивали, скоро ли падет Берлин. Он разводил руками: если за эти годы, что я был в узилище, не удалось добиться какого-то кардинального подъема военной технологии, о взятии Берлина не может быть и речи. Линия фронта, скорее всего, проходит где-то в середине Польши, и Красной Армии стоит немалых трудов ее держать. Война между Германией и СССР может тянуться неопределенное время в зависимости от отношений со странами Антанты. Скорее всего, Сталин и Гитлер завершат все это дело перемирием, долгими переговорами, а потом, возможно, хоть это и парадоксально звучит, товарищи, договором о сотрудничестве. В спецконтингенте особо опасных государственных преступников, к которому принадлежал Никита уже два года после того, как его этапировали на Колыму из внутренней тюрьмы, изоляция от внешнего мира была одной из главных прерогатив. Сюда, в небольшую замкнутую систему, глухо известную под наводящим ужас именем Зеленлаг, даже новенькие зеки не поступали, поэтому здесь ничего не знали ни о том, что договор между Гитлером и Сталиным был заключен еще в 1939 году, что новые союзники немедленно поделили Польшу, что началась война на Западе и рухнула Франция, и наконец только из каких-то обрывочных реплик охраны стало ясно, что идет война на западных границах.

Недавно произошла сенсация. Сосед Никиты с нижних нар, в прошлом крупный работник Коминтерна Зем-Тедецкий, будучи в санчасти, умудрился спрятать под фуфайку и пронести в барак клочок грязной газеты. Отчаянный польский еврей буквально рисковал жизнью ради политической любознательности. Ходили слухи, что Аристов, начальник управления Зеленлага, лично расправляется с нарушителями режима, и вот как раз за кражу какого-то журнала на прииске «Серебряный» вывел зека за зону и шлепнул из браунинга, как в овеянные славой годы Гражданской войны. Так или иначе, после смены у печурки в кругу самых надежных людей газетенку расчистили, расправили и вдруг в красноватом мерцающем свете увидели сообщение Совинформбюро о боях на Смоленском направлении. Да неужели это возможно? «Непобедимая и легендарная» отступает? И вся Белоруссия уже отдана, и половина Украины, и вся Прибалтика уже под немцами, и Ленинград под угрозой? «Белоруссия — родная, Украина — золотая! Ваше счастье молодое мы своими штыками отстоим...» Так вот что означал обрывок этой песни, долетевший как-то раз в зону Зеленлага из репродуктора в общей зоне!

Никита ушел тогда от печурки и лег на свое место лицом в потолок, обросший грязным барачным снегом и льдом, почему-то желтым, словно и там на него мочились. Мелькавшие в сводке имена военачальников ничего ему не говорили, за исключением, возможно, только командира мотострелковой дивизии генерал-майора Колесника, с этим, кажется, встречались на учениях штабов, он был чьим-то адъютантом, уж не Гамарника ли? Значит, все, чему он столько лет посвятил, работая в Западном военном округе, пошло вразнос, разлетелось вдребезги, если немцы уже под Смоленском, а то еще, чего доброго — газета-то старая, — уже и за Смоленском? Он долго лежал, пытаясь настроить себя на военный лад, вообразить свое собственное поведение в дни такого страшного нашествия, представить себя в штабе фронта или на передовой — во главе дивизии, полка, роты, увидеть себя хоть рядовым бойцом под немецким огнем, но ничего не получалось. Все заволакивалось дикой, будто бы внутриклеточной усталостью, равнодушием, а главное, опустошающим голодом, мыслями о нескольких корочках хлеба, которые удалось во время обеда стащить со стола раздачи и припрятать под подкладкой бушлата. Он страстно мечтал только об одном: накрыться бушлатом с головой и немедленно сожрать эти сладостные, даже, кажется, хрустящие на вид корочки, хотя давал себе слово проявить волю, сохранить их до утра, съесть перед выходом в карьер. Да зачем, зачем проявлять волю, зачем тянуть, зачем держать «человеческий облик», почему в конце концов не начать вылизывать тарелки, как это делают «фитили»? Что переменит война в нашей жизни? Немцы до Колымы все равно не дойдут, геройски погибнуть за родину на поле брани не удастся.

Вокруг горячими шепотками поперек и вдоль нар дискутировали знатоки мировой политики, бывшие теоретики и практики мирового коммунизма. Никита молчал, к нему не обращались, как бы проявляя такт, как бы понимая страдания командира РККА в этот роковой час. Все эти люди вокруг него были настоящими, как он их про себя называл, «выживленцами». Выжить — это была их основная задача, не упустить ни малейшей возможности поддержать тело и дух, которые были им нужны для каких-то будущих задач. Если попадалась где-нибудь под ноги веточка стланика, немедленно все прожевывалось до последней ниточки вместе с иголками и корой — так в организм попадали бесценные витамины. Чрезвычайно полезными считались картофельные очистки, которые иной раз удавалось подцепить на задах столовского барака. Клубешок же подгнившего сырого картофеля считался подарком судьбы, он давал заряд, почитай, на целую неделю. Кто-то придумал пить собственную мочу: она не только поддерживает тонус, но и исцеляет многие лагерные болезни. Некоторые так страстно уверовали в мочу, что стали даже считать, что теперь им все нипочем. Никита тоже начал пить собственную мочу, когда на ногах у него появились язвы, и, кажется, действительно помогло, язвы сошли. В этот же разряд «выживательных мер», сохранения «человеческого облика» входили и бесконечные разговоры о политике, перетряхивания всех предыдущих партийных съездов, оппозиций, групп и платформ, международных договоров и интриг, сочинение всевозможнейших гео- и внутриполитических гипотез. Вот и сейчас он был уверен: горячность, с которой обсуждался газетный клочок, была в основном направлена на ту же самую формулу: «Если — я — еще — значит — я — еще».

Между тем он лежал и с отчаянием думал не о войне, а о своем равнодушии к ней. В конце концов снова из тупичков сознания выплыло спасительное: «Если я еще с отчаянием думаю о своем равнодушии, значит, я еще не равнодушен, значит, еще жив». Он накрылся с головой бушлатом, сжевал цинготными зубами свои корочки и забылся беспросветным сном. Никакие видения его уже во сне не посещали, все его железы молчали, будто проникала и инкрустировала его изнутри страшная колымская вечная мерзлота. В тот день, начиная третью ходку, он уже чувствовал себя безнадежно усталым, разбитым, почти полностью устраненным с лица земли, даже и с этого лица, обезображенного диким разрезом карьера. Зеки один за другим толкали вверх на волю из наклонной штольни тачки с породой, на мгновение выкатывались на бугорок, откуда мелькал им в лица окружающий мир, и сразу же начинали мучительный спуск на дно карьера, где раскорякой стояла безобразная драга, которая сама почему-то не копала, но дико ревела, грохотала и свистела, перерабатывая породу: вот ее-то и должны были питать своими тачками зеки Зеленлага.

Если уж я так устаю на третьей ходке, уныло подумал Никита, но не додумал: солнце вдруг брызнуло в лицо, распахнулся простор, воздух вошел в грудь и на мгновение встряхнул весь его смерзающийся состав; усталость отлетела. «Если — я — еще — значит — я — еще»... Задерживаться на горбушке холма было нельзя, сзади подталкивали, и он начал спуск, но все-таки в другом уже настроении, с надеждой снова увидеть солнце на обратном пути в штрек, а потом опять и опять, до заката, и ночь, когда упадет, будет иной, не кромешной, как обычно, а со звездами, может быть, и с луной, так и пройдет сегодня вся смена, все тридцать четыре ходки, может быть, и вытяну, может быть... А если я еще думаю «может быть», значит, я еще...

На повороте дороги, в самом крутом месте, где надо было что есть силы держать тачку, не дать ей покатиться и опрокинуться, чтобы не потерять права на хлебную пайку, стояли два мордатых вохровца в нагольных тулупах. Они рассматривали номера на груди зеков и сверялись с каким-то списком.

— Проверяют кадры, — сказал за спиной Земтедецкий. — Кадры в период реконструкции решают все.

— Эй, Градов, стой! — вдруг сказал вохровец. — Бросай тачку! Кругом — марш!

Один вохровец отправился вниз, а другой повесил на плечо свое «ружжо» и пошел вслед за зеком Градовым, Л-148395.

Потрясенный таким неожиданным поворотом, то есть сломом всего своего уклада, попросту ошеломленный нарушением монотона ходок, Никита шел теперь навстречу полным тачкам, чуть сбоку от тачек пустых, но без тачки. Иные из зеков бросали на него удивленные взгляды, большинство не обращало внимания, поглощенное своими «выживательными» процессами.

— Давай живей! Шевели ногами! — рявкнул сзади вохровец.

Поднялись на бугор. Солнце ударило в лицо так резко, что он даже чуть отшатнулся. Ноги сами заворачивали к черной дыре штольни.

— Возьми левее! — крикнул конвоир.

— Куда ведешь, начальник? — спросил Никита на зековский лад.

— Заткнись, ебенамать! Возьми левее! — гаркнул вохровец.

Никита почувствовал, что он снял винтовку с плеча и взял ее наперевес. Все было в стиле Зеленлага, за исключением этой неожиданной прогулки по узкой тропе посреди сверкающих сугробов.

Через четверть часа они подошли к административному зданию лагеря, оштукатуренному бараку с настоящими окнами, за стеклами — чудо из чудес! — видны были женские лица обслуги, тоже, разумеется, из зечек. Возле крыльца стоял военный вездеход, а на перилах крыльца, явно наслаждаясь солнцем, сидели два армейских командира. Начальник лагеря, да-да, сам всесильный майор Аристов, разговаривал с ними, улыбаясь, смеясь, явно стараясь понравиться. Армейские его еле слушали, а если и взглядывали иногда, то с нескрываемым пренебрежением, хоть и были оба в лейтенантских чинах.

— Вот этот? — Один из лейтенантов ткнул большим пальцем в сторону приближающегося Никиты. Второй только слегка присвистнул, видимо впечатленный внешним видом особо опасного врага народа.

На крыльце рядом с голенищем майорского сапога Никита увидел свой собранный и завязанный сидор.

«Меня куда-то увозят. Очевидно, пересмотр дела и расстрел, — подумал он и не испугался. — Однако почему же военные, а не чекисты? Что ж, вполне резонно. Судил меня военный трибунал, вот военные теперь и увозят на пересмотр дела, чтобы расстрелять опасного врага в связи с военным положением». Вдруг настроение у него от этих мыслей странным образом резко взмыло, он даже как-то вдохновился — солнце, искрящийся снег, армейцы, расстрел! — все лучше, чем медленное, день за днем, вытекание жизни, срастание с вечной мерзлотой.

— Садитесь в машину! — скомандовал ему один из лейтенантов.

— Куда меня везут? — спросил Никита.

Предстоящий расстрел наполнил его впервые со дня водворения в Зеленлаге какой-то как бы прежней гордостью.

— Садись, садись, Градов! Или тебе неохота с нашего курорта уезжать?! — хохотнул Аристов.

— Вам позже объяснят, — безучастным солдафонским, но все-таки отнюдь не чекистским тоном сказал второй лейтенант.

Он сел впереди с водителем, а Никита поместился на заднем сиденье рядом с первым лейтенантом. По дороге тот временами кривил нос и отворачивался от зека. Классовая неприязнь, что ли, подумал Никита, а потом догадался, что это просто вонь, что от него очень противно воняет бараком и краснощекому, наодеколоненному с утра лейтенанту трудно это переносить.

Машина долго шла по извилистой узкой дороге вдоль распадка; в одном месте, на перевале, где сильный ветер намел сугробы, забуксовала. Лейтенанты тогда вылезли, стали толкать, Никита предложил свою помощь, его резко оборвали. Вскоре после этого эпизода выехали на большую дорогу, по которой шли колоннами грузовики. Это была пресловутая Колымская трасса, построенная почти буквально на костях зеков и тянущаяся на север от Магадана почти на тысячу километров.

У Никиты кружилась голова, он то и дело закрывал глаза: зрелище мнимо свободной дороги было для него слишком сильным впечатлением. Вскоре, однако, они свернули с трассы на боковую дорогу, идущую по дну распадка между безжизненных, лишь подернутых стланиковым наростом сопок. Потом распадок стал расширяться, проехали какую-то небольшую зону со сторожевыми вышками и колючей проволокой, потом несколько разбросанных бараков и щитовых домишек поселочка и вдруг высхали на поле маленького аэродрома, где и встали.

Находившийся на аэродроме единственный самолет ТВ-2 немедленно по их появлении начал раскручивать три своих пропеллера. Никиту выгрузили из вездехода и повели к самолету. Сидор на плече казался ему тяжелей тачки. Восторг развивающейся невероятной перемены почти лишил его сил. Он ни о чем не думал, а только жадно, ртом, ловил то ли воздух, то ли минуты этой перемены, будто стараясь испить все до конца и ничего не забыть.

В самолете летчик, весь в коже с мехом и в меховых унтах, бросил ему огромные ватные штаны, две фуфайки, тулуп, валенки, меховую шапку.

— Облачайтесь! — крикнул он. — Иначе, — он хохотнул, — не довезем.

Моторы уже гудели вовсю. Самолет начал выруливать к взлетной дорожке. Никита сидел в углу на мешках, он был совсем один в просторном фюзеляже с двумя маленькими квадратными оконцами. Он знал эти самолеты, которые еще при нем стали списывать из состава бомбардировочной авиации и переводить на транспорт. Через несколько минут летчик снова вышел из пилотской кабины и протянул Никите какой-то объемистый пакет.

— Приказано передать вам сухой паек. — Отдельно от пакета он протянул консервный нож и ложку. — А вам приказано кушать. — Извлек какую-то ведомость и огрызок карандаша. — Вот, распишитесь в получении.

После этого он оставил Никиту наедине с сухим пайком, ушел в кабину, и тут же самолет рванул вперед, пронесся мимо домишек и щетинистых щек распадка и оторвался от земли. И тут перед зеком Л-148395 открылись откровения сухого пайка: палка копченой колбасы, коробка тушенки, коробка шпротов, кусок сыра голландского, пачка масла, банка сгущенного молока, банка грушевого компота, две плитки шоколада «Север», большая черствая булка-хала, три пачки ванильных сухарей. Все таинства любви, война и тюрьма были забыты, только сейчас сильнейшее впечатление жизни развернулось перед ним на мешковине в виде сухого пайка командного состава ВВС.

Почти в беспамятстве он схватил, стал ломать и засовывать в рот куски шоколада с обрывками обертки, одновременно влезая ложкой в масло, заедая, стало быть, шоколад маслом. Потом он рвал зубами твердую и неслыханно, умопомрачительно вкусную колбасу, обламывал и запихивал в рот куски сыра, халы, возвращаясь к шоколаду, к маслу, пока все уже окончательно не смешалось у него во рту в сладко-соленую, жирно-сырную массу еды, толчками идущую по потрясенному пищеводу вниз к ошеломленному, истекающему соком и мелкими гастритными кровотечениями желудку. Очень скоро он уничтожил все, кроме консервов. Он хотел было уже взяться за консервный нож и продолжить пир, но на это не было сил: дурман сверхъестественной сытости овладел им. Самолет бухался в воздушные ямы, а бывший комкор Никита Градов рушился в провалы сознания, лишь изредка выплывая в дребезжащую металлом, ревущую тремя моторами сферу. В эти моменты он пытался спрятать в свой сидор банки с тушенкой, шпроты, компот, талдычил себе под нос: «Там не дадут, там больше не будет», развязывал тесемочки, слабо копошился, матерился, стонал, боролся с тошнотой, пока окончательно не вырубился из всей полетной ситуации.

Летчик, вышедший на него посмотреть, вернулся в кабину с шуткой: «Четвертый движок у нас появился, храпит пассажир, что твой «юнкерс». Экипажу не сказали, кого им предстоит перевезти с Колымы на «материк», но летчики, конечно, догадывались, что важную личность, то ли врага, то ли героя, но, скорее всего, все-таки гада. Если по внешнему виду судить, то, конечно, уж фашиста везем на суд народов. Не хотелось бы такого во сне увидеть; наяву еще ничего, но во сне не надо.

За час до приземления Никита проснулся от жесточайших болей в желудке. Казалось, кто-то комком колючей проволоки рвет ему внутренности. Он попытался встать и рухнул с мешков на дюралевый пол, с воем покатился в хвост самолета. Изо рта хлестнули струи желудочного сока, перемешанного с кровью и непереваренными деликатесами.

На военной базе возле Николаевска-на-Амуре его вытащили из самолета в бессознательном состоянии.

— Ну и дела, — скребли себе затылки летчики, — а говорят, от жратвы еще никто не умер...

— Идиоты! — сказал им военврач. — Разве можно голодающему давать столько еды, если не хочешь его убить?

— А мы-то что, — возразили летчики. — Нам сказали, мы сделали, — и пошли расстроенные по домам: они уже успели проникнуться симпатией к своему жутковатому грузу.

Все-таки он не умер, а, напротив, за неделю в военном госпитале на куриных бульонах и рисовой каше, на уколах глюкозы с витаминами полностью пришел в себя и окреп.

Он лежал в отдельном боксе на чистых простынях. За окном на обледенелых ветках елей под дурным ноябрьским ветром раскачивались вороны. Для чего они так со мной возятся, гадал он. Может быть, готовится какой-нибудь пропагандистский процесс военных вредителей, чтобы оправдать поражения на фронте? Приговаривать к расстрелу надо все-таки не лагерного доходягу, а здорового цветущего врага, это логично.

Каждое утро санитар приносил ему «Известия» и «Красную звезду». Иногда ему казалось, что кто-то аккуратно следит за тем, чтобы он был в курсе событий. Превосходно умея читать газеты с их набором околичностей, недоговорок, двусмысленных словесных штампов, Никита без труда понял, что положение на фронте отчаянное, что не сегодня-завтра может произойти катастрофа и падет Москва. Впервые его стала задевать военная диспозиция. Он попросил карандаш и стал делать на полях газеты кое-какие тактические выкладки. Усилия советского командования были похожи на тришкин кафтан. Мысль о входе Гитлера в Москву вдруг показалась ему невыносимой.

Странным образом почти не вспоминался ему Зеленлаг, и только иногда в кошмарной дребедени сна, в которой собрались, казалось, все страхи его жизни, включая и кронштадтских матросиков, возникало монотонное движение тачки, бесконечно знакомая тропа, спуск в карьер, повторение, повторение, повторение, будто в жизни и смысла-то нет никакого, кроме повторения, будто он жил уже миллион жизней и в каждой из них вот так же тяжело поворачивалось колесо тачки.

Вдруг он заметил, что взгляд его следует за изгибами спины затянутой в белый халатик медсестры Таси. Однажды она будто почувствовала это и глянула внимательным глазом через плечо. В этот момент его вдруг протрясло неукротимое желание и без всяких уже «если — я — еще — значит — я — еще», а просто лишь жажда немедленных и самых активных действий, вот именно: сорвать с нее все, поднять ей ноги, раздвинуть рукой ее лепестки, войти, протрястись, исторгнуть... Тася после этого обмена взглядами стала приходить в бокс с помощницей.

Майор медицинской службы Гуревич ежедневно после осмотра садился на краешек постели и заводил философские разговоры, называя его Никитой Борисовичем.

— Вот иногда странные мысли посещают, Никита Борисович. Вы знаете, я убежденный материалист, но, если мы призываем человека к самопожертвованию, разве это не отголоски идеализма?

— Что мне предстоит, Михаил Яковлевич? — спрашивал его Никита.

Майор пожимал плечами:

— Сие не в нашей компетенции...

Вдруг однажды он пришел утром очень озабоченный, быстро проверил температуру, кровяное давление, прочитал свежие анализы и сказал:

— Поздравляю, Никита Борисович, вы в прекрасной форме, и сегодня, а именно вот прямо сейчас, мы с вами прощаемся.

В коридоре за стеклянной дверью уже маячила командирская фуражка. «Ну, вот и все, — подумал Никита. — Моя история завершается. Мучить себя больше не дам, подпишу все и на процессе скажу все, что требуется. Наше сопротивление для них ничего не стоит, ровным счетом ничего».

Прямо поверх больничной пижамы на него набросили тот же самый самолетный тулуп, посадили в «эмку». Стекла у нее были не завешены, и он смог рассмотреть небольшой поселок и окружающие сопки. Тайга здесь была не чета колымской, огромные ели и лиственницы мифической ратью уходили в поднебесье, в туман.

Поездка длилась недолго, минут через пятнадцать они подъехали к маленькому коттеджу, который, если бы не подмокшая штукатурка противного розового цвета, мог показаться предметом альпийской идиллии. Внутри было сильно натоплено, царил гостиничный уют с ковровыми дорожками, плюшевыми занавесками, неизменным «Буреломом» на стене, здоровенным радиоприемником. Сопровождавший лейтенант щелкнул каблуками, взял под козырек и удалился. Открылась дверь в соседнюю комнату, и на ее пороге появилась не кто иная, как медсестра Тася. На этот раз она была не в белом халате, а в шелковой кофточке, очень привлекательно облегавшей ее плечи и грудь.

— Вам надо переодеться, товарищ генерал-лейтенант, — нежнейшим женственнейшим голосом произнесла она. За ее спиной он увидел спальню с широкой кроватью, лежащую на кровати военную форму с генеральскими петлицами и тремя привинченными его орденами, а также стоящие возле кровати высокие хромовые сапоги.

Так и не поняв до конца, что происходит, и не задавая никаких вопросов, он бросился в спальню, схватил Тасю, стал с нее все снимать, терпения не хватило, повалил ее в задранной юбочке на кровать.

На этот раз телесный пир не доставил ему страданий, как в случае с сухим пайком, если не считать того, что от долго не проходящей и все возобновляющейся жажды он довольно сильно растер себе член.

Остаток дня он провел в сладчайшем плену Тасиных забот, она постригла ему волосы, побрила щеки, облачила в первоклассное трикотажное белье, галифе и китель тонкого сукна, спела несколько мелодичных украинских песен. Молодая женщина явно владела всеми способами обихаживания мужчин.

— А у нас сегодня гость к ужину, товарищ генерал-лейтенант, — наконец сказала она лукаво. — Нет-нет, не спрашивайте, будет сюрприз.

Гостем оказался генерал-майор Шершавый Константин Владимирович, которого Никита знал еще как Коку-со-штаба со времен службы в Белоруссии. В те времена тот был добрым малым, непременным участником командирских пьянок, гитаристом, знатоком минского и витебского женского контингента, словом, известным типом российского гусара, выскочившим на поверхность даже и в рядах пролетарского воинства. Теперь — заматерел, стал брыласт, под кителем катаются не только плечевые мускулы, но и перекаты боковиков, этой верхней задницы; глаза, впрочем, остались все те же, дружеские, веселенько-сальненькие; в общем, невзирая на высокий чин, все тот же я перед вами, Кока-со-штаба!

Прямо от дверей он бросился с открытыми объятиями, обхватил Никитину все еще зеленлаговскую тощую спину, разбросал мокрые поцелуи по всему Никитиному лицу — в щеку, в ухо, в глаз, наконец, прямо в губы от имени лейб-гвардии краснознаменного гусарского коммунистического!

— Никитушка, ты снова с нами! Вот счастье-то, вот радость для всей армии! Ведь ты же всегда украшением нашим был, любимцем кадрового состава! Мы же все просто зубами скрипели, когда тебя... Я лично зубами скрипел: ну, думаю, это уж чистая ошибка, уважаемые! Потом и меня загребли...

— Ты что, тоже сидел? — спросил Никита. Кого угодно, но только не Костю Шершавого он мог себе представить в арестантском бушлате.

— А как же! — радостно воскликнул тот. — Меня в тридцать девятом загребли, я тогда на Кавказе служил, у нас там всех подчистили до уровня комбатов. Да что ты, Никита, я ж всего полгода как с Интауголь!

За столом, подняв чуть не до люстры стаканище коньяку, Шершавый провозгласил тост:

— Пью за возвращение легендарного командира Никиты Градова в кадровый состав Красной Армии!

Коньяк ухнул ему внутрь с такой легкостью, как будто там была у него вместо внутренних органов просто обширная емкость для приема спиртного. «Дальневосточная — опора прочная!» — проголосил он и сел, действительно счастливый, нажратый и напитый, какой-то как бы вечный, из того разряда бездельников, без которых никакое дело не сдвинется с места.

— Третьего дня в Ставке, Никита, вообрази, кого встречаю — Костю Рокоссовского, своего тезку! Да-да, тоже освобожден, все ордена возвращены, уже получил колоссальное назначение! — Вдруг он повернулся к Тасе, которая подкладывала обоим генералам закусочки и сияла материнским счастьем. — Девушка, дорогая, погуляй, голубушка, полчасика где-нибудь, а? Пока не поднабрались, нам надо с генерал-лейтенантом посекретничать.

Тася дважды просить себя не заставила, накинула шубку, пошла прогуляться до «Военторга», заодно и купить генералу свитерок под китель, носки, подходящие его званию бритвенные принадлежности. Подслушивать секреты ей было без надобности, совсем не то от нее требовалось.

— Я к тебе с поручением, Никита, — сказал Шершавый, — но только ты не думай, что от... — Он скосил глаза влево, вправо, посмотрел себе за спину на картину «Бурелом», глянул и на потолок. — Не от этих, клянусь, а от главкома-запад, да-да, непосредственно от Георгия Константиновича.

Ну, ты знаешь уже, как обстоят дела, даже из газет это видно, а на самом деле в пять раз хуже. Жуков тебя очень уважает, ну, в общем, в профессиональном смысле, и он велел тебе передать, что речь идет сейчас э-ле-мен-тар-но о судьбе отечества. Если Москва падет, рухнет все, а значит, мы на многие десятилетия станем немецкой колонией.

В этот момент Никита, крутивший в пальцах стакан и глядевший на скатерть, резко поднял голову и посмотрел на порученца.

Генерал-майор Шершавый драматически покивал:

— Тут я от себя, извини, Никита, добавлю. В такие минуты надо забыть о личных обидах, родина — это больше, чем... ты знаешь, о чем я говорю... Короче, тебе предлагается возглавить Особую ударную армию, которая сейчас формируется из свежих, уральских и сибирских частей. Нечего и говорить о том, что твое «блюхеровское дело» закрыто и ты полностью реабилитирован. Больше того, уже подготовлен указ о присвоении тебе следующего воинского звания, то есть генерал-полковника. Ну, каково?

— Это все согласовано со Сталиным? — тихо спросил Никита. Что-то отдаленно похожее на самолетную тошноту стало подниматься со дна то ли души, то ли желудка, то ли от избытка коньяку, то ли от лавины высших милостей.

— Непосредственно! — воскликнул Шершавый. — Выдам секрет, генерал-полковника тебе предложил лично Иосиф Виссарионович!

Никита посмотрел порученцу в глаза, там у него уже плескалась сталинская эйфория, джугашвилевский восторг, гипнотическое счастье от причастности к пахану. Биться за родину, защищать тем самым кремлевских уголовников, что за страшная и извечная доля! Драться против гитлеровской расовой гегемонии за гегемонию сталинского класса, за хевру!

Шершавый увидел, что ответного восторга в глазах Градова не возникает, обеспокоился, снова схватился за бутылку первоклассного «Греми»:

— Ну, я понимаю, что ты все это должен переварить, что все это так неожиданно, тебе надо все это сформулировать и для себя, и для дела, понимаю, Никита, и давай возобновим этот разговор завтра, лады?

Он снова махнул себе внутрь стакан темно-янтарной влаги, подцепил на вилку кус заливной осетрины.

— Но завтра, Никита, ты уже все должен решить. Дорог каждый час. Гудериан может прорвать наш фронт в любую минуту и не делает этого сейчас, по данным разведки, только из-за недостатка горючего...

После этой фразы генерал-майора вдруг стремительно развезло. В лучших традициях гарнизонных загулов он лез к Никите с поцелуями, орал о своих колоссальных связях в Ставке, бахвалился храбростью, стратегическим провидением, тактической смекалкой, клялся вместе погибнуть «на последнем редуте социализма», провозглашал беспрерывные тосты за победу, за русское оружие, за женщин, которые «фактически превращают нашу жизнь в увлекательное приключение»... Тут как раз вернулась Тася, и Шершавый вдруг, словно только что ее увидев, бурно восхитился прелестями этой, как он выразился, идеальной фронтовой подруги, стал предлагать тосты за нее, завидовать Никитиной удаче, недвусмысленно намекать и о своей причастности к этой удаче — «увы, по себе знаю, что значит отсутствие дамского общества», — потребовал гитару, как ни странно, тут же в чудном домике нашлась и гитара, запел приятным, хотя и пьяным баритончиком: «Сердце, тебе не хочется покоя», а потом, совсем уже «поехав», попросил у Никиты разрешения удалиться с Тасей на часок во вторую спальню, просто для того, чтобы она хоть раз в жизни познала настоящее женское счастье... Засим «отключился от сети», левой брыластой щекой слегка проехавшись по блюдцу с кетовой икрой.

Гитара тут перешла в умелые руки Таси, романтически зарокотала «Мой костер в тумане светит...». «Ну и бабу тут мне сочинили, ну и бабу», — пьяно подумал Никита, прогладил ее сильно вдоль позвоночника и вышел на крыльцо, чтобы отрезветь под морозным ветерком.

Здесь он нашел своего прежнего по ОКЗДВА шофера, сержанта Васькова, ныне, разумеется, пребывающего в старшинском звании. Морда у того за эти годы стала еще более хитрая и забронированная, не подступись. Васьков немедленно взял под козырек и прогаркал:

— Готов к выполнению ваших приказаний, товарищ генерал-полковник!

Ага, уже знает о третьей звезде! Никита чуть-чуть поскользнулся на крыльце и немедленно получил поддержку — васьковское верное плечо. Из открытой двери лилась Тасина песня, невнятно что-то бормотал в икру высочайший порученец.

Во всем, и в этом тоже, предстоит разобраться. Никита сильно потер себе лицо — раз, два, три — и в третий раз вынырнул из своих ладоней уже командующим Особой ударной армии. Во всем до мельчайших деталей начнем завтра же немедленно разбираться. Только тут он вдруг понял, что к нему пришел его истинный, мощный и непреклонный возраст.

Утром он предъявил Шершавому список из двух дюжин командирских имен. Генерал-майор, морщась от головной боли, прочел список, на каждой фамилии останавливаясь похмельным расплющенным пальцем.

— Полковник Вуйнович, подполковник Бахмет, майор Корбут... Знаю каждого, первоклассные офицеры...

Он вытащил из кармана заскорузлый платок, продул в него свой видавший всякое нос, «просквозило в самолете, елки-палки», благодарно, хоть и не без шкодливости, глянул на Тасю, поставившую перед ним утреннюю, столь необходимую чарку.

— Насколько я знаю, все они еще живы, — жестко сказал Никита. — Их надо немедленно собрать по лагерям. Без них я не приму на себя командование Особой ударной армией.

— Спасибо, Никита, — проговорил Шершавый, глядя на него слезящимися, благодарными — утренняя прошла! — глазами. — Это как раз то, что сейчас требуется. Собрать кадровый состав. Спасибо тебе, генерал-полковник! Я должен тебе сказать, что меня уполномочили принять все твои требования.

Никита, мощно и непреклонно преодолевая подкатывающие волны эмоций, от которых ему хотелось навзрыд расплакаться, прошелся по комнате, мягко, даже с нежностью, выдворил Тасю на кухню и остановился через стол напротив посланца:

— Ну, в таком случае ты, должно быть, уже представляешь себе мои главные требования. Где моя жена?

Шершавый просиял: видно, не было для него легче вопроса.

— С ней все в порядке! Она была в лагере общего режима на Северном Урале, и сейчас, я полагаю, ей уже сообщили о реабилитации. Так что, Никита Борисович, скоро встретишься в Москве со своей красавицей. Эх, как была твоя Викочка хороша, весь гарнизон, помню, в нее был влюблен. Кокетливость и неприступность, редкое сочетание, а какая теннисистка! Вообще, не женщина, а какое-то воплощение двадцатого века...

— Ну, подожди, хватит болтать, — перебил его Никита. — Что с моим братом?

Порозовевшая, сочащаяся потом физиономия занавесилась мраком.

— Вот с этим вопросом хуже, Никита. Нам пока не удалось найти его следов. Ведь Кирилл был осужден без права переписки, а ты знаешь, что...

Никита, не дослушав, ушел в угол и встал там, уперев обе руки в сходящиеся стены. Убили мерзавцы моего Кирюшку, моего «строгого юношу», марксиста-утописта, пристрелили в затылок грязной вшивой чекистской пулей, чекистские свиньи, в-сраку-в-парашу-весь-ваш-род! Ну, ладно, если, Бог даст, выстоим перед Гитлером, потом все это вспомним!

Генерал-майор Шершавый озабоченно смотрел на обтянутую темно-зеленым сукном тощую, с выделяющимся, как линия Мажино, позвоночником градовскую спину. Как бы не передумал Никита, как бы не сорвалась миссия! Он начал что-то опять бормотать о танках Гудериана, о воле истории, о том, что надежда найти Кирилла еще не потеряна, о том, что он и сам все это прошел и знает что к чему, и вот недавно с тезкой Костей Рокоссовским пили и вспоминали, но ведь мы прежде всего солдаты, кто же, если не мы, будет родину защищать, не энкавэдэшники же... Ему казалось, что Никита его не слушает, и это подтвердилось, когда тот резко обернулся, прошагал мимо, открывая все двери, призывая Тасю и Васькова, берясь самолично за телефонную трубку, соединяясь с аэродромом, справляясь, когда будет готов самолет для генерал-полковника Градова. Самолет, оказалось, давно уже готов и ждет его.

Он обнял Тасю, та благодарно прильнула.

— Ну, прощай, маленькая хозяйка большого дома, — нежно усмехнулся он.

— Не нужно «прощай», Никита Борисович, — пролепетала та, — скажем друг другу «до свиданья».

Втроем они, два генерала, один громоздкий, расплывшийся, похмельно-советский, другой сухопарый, как бы белогвардейской закваски, и сентиментально похлюпывающая носиком женщина, вышли на крыльцо. Васьков заводной ручкой раскручивал мотор зиска.

— Да, забыл тебе еще одну вещь сказать, Никита, — проговорил Шершавый. — Меня прочат к тебе начальником штаба. Надеюсь, ты не возражаешь?

— Возражаю, — немедленно и с неслыханной, даже пугающей четкостью ответил Никита.

Зисок тут взревел с неожиданной мощью, как вся недобитая Россия.

Глава пятая
Ля бемоль

В один из ноябрьских дней 1941 года Совинформбюро оповестило с утра читателей газет и радиослушателей о том, что подразделение боевых самолетов под командованием майора Дельнова уничтожило восемьдесят немецких автомашин, больше двадцати броневиков, четыре танка и двадцать зенитных орудий. Между тем соединение майора Комарова за последние десять дней уничтожило шестьдесят немецких танков, четыреста двадцать автомашин и причинило тяжелые потери трем пехотным полкам и одному кавалерийскому эскадрону.

Ставка Гитлера в тот же день сообщила, что наступательные операции на Украине развиваются успешно. На подступах к Харькову танковое соединение было встречено бронированной колонной русских. Из 84 вражеских танков 34 уничтожены, остальные повернули назад.

Германские бомбардировщики продолжали атаковать военные сооружения в Москве.

Подводными лодками отправлено ко дну пять английских транспортов общим водоизмещением 25000 тонн.

Коммюнике финского командования в тот же день сообщило об успешных боях к югу от Петрозаводска. Завершается окружение крупного соединения противника.

Британское министерство авиации оповестило о последовательных атаках на цели в Гамбурге и Штеттине. В обоих городах горят доки и индустриальные объекты. Потери англичан — один бомбардировщик.

В Ливии песчаная буря прервала все наземные действия. Ситуация остается без изменений.

Итальянское верховное командование в тот же день довело до сведения любопытных, что британский конвой после успешной атаки итальянских самолетов далее на своем пути к Гибралтару был атакован итальянскими подлодками. Торпедами потоплены два корабля. В воздушном бою уничтожены три «харрикейна».

Словом, на всех фронтах так в общем-то весело разгоревшейся мировой войны царило в тот день затишье. К такому выводу пришел бы после чтения всех этих коммюнике кто угодно, но только не майор медицинской службы Савва Китайгородский. Для него этот день был просто продолжением бесконечного горячего кошмара, в который он погрузился с первого момента его фронтовой деятельности; затишья не было. Госпиталь постоянно спасался бегством. Едва успевали развернуть операционный блок, как немедленно либо приходил приказ сворачиваться, либо просто-напросто загоралась крыша, обваливалась стена, рушились лестницы: тыловое учреждение то и дело оказывалось в зоне прямых боевых действий. Не далее как на прошлой неделе персоналу пришлось самолично отстреливаться от взвода прорвавшихся немецких мотоциклистов. Самое же ужасное заключалось для высококлассного хирурга, каким был Савва, у себя в клинике занимавшегося сложнейшими анастомозами, в непрерывности и даже в постоянном нарастании грубейшей «мясной» работы. Раненых поступало в три раза больше, чем госпиталь мог обработать. Начальник медслужбы дивизии полковник Назаренко требовал, в соответствии с секретными инструкциями, в первую очередь оперировать тех, кто сможет вернуться в строй. Савва цеплялся за остатки старомодной «врачебной этики», оперировал в порядке поступления, статистика возможного возврата из-за бесконечных ампутаций конечностей у него получалась плачевная. Прибавьте к этому постоянную нехватку элементарных дезинфицирующих средств, потерянные при поспешном отступлении инструменты, оборудование, материалы, прибавьте к этому, мягко говоря, относительность асептики в операционном блоке, полную измученность персонала, а также то, что из десяти состоящих в его подчинении хирургов трое и сами ранены, прибавьте к этому мародерство санитаров, не только грабивших раненых, но постоянно, даже под угрозой немедленного расстрела, расхищавших запасы спирта... Ну, вот, а теперь извольте представить себе статистику дивизионного госпиталя, где главным хирургом майор Китайгородский, статистику, отражающую действительное положение вещей, а не ту, что хочет увидеть на своем столе полковник Назаренко.

Несколько дней назад госпиталь переправили в Клин, подмосковный городок, расположенный на стыке 16-й и 30-й армий, и отвели ему, ни больше ни меньше, совсем нетронутое здание средней школы. Врачи и сестры надеялись, что хоть здесь-то удастся отстояться на более или менее стационарном положении: ведь за Клин-то вроде бы отступать уже некуда. Савва вспомнил, как ездили как-то в Клин на праздник — концерт в честь Чайковского, ведь это же родные места национального гения, здесь его рояль стоял. Как тогда в автобусе все почему-то развеселились, разболтались, просто и не заметили, как доехали до этого Клина.

На трех этажах школы были устроены вполне сносные палаты для раненых, а в отдельно стоящем одноэтажном здании спортзала — «сортировка», то есть то, что в нормальной медицинской речи именуется «приемным покоем», и «мясницкая» — так, со свойственным им черным юмором, молодые хирурги, подчиненные Савве, называли операционный блок. Здесь они работали дни и ночи напролет, разрезали кожу и мышечные ткани, пилили кости, коагулировали сосуды, отбрасывали тронутые гангреной конечности и клочья размочаленных тканей, шили мышцы и кожу, и снова, и снова... и так все снова и снова, будто все человечество решило вдруг избавиться от излишков плоти.

Повсеместно применялся тот метод футлярной местной анестезии, который когда-то разработали совместно профессор Градов и его ассистент Китайгородский. Метод этот оказался как нельзя кстати в полевых условиях, когда практически не было никаких возможностей для общей анестезии. Молодым врачам госпиталя льстило, что их шеф — тот самый Китайгородский, чей метод они совсем еще недавно проходили в институте.

Раненых между тем становилось все больше, и все ближе подходил ни на минуту не умолкавший рев войны. Все чаще над Клином можно было видеть молниеносно разгорающиеся свары летающего металла.

«Пациенты опять разбушевались», — обычно говорил Дод Тышлер, любимый ученик Саввы, бросая взгляды вверх, на проносящиеся от тучи к туче «ястребки» и «мессеры». То один, то другой — чаще всего это были, разумеется, тупоносые старомодные «ястребки» — как бы спотыкался в воздухе, припадал на одно крыло, а потом начинал дымить и, раздувая черный шлейф и языки огня все шире, устремлялся к земле с такой стремительностью, будто в этом и состояла цель его создания. Иногда от горящего металла отделялась темная точка, и тогда над ней распускался зонт парашюта.

«Умело борется за жизнь, хороший спортсмен», — говорил Дод Тышлер, который и сам еще недавно играл за волейбольную команду Первого мединститута. «Добро пожаловать, парашютисты враждующих армий!» — продолжал он, и тут уж его приходилось одергивать, чтобы, не ровен час, не услышал хохмача особист.

Странным образом, в госпиталь ни разу еще не поступали летчики со сбитых «мессеров». То ли их пристреливали там, на месте, то ли отвозили в какой-нибудь специальный медотряд.

Третьим пациентом Саввы в тот день был капитан Осташев, известный ас, сбивший, по сообщениям, не менее десятка вражеских машин. Его подбили при попытке перехвата группы немецких бомбардировщиков, подходящих к Москве. Если и нельзя представить в рядах Красной Армии князя Андрея Болконского, то капитан Осташев, хотя бы внешне, был все-таки большим к нему приближением; тем более что и страдание, бесконечная страшная боль и сопротивление боли, решительное нежелание унизиться до стонов, воплей и проклятий придавали его чертам некое суровое благородство.

Признаться, Савва не мог понять, за счет каких резервов летчику еще удается не терять сознания и даже отвечать на вопросы. Он держался даже при снятии бинтов, только похрустывал зубами, будто пережевывал битое стекло. Только после укола морфия он отключился, и все «княжеское», героическое сошло с его лица, проявив, будто на переводной картинке, простоватое выражение паренька с городской окраины. «Тетя... — бормотал он теперь, — Лидия Васильевна... да это ж я, Николай... мать за мылом, за мылом, за мылом к вам ... пос... лала...»

Капитана утром вытащили из-под обломков его самолета, рухнувшего в полукилометре от лесного аэродрома. Пока везли в госпиталь, он потерял много крови, несмотря на умело наложенные бинты. Первое, чем озаботился Савва, была капельница с физраствором и глюкозой. Недавно синтезированная глюкоза считалась чуть ли не панацеей. Только после этого приступил к осмотру ран, зрелище которых любого человека погрузило бы в полный мрак, но только не главного хирурга дивизионного госпиталя после трех месяцев работы в условиях общего отступления. У капитана были размозжены правая нога и левая рука, множество мелких ран на груди и плечах, самое же серьезное заключалось в рваной ране брюшной полости, которая сейчас была вся туго затампонирована, но все еще сочилась и довольно мерзко смердела. «Интересно, что даже ранение у него напоминает о смерти Андрея Болконского», — вспомнилось Савве. Он осмотрел и ощупал голову капитана. Череп вроде был цел, однако кровоподтеки на висках несомненно говорили о сильнейшей контузии, которая, возможно, и давала ему вот эту странную болевую устойчивость.

— Этого, кажется, еще можно спасти, — сказал Савва.

— Только неизвестно, будет ли он благодарен нам за это спасение, — пробормотал Дод Тышлер.

— Тем не менее будем спасать, — сказал Савва.

Он распорядился готовить все к большой операции, после чего они с Тышлером вышли из спортзала на школьный двор покурить перед долгой работой.

Здесь им сразу бросилось в уши, как резко вдруг приблизился шум войны. В бледно-голубом небе пролетали холодные тучки, в сотрудничестве с ними голые деревья и пятна снега под ними предлагали классический русский патриархальный пейзаж; уродливая гипсовая скульптура пионера с горном немедленно привносила в эту классику жанр советского захолустья, однако гром, грохот, вой, скрежет и визг какого-то страшного, близкого и все приближающегося боя придавал этой мирной картине черты кошмарной ухмылки.

— Вам не кажется, шеф, что надо сматывать удочки? — спросил Дод Тышлер, затаптывая папиросу.

— Приказа пока нет, Дод, а потому мы должны работать, — сказал Савва.

— Это верно, — проговорил молодой врач, потянулся, сделал несколько разминочных волейбольных движений, насвистел несколько тактов из популярного фокса «На далеком Севере».

Вдруг низко, едва ли не цепляя за верхушки деревьев, прошли на запад три звена штурмовиков с красными звездами на крыльях, их грохот покрыл все.

— Ого, бронированные «илы» появились! — воскликнул Дод. — Видите, новая техника уже поступает!

Савва посмотрел на него и впервые подумал, что Дод еврей. Если попадем в окружение...

— Послушайте, Дод, если вы не хотите сейчас мне ассистировать с этим капитаном, займитесь чем-нибудь другим, а я подключу Степанова, — проговорил он и тут же испугался, что сказал бестактность.

Тышлер весело возмутился:

— С какой стати? Отказываться от работы с самим Китайгородским? Еще вчера я не мог об этом и мечтать!

К счастью, он, кажется, меня не понял, подумал Савва, не понял, что я ему, еврею, хотел дать возможность отступить при первой же возможности. Ну, что ж, надо начинать, не сидеть же, в самом деле, в ожидании приказа драпать. Гремит где-то близко, но на прорыв пока не похоже. Обычно прорыву немцев предшествует бомбежка, сильный артобстрел, отходящие или, чаще, бегущие колонны войск; сейчас ничего такого не наблюдается...

Будто в ответ на его мысли, роща в глубине на мгновение озарилась бешеной вспышкой. Проходящие по двору два санитара из легкораненых обернулись в ту сторону и засмеялись: «Шальная залетела!»

— А что, своя или чужая? — спросил у солдат Дод Тышлер.

— А кто ж его знает, товарищ военврач, своя или чужая...

Почему они «это» называют в женском роде, подумал Савва. Ведь это же очевидно — снаряд прилетел, значит, «он», а они говорят так, будто это бомба... Своя — чужая... Может быть, тут где-то слово «смерть» лежит в подсознании... своя — чужая?..

Капитан Осташев уже хрипел под хлороформной маской, когда они вошли в операционную, где с потолка еще идиллически свисали гимнастические кольца и канаты.

— Долго держать его под хлороформом нельзя после такой потери крови, — сказал Савва. — Начинайте, Дод, футлярную анестезию.

В первую очередь следовало заняться раной на животе, иначе начнется необратимый перитонит и некроз кишечника. Конечности во вторую очередь.

Операция началась, и, как обычно, Савва, что называется, погрузился в свою стихию. Он работал почти автоматически, одним глазом следя за ловкими, даже слегка щеголеватыми движениями Тышлера, а вторым еще успевая поглядывать, что происходит на пяти других операционных столах. Маску с лица капитана сняли. Он дышал в глубоком забытьи тяжело и ровно, будто старая паровая машина. Изредка вдруг что-то начинал бормотать, почти неразборчивое, только мелькала опять какая-то тетя Лида, у которой некий мальчик Николай, то есть сам капитан Осташев, что-то просил, то ли мыла для мамы, то ли ласки для себя.

Открывая брюшную полость, дренируя ее, пережимая сосуды, Савва поймал себя на том, что машинально повторяет последние стихи Нины, которые она ему прислала на днях, и не через полевую почту, а с оказией, с фронтовым фотокором из «Известий».

Опускаюсь в темные глубины, полированные стены, зеркало залеплено фанерой, отрыжка довоенным шпротом, тысячи таких же персефон, три-четыре вонючих ведра, жалкий мой народ сутуло-спинный, прощайте, ежевечерние уроки геометрии, тянутся к метро со всех сторон, куб гипотенузы с тремя переломанными шрапнелью катетами, сколько еще осталось в этих подвалах муки?

Век погас, серебряные свечи, длинный перечень талонов литера «Б» с острова Эвакуа, плавятся в уродливых божков, ты, гроссмейстер радостных заплечий, каких домашних животных, кроме сухих и черных кошек, бей наотмашь, без обиняков, двери не открывать, сигнализировать немедленно!

Пропадай, моя литература, дайте вашу ладонь, химическим карандашом на бугорке любви, Ланцелот, Онегин, Дон-Кихот, никогда не дождетесь переклички фаланстеров, тяжело страдает кубатура, грязный уж ко мне вползает в рот, так и стоять мускулистыми барельефами с гроздьями фальши на плечах, с бананом обмана в правой руке.

Только ты остался на просторе, пока не пройдет финальная бомбардировка, поднимая дерзкий ля бемоль, замедленное падение фасадов, завершение элементарного фотосинтеза, только ты один в моем фаворе, ускоренное центрифугирование, светлоокий Севера король, из варяг в греки без промежуточных остановок...

«Видишь, — писала Нина, — в какую я впадаю простоту. Удали отсюда модернистскую прозу, и получится почти нормальный стих...»

Он так и сделал, и с тех пор все бормотал себе под нос этот «почти нормальный стих». Закавыка была только в «дерзком ля бемоль»: он никак не мог сообразить, для чего это тут, ведь не для рифмы же, пока вдруг не вспомнил старую семейную хохму. Как-то раз музыкально малограмотный Савва употребил этот «ля бемоль» ни к селу ни к городу, чем вызвал бурный восторг у Нины. Она никак не могла успокоиться и несколько месяцев все доводила мужа «этим злосчастным ля бемолем». Профессор, а как сегодня «ваш ля бемоль»? Савка, ты все собрал, «ля бемоль» не забыл? Люблю тебя, мой друг, но больше всего люблю «твой ля бемоль»...

Глупая, прилипчивая шутка, оказавшаяся вдруг в строфе Нининого серьезного и, очевидно, трагического стиха, повернула его мысли в неожиданном направлении. Ему показалось, что, уцепившись за нее, он может раскрутить весь клубок своих чувств и ответить самому себе, почему он, профессор, заведующий кафедрой, оказался на фронте, практически на передовой.

Этот тон бесконечно милого друг над другом подшучивания, на который они так счастливо натолкнулись в первые же дни супружества, давно уже себя изжил, а она этого не понимала, она позабыла сменить пластинку и тянула все тот же мотив. Да он и сам не понимал, откуда вдруг берется раздражение против любимой и единственной женщины, раздражение легчайшее и самое что ни на есть мимолетное, которое он не только никогда не показывал, но и самому себе не позволял на нем спотыкаться, но все-таки спотыкался и — раздражался. За бесконечными шутками, как он вдруг сейчас понял, стояло нечто другое — ирония, снисхождение. Ей, поэтессе и в общем-то человеку богемы, он, хирург, аккуратист, атлет, видимо, всегда казался воплощением презренного здравого смысла, и в связи с этим их союз — неким мезальянсом. Слов нет, Нинка его любила без памяти, в постели с ним забывала обо всем на свете, их оргазмы, очевидно, приносили ей какие-то романтические воспарения. Помимо этих дел, он был для нее сильной опорой, человеком, внутренне не покорившимся. Она както призналась, что он спасает ее от депрессии и, возможно, от алкоголизма. И все-таки она всегда оставляла себе этот как бы запасной выход, какуюто гипотетическую возможность сквозануть из супружества — иронию. Увы, он знал это точно, гипотетические возможности иной раз становились реальностью. Временами, он видел, у нее начинала кружиться голова. В такие дни она где-то задерживалась, часто уезжала то в реальные, то в выдуманные творческие командировки, возвращалась с блуждающим взглядом, заболевала гриппом, ангиной, один раз даже пневмонией, закутывалась в свитеры, пледы, сидела в углу, строчила в блокнотике, виновато шутила, однако шутила, шутила всегда. В результате этих приступов, естественно, появлялись стихи. Как говорится, все на пользу. Виновники ее «высоких болезней» чудились ему повсюду. На писательских сборищах и поэтических вечерах он ловил на себе иронические взгляды. Как-то раз одна растленная тварь, улучив момент, спросила его с усмешечкой: «Савва, а вы действительно так привязаны к этой Нине Градовой?» То ли хотела намекнуть на неверность, то ли к себе в постель жаждала затащить, во всяком случае спрашивала так, будто он и не был мужем «этой Нины Градовой», а просто одним из ее, ну, скажем так, лирических героев.

Кстати, о лирике. Внимательно, строчку за строчкой, прочитывая ее стихи, он не видел в них себя. Ну что ж, таков мой удел, мне достается только бытовая ирония, и я должен на нее отвечать соответственно. Ёлка, так та под влиянием мамы вообще привыкла смотреть на отца как на домашнего шута. Таким я и предстаю. Добрый вечер, дамы, пришел ваш домашний шут. Чем еще вас позабавить? Не угодно ли папе повисеть на люстре? Па'д'проблем, медам, только прошу не раскачивать тело. Он никогда не унизится до сцен ревности. Это исключено. Никогда не спрошу о «лирических героях», хотя любопытно, кто же так сильно поражает поэтическое воображение? Может быть, один из этих новомодных советских «хемингуэев», в компании которых она в последнее время повадилась появляться? У них у всех усики под носом и за плечами какая-нибудь Испания, вроде Халхин-Гола. У них ордена Красного Знамени привинчены к пиджакам оксфордского стиля, у них машины и квартиры в новых тяжело-каменных домах. Молодые, сильно выпивающие путешественники, в первые же дни войны они облачились в пилотские кожанки и стали появляться в писательском клубе с солдатскими вещмешками... Что же это, если не ущерб вкуса, дорогая комсомолочка-декаденточка, когда ты посвящаешь стих неким прозрачным инициалам и пишешь там: «Он опять улетел, сделав крылья подобием родины, ускользающей тенью в холодных пустых облаках»?

На собрании профессорско-преподавательского состава в институте представитель Наркомата здравоохранения довел до сведения присутствующих, что все профессора и доценты автоматически получают «бронь». Партия и правительство уверены, что эти высококвалифицированные специалисты внесут свой вклад в победу над врагом, консультируя и оперируя в тыловых госпиталях. К тому же проблема подготовки медицинских кадров встает сейчас с еще большей остротой. Мы должны гарантировать как горизонтальное, так и вертикальное медицинское обеспечение действующей армии. Тогда вдруг на трибуну вылез профессор Китайгородский и сказал, что именно в связи с горизонтальным, а главным образом, с вертикальным медицинским обеспечением армии он намерен отправиться на фронт. Он также подчеркнул, что, начиная еще с его первых шагов под руководством Бориса Никитича Градова, его исследовательская работа всегда имела определенный военно-медицинский аспект и было бы просто нелогично упускать возможность проверки этого аспекта в полевых условиях.

Несколько человек на этом собрании последовали его примеру, и Китайгородского даже объявили зачинателем патриотической инициативы. Институтские доброжелатели говорили о нем: «Савва продемонстрировал истинный патриотизм, вот вам пример, ни единого высокопарного слова, даже легкая ирония, и вот вам, пожалуйста, истинная русская интеллигенция!»

Все чаще и чаще слышались в обществе сугубо немарксистские, нереволюционные, недавно еще почти ругательные слова: «отчизна», «наша держава», и вот вам докатились до чего — «русская интеллигенция»!

Савва и сам не понимал, что его побудило тогда объявить это свое решение, о котором он и не подозревал за минуту до того, как полез на трибуну. Донкихотский нелепый порыв? Может быть, и на самом деле лишь чистый подсознательный патриотизм подвинул его к этому не очень-то рациональному поступку? Ведь и на самом же деле душа была уязвлена нашествием чужого на свое. Сталин ли, Гитлер ли, большевики ли, нацисты ль, все-таки чужая подлость прет на родное злосчастье, и душа требует движения к своему народу. Однако если и будет от меня польза на фронте, то все же не такая, какую принес бы здесь, в тылу.

Нина не стала требовать объяснений. Она только забралась к нему на колени, целовала, гладила его по голове, брала в рот несколько ороговевшие за последние годы дуги ушей. Оба они чувствовали, как проходит сейчас между ними нечто невысказанное. Теперь, когда он совершил то, чего она от него меньше всего ожидала, он предстал перед ней тоже почти как поэт.

Вот именно, думал он сейчас, бормоча «почти нормальное стихотворение» о спуске в темные глубины, вот именно в ту ночь она вдруг словно увидела во мне ровню, и это было впервые, и это было главной и истинной причиной моего порыва на фронт — доказать ей, что я не совсем тот, за кого она меня всю жизнь принимала.

Тем более странно выглядит здесь «дурацкий ля бемоль», сводящий последнюю строфу едва ли не к «буриме», и это все опять же связано с привычной, вполне уже заскорузлой иронией в адрес единственного, разумеется, единственного любимого, хоть и такого привычного, такого нехемингуэевского человека... Эти мысли не покидали Савву, пока он точно и умело, не теряя ни одной секунды, работал в брюшной полости прославленного летчика Осташева.

Между тем обстановка вокруг дивизионного госпиталя становилась более чем двусмысленной. Здание школы уже находилось в зоне какого-то хаотического артобстрела. Через большие окна спортзала видны были разрывы снарядов, взметавшие к небу клочья мерзлой земли и куски деревьев. Меж стволов парка ползли отходящие в тыл с повернутыми в сторону противника башнями танки. Один танк шел со шлейфом дыма и пробегающими по броне бесенятами огня. Он уперся в большое дерево и встал. Два танкиста торопливо выскочили из башни, третий успел вывалиться лишь наполовину, упал вбок, словно огромная черная кукла. В следующее мгновенье взорвался бензобак.

Мимо быстро проходили беспорядочные группы пехотинцев. Взвод минометчиков выскочил на бугорок с гипсовым горнистом, мгновенно развернул свои нелепые орудия. Минометы начали плеваться огнем. Дальность их стрельбы была невысокой, а следовательно, и противник находился неподалеку, иначе стрелять из этих труб не было бы никакого смысла. Минут и десяти не прошло, как минометчиков смела с бугра какая-то мгновенная огненная буря.

Савва этого не видел, потому что работал спиной к окнам, однако вой и грохот, бушующие вокруг, не оставляли у него сомнений, что госпиталь оказался в полосе немецкого прорыва и что отступать, может быть, уже поздно.

Стекла уже давно осыпались во всех четырех окнах. Снаряд прошил стену и сорвал баскетбольный щит. Операционные лампы все погасли. В пробоину был виден развороченный трансформаторный щит.

— Всем, кто кончил операции, немедленно отступать! — крикнул Савва.

— Да ведь приказа же, приказа из штаба дивизии не было, Савва Константинович, — истерически завопил из приемного покоя комиссар госпиталя Снегоручко.

— Там уже, наверное, некому приказывать! — крикнул ему в ответ Савва.

Снегоручко вдруг выскочил в святая святых, в операционную. Он хватался за кобуру пистолета, глаза светились медяками.

— Не паниковать! Застрелю!

— Уберите идиота! — приказал Савва санитарам.

Очередной и самый близкий взрыв потряс все здание.

— Вы тоже отступайте, Тышлер! — жестко сказал Савва Доду. — Мы тут все закончим без вас с брюшной полостью. Спасибо за помощь.

— А ноги?! — горячо зашептал Дод, тоже как не совсем нормальный. — С ногами-то, с ногами-то что?..

— Ноги возьмем в руки, — усмехнулся Савва. — Если успеем проскочить, то ногами займемся завтра...

Он почему-то был без всякого наигрыша совершенно спокоен, будто недавние мысли о Нине помогли отрешиться от опасности.

— Я знаю, что вы имеете в виду, — тем же жарким шепотом продолжал Дод. Руки его, впрочем, совсем не дрожали, а продолжали по-прежнему четко накладывать кетгутовые швы на кишечник и вязать лигатуры. — Я никуда не уйду! — выпалил он.

— Не валяйте дурака! — сказал Савва. — Выполняйте приказ! Я вас назначаю своим заместителем по отходу в тыл!

Вдруг и гром, и рев, и свист, и вой, и треск — все смолкло вокруг госпиталя. В наступившей тишине только слышалось неподалеку почти идиллическое после предшествующей симфонии фырчание моторов.

«Отбились? Прекрасно! Поздравляю с новым доносом, товарищ Снегоручко», — подумал Савва. Он сделал жест Доду — дескать, хорошо, давайте завершать. Дод в этот момент смотрел через его плечо в разбитое окно. Он вздрогнул, ничего не сказал и вернулся к животу капитана Осташева. Тот уже вернулся из своих детских путешествий к тете Лиде и теперь лежал молча, стиснув зубы, снова в обличье заматерелого в советской авиации князя Болконского. Хирурги уже закрывали его брюшную полость, накладывали последние швы, оставляя выход для дренажа. Савва работал, не поднимая головы, пока вдруг не понял, что в этой удивительной тишине что-то произошло еще более удивительное. Он окинул взглядом спортзал, то бишь операционную, и увидел, что все оставшиеся врачи и сестры смотрят в его сторону, но не на него, а за него, и тогда он понял, что ему нужно обернуться, чтобы узнать последнюю новость этой войны, свою собственную новость.

Он обернулся и прямо за собой увидел трех чужаков, ошеломляюще чужих, будто прилетевших с другой планеты людей. Прошла едва ли не минута, прежде чем он понял, что это немецкие танкисты и что во дворе уже стоит целое подразделение немецких «марков».

Командир этого подразделения и два офицера помоложе как раз и стояли за спиной Саввы. Поразили три пары светлых, различных оттенков голубизны глаз. Они были похожи на его собственные глаза. Командир поднял руку в тяжелой кожаной рукавице и произнес какую-то комбинацию грубых слов, из которой Савва вдруг понял, что он может завершить операцию. Савва и Дод склонились над швами. Они что-то хотели сказать друг другу, но не могли вымолвить ни слова. Немцы за спиной продолжали громко разговаривать. Савва вдруг сообразил, что понимает их, хотя всегда относился к своему школьному немецкому с глубочайшим пренебрежением, в отличие от приобретенного позднее французского, которым щеголял. Танкисты, кажется, говорили о том, что всех оставшихся в школе, шайзе, надо выкинуть, квач унд шайзе, и сказать, чтоб драпали, куда хотят, хоть к своим, хоть прямо в дремучую, заросшую паутиной сталинскую задницу. В плен брать нельзя, некогда возиться с пленными, слишком много этого говна, пленных, не знаешь, куда от этого шайзе деваться. Им, ублюдкам, идет провиант. Лучше бы убивать этих пленных, ну, не нам же их убивать, мы танкисты, пусть их убивает тот, кому положено, а у нас и своих дел хватает.

Этот врач пусть заканчивает штопать своего ивана. Er ist sehr gut! Sehr gut. Sehr guter Arzt! Сейчас он кончит, и мы всех отсюда выгоним. В жопу! Ха-ха-ха! К Сталину прямо в сраку! Эй, вы кончили, герр арцт? Вундербар! Сейчас все отсюда убирайтесь! Раус! Лос, лос! К Сталину! Квач und шайзе!

Медперсонал еще не понимал, что их отпускают на волю. Комиссар Снегоручко как стоял, так и остался с поднятыми вверх руками. Молодой танкист подтолкнул его коленом в зад, обнаружил на поясе пистолет в кобуре, сорвал с комиссара пояс вместе с кобурой, перекинул его себе через плечо и про комиссара забыл.

Савва в полнейшей неразберихе отдавал приказания:

— Все, кто может двигаться, уходят своим ходом! Тяжелых выносим на руках! Двигайтесь! Быстрее! Они могут передумать!

Он склонился к лицу капитана Осташева:

— Как себя чувствуете?

Тот вдруг начал ему с какой-то кривой лукавинкой подмигивать, зашептал:

— Яду мне дай, военврач, яду!

— Мы еще с вами водки выпьем, капитан! — произнес Савва обычную в таких случаях фразу.

Дод Тышлер притащил ручные носилки. Вдвоем они стали перекладывать капитана. Два немца внимательно следили за этой сценой. Вполне еврейская внешность Тышлера их, кажется, мало интересовала. Впрочем, со своей внешностью Дод мог спокойно прогуляться и за кавказца, и даже за союзника по «Оси», муссолиниевского легионера. Однако не он их интересовал, а сугубый славянин, майор Китайгородский. Командир танкистов сделал ему знак подойти и осведомился, говорит ли он по-немецки.

— Вы останетесь с нами, господин майор, — негрубо сказал он. — Все уходят, кроме вас.

— Я не могу! — вскричал Савва. — Ich kann nicht. Я здесь главный хирург! Ich bin Hauptdoktor!

— Тем более! — дружелюбно ухмыльнулся немец. — Нам как раз главный и нужен. Мой друг ранен. Я хочу, чтобы вы ему помогли. Вы — хороший врач, вы будете служить Германии.

В отчаянии Савва рванулся. Молодой танкист ткнул ему в грудь дуло своего «шмайссера». Персонал и раненые покидали спортзал. В последний раз Савва поймал на себе взгляд Тышлера. Перед тем как исчезнуть, тот пожал плечами. Все повернулось совсем не так, как кто-либо мог предвидеть. Савва не мог вымолвить ни слова. Он сел в угол на битое стекло и закрыл голову руками.

Линия фронта, эта метафора окончательной, бесповоротной, биологической и идеологической гибели, теперь захлопывалась для него навсегда. И два единственно любимых существа, два женских человека, Нинка и Ёлка, то, что было еще десять минут назад его семьей, уносилось теперь в завывающую воронку... ля бемоль, ля бемоль... навсегда.

Глава шестая
Бедные мальчики

Гигантские армии русских военнопленных и в самом деле были головной болью для германского командования. Доктрина немцев в начале войны была довольно проста: скорейшее уничтожение семимиллионной Красной Армии. Используя свою колоссальную мобильность и превосходство в воздухе, германские клинья рассекали тяжеловесные, неповоротливые соединения русских, брали их в «клещи», загоняли в «котлы» для дальнейшего истребления. Русские, однако, все чаще избегали прямого боя и уходили все дальше в глубь своей необозримой территории, вольно или невольно переводя сугубо военную доктрину генерал-фельдмаршала Кейтеля в доктрину геополитическую. Оставшиеся же в «котлах» полки, дивизии и армии бросали оружие, превращаясь в бесчисленные стада военнопленных, тяжелым балластом тормозившие наступление. Кто знает, почему иваны отказывались драться, — то ли запугали их до смерти ныряющие с воем из поднебесья «штукас», то ли сразу же уверовали в неизбежный разгром Сталина и не хотели класть свои жизни за проклятый «колхоз». Невоюющий враг иной раз может нарушить отлично разработанную стратегию не хуже мощной обороны. Немецкий журналист, напросившийся в кокпит бомбардировщика, записывал себе в блокнот: «Ничего не вижу внизу, кроме полнейшей конфузии». И так продолжалось почти несколько месяцев до начала битвы за Москву. Назойливо и даже оскорбительно для механизированной армии XX века напрашивалась аналогия с Наполеоном. Растягивающиеся коммуникации стали то и дело прерываться фанатичными отрядами бандитов, появившихся в тылу после призыва Сталина. Уже несколько раз массированные марши панцирных соединений останавливались из-за нехватки горючего.

А тут еще гигантские скопища военнопленных, которых надо было не только охранять, но и кормить. Их набралось к ноябрю сорок первого до миллиона. Распустить их нельзя, возникнут многочисленные зоны анархии и бандитизма. Уничтожить такую массу людей тоже довольно хлопотное дело, к тому же совершенно убийственнное для пропаганды. Самым лучшим решением было бы отправить их в тыл для использования в качестве рабочей силы, но это опять же требует времени, детального планирования, огромной массы транспорта и нарушает стратегию блицкрига.

Пока что лагеря располагались посреди начинающих уже замерзать полей. Хорошо еще, если удавалось соорудить какое-то подобие навесов или сараев для укрытия от дождя и снега, чаще, однако, люди лежали вповалку прямо под открытым небом в зонах, лишь формально огороженных нитками колючей проволоки. Многие погибали от истощения и охлаждения, однако темпы вымирания были все-таки весьма разочаровывающими для германского командования.

В одном из таких лагерей возле Припяти находился красноармеец Митя Сапунов. Он был уже больше месяца в плену и страдал от бесконечного, сжигающего все внутренности голода. В лагерь иной раз, но не чаще чем через день, заворачивала полевая кухня, и счастливцы, которым удалось сохранить котелки, получали по ковшу так называемого супа, тепловатой бурды с лепестками капусты и кусочками неочищенного картофеля. В другие дни охранники просто бросали в толпу пленных пачки каменных галет и с удовольствием смотрели на этот «циркус», когда русские, совсем забыв о человеческом достоинстве, дрались друг с другом, барахтались в грязи, а поймав галеты, сразу же запихивали их в рот, чтобы только не поделиться с товарищами. Лишнее доказательство неполноценности этих худших из славян.

Повоевать Мите почти не пришлось. Когда после месячной подготовки их полк, состоявший на две трети из новобранцев, прибыл на фронт, как раз началось новое большое, парализующее и оглушающее наступление немцев. Сначала волна за волной три раза налетали пикировщики. Воя сиренами, растопырив мощные львиные лапы, падали с небес прямо на Митю с Гошей, прошивали вокруг дерюжное сукно, утюжили кургузые блиндажи остатков оборонительной линии. Попробуй окопы отрыть, если все кишки внутри дрожат. Не успели отрыть сикось-накось эти сраные окопы, как вся долина перед ними покрылась идущими как на параде немецкими танками. За ними спокойно двигались цепи пехоты. От живота каждого солдата шли частые вспышки автоматного огня. Политруки говорили красноармейцам, что немцы идут в атаку пьяными, а то еще под какими-то малопонятными «эфирными лепешками». Эти любопытные сведения, однако, нисколько не уменьшали ужаса перед противником, наоборот, вызывали еще больший трепет перед бухим, наэфиренным завоевателем, очередями от живота побивающим все армии мира, а уж что там о нас говорить, бедных мальчиках.

Вот и над Митей, и над вечным его теперь дружком, щуплым шибздиком Гошкой, перевалил через траншею танк, засыпал их едва ли не до пояса глиной. За танком стали перепрыгивать через траншею солдаты, демонстрировался добротный суконный размах промежностей. Какой-то немец из канистры за плечами пустил вдоль траншеи страшный язык огня, и тогда все, кто остался жив из взвода, встали с поднятыми руками.

Таким плачевным образом закончилось Митино боевое крещение. С этого дня он только и делал, что брел по дорогам в колоннах военнопленных, тащился в пудовой от грязи шинели или валялся на земле, плотнейшим образом обнявшись с шибздиком, чтобы не замерзнуть. Шибздик старался от него не отставать, когда наутро сбивались новые колонны, как будто в Митином присутствии видел какой-то шанс для спасения. Митя и сам то и дело оглядывался на шибздика — не отстал ли?

Однажды на ночевке шибздик просунул лапку в Митину мотню и взялся за его член, и Митя вместо того, чтобы дать ему в зубы, сгреб в кулак его пиписку. Так под шинелями, под морозными звездами они стали мечтать о каких-то неведомых фантастических девушках, кинофантомах в крепдешиновых платьицах.

В лагере под Припятью десять тысяч красноармейцев торчали уже больше месяца, не зная, чего ждать. Ходили самые невероятные слухи. Говорили, например, что Гитлер и Сталин решили замиряться и договорились об обмене людей на нефть. Нам всем тогда кранты, ребята, пояснял какой-то расхристанный донельзя командир. Для Сталина тот, кто сдался в плен, самый главный предатель.

Вдруг однажды в Митин отсек лагеря приехала полевая кухня, да не одна, с супом, а целых три — с настоящим мясным гуляшом. Потом козлы, как называли тут стражу, стали щедро раздавать сахар и мягкий хлеб. Что бы это все значило? Возможно, теперь нас всех отправят в Норвегию, в «стальные шахты». Там-то уж всем пиздец скоро придет, зато хоть в дороге пожируем.

Между тем в расположение спецзоны «Припять» направлялся большой фронтовой «мерседес» с двумя важными начальниками, гауптштурмфюрером СС Иоханном Эразмусом Дюренхоффером и штандартенфюрером СС Хюбнером Краусом. Великолепные рессоры машины спасали офицеров от ухабов безобразной дороги и давали возможность вести весьма значительный идеологический разговор. Белесый, довольно тощеватый, хотя немного и оплывший, с кроличьим лицом Дюренхоффер предлагал некий довольно либеральный вариант решения проблемы восточных территорий, в то время как чрезвычайно широкий в плечах и в нижней части лица Краус настаивал на фундаментальном подходе, основанном на расовой теории партии. Ну, например, Дюренхоффер говорил:

— Огромные человеческие массы, побежденные и превращенные в рабов, всегда грозят взрывом. Между тем мы можем из этих людей сделать наших союзников, и даже, в будущем, определенную, пусть не первостепенную, категорию граждан рейха. Для большинства этих людей, восточных славян, уверяю вас, милый Хюбнер, главным злом является коммунизм, вечная нищета, прозябание, абсурд. Подумайте сами, они забирали у крестьян яйца по тридцать копеек, а потом продавали им же по рублю. Уверяю вас, милый Хюбнер, если мы приобщим российского мужика к среднеевропейской торговой системе, дадим ему возможность покупать рубашки, велосипеды, ручные фонарики, обувь, у нас не будет проблем с этими людьми. Главное дать им понять, что с коммунизмом покончено.

Он улыбался. Мама когда-то просмотрела его слишком быстро растущие зубки и не надела на них скобки, теперь они у него выпирали при каждой улыбке, что, впрочем, совсем не делало его менее привлекательным или менее интеллектуальным. Он любил улыбаться и не стеснялся своего умеренного либерализма, который все-таки всегда шел на пользу империи.

Штандартенфюрер Хюбнер Краус, напротив, не принадлежал к улыбчивым. Это не значит, что он был нелюдим, просто он был очень серьезен и всегда пребывал в сфере серьезных реалистических мыслей.

Ну вот, например, он таким образом парировал соображения своего постоянного оппонента.

— О милый Иоханн Эразмус, — говорил он, выпячивая свой широкий подбородок, что, впрочем, совсем не делало его толстым, но только лишь широким, еще более широким, до чрезвычайности широким офицером СС, — почему вы думаете, что все аспекты сталинского коммунизма должны быть немедленно устранены? Ваш пример с яйцами не очень удачен, милый Иоханн Эразмус. Колхозы, например, исключительно удачная находка Сталина для такого рода населения, и они должны быть обязательно сохранены. Индивидуальное фермерство не для них, мой милый Иоханн Эразмус.

Дюренхоффер вынимал из походного погребца бутылочку ликера «Шартрез». «Мерседес» притормаживал, давая возможность офицерам выпить по тонкой рюмочке.

— Мне кажется, не стоит постоянно напоминать этим людям об их второсортности, дорогой Хюбнер, — продолжал Дюренхоффер. — Они сами поймут, где их место.

— Вы так думаете? — серьезно, без улыбки шутил Краус. — О, милый Иоханн Эразмус... — Потом он делал вопросительное движение бровями в сторону переднего сиденья, на котором рядом с шофером сидел русский в партийном френче и в молотовской фуражке из серого габардина.

— Нет-нет, не беспокойтесь, милый Хюбнер, наш спутник не понимает беглой речи, — симпатично выпячивались вперед кроличьи зубки.

Между тем этого русского только весьма условно можно было назвать спутником блестящих офицеров. Пожалуй, наоборот: как раз он и был главным действующим лицом путешествия в спецзону «Припять», в то время как Дюренхоффер и Краус его сопровождали для придания путешествию большей солидности. Бывший полковник Красной Армии Бондарчук направлялся в лагерь военнопленных как представитель недавно сформированного в Смоленске Комитета освобождения России. Бондарчук и сам был недавним военнопленным, а еще раньше, но опять же совсем-совсем недавно был членом ВКП(б) и ревностным строителем социализма. Во время июльского пролома линии Сталина он был окружен в своем блиндаже отрядом свирепых немецких парашютистов. Хотел было уже в лучших красных традициях приложить пистолет к виску, чтобы не попасть в руки врага, но тут блиндаж тряхнуло от гранатного взрыва, пистолет упал на землю, а Бондарчук повис на руках ворвавшихся врагов, мучимый острой тошнотой.

В дальнейшем, то есть в первые недели фашистской неволи, с Бондарчуком стали происходить сильнейшие трансформации. Открылись его некоторые сокровенные тайники, поскольку не было уже ни малейшего смысла их таить. В частности, обнаружилось его глубокое недовольство коммунистической системой, весьма критическое отношение к гению И.В.Сталина. Допрашивавшие полковника офицеры СС с нескрываемым удовольствием узнали также, что он является не кем иным, как фольксдойчем, поскольку скрытая двойным замужеством девичья фамилия его маменьки была Краузе, а происходила она из немецких колонистов.

Последнее обстоятельство дало Бондарчуку основательное преимущество, возможность сильно выдвинуться среди патриотически настроенных пленных офицеров, так как он мог худо-бедно объясняться без переводчика.

Патриотически, то есть пророссийски, антибольшевистски, настроенные красные командиры были чрезвычайно вдохновлены созданием смоленского комитета. Бондарчук и несколько его товарищей совершили путешествие в Смоленск и там примкнули к комитету, а затем уже отправились и в саму грозную столицу рейха, город каменного орла, Берлин. Там согласовывались предложения. Грандиознейшая и парадоксальнейшая идея, товарищи, то есть, простите, господа, лежала в основе предприятия: предотвратить неизбежную национальную катастрофу созданием прогерманской, но тем не менее патриотической русской армии. Дело это, конечно, непростое, а для начала надо создать просто вспомогательные отряды из добровольцев. Увидев, что на нас можно положиться, немцы дадут ход всему предприятию. Тогда-то и разъехались офицеры по местам скопления военнопленных — проводить разъяснительную работу, вербовать бойцов.

Бондарчук оделся в поездку на советский манер — френч, фуражечка, ни дать ни взять секретарь райкома. Ему казалось, что в таком виде он будет ближе бойцам, чем в хорошо скроенном немецком мундире, хоть и без знаков различия. Сразу увидят, что свой, русский, а не какой-нибудь завезенный из Европы белогвардеец голубых кровей. Голубую кровь в общем-то трудно было заподозрить в Бондарчуке с его типичной, загрубевшей в среднем возрасте наружностью советского руководящего плебея. Сидя сейчас в «мерседесе» впереди двух элитарных эсэсовских офицеров, Бондарчук в сотый раз обдумывал ситуацию. Дюренхоффер был, разумеется, прав: спутник не понимал беглой немецкой речи, однако кое-что все-таки до него доходило, а главное состояло в том, что за всю многочасовую дорогу из Киева офицеры ни разу не обратились к нему ни с каким вопросом, а все его попытки контакта наталкивались на недоуменно поднятые брови, снисходительное молчание. Вот и рюмочку-то даже не додумались предложить, ебаные юберменши. Ну, ничего, будет у нас своя армия, будет и больше уважения. Не придется вечно вспоминать этих, седьмая-вода-на-киселе, Краузе. Пока что будем во всем выполнять их приказания, а потом посмотрим. Потом посмотрим, кому русский народ скажет спасибо. Ведь и Александр Невский, и Дмитрий даже Донской оброк Орде платили...

Весь огромный лагерь прежде охранялся одним лишь взводом каких-то зачуханных фольксдойчей: никто бежать никуда и не собирался; куда бежать, назад к своим, что ли, прямо под трибунал? В этот день прибыла еще целая полурота, начала работать с народом, разбивать на колонны. Шибздика при этой разбивке едва не отделили от Мити, пристегнули к жлобам из 18-й дивизии, однако он ловко зашмыгал в толпе, поднял в голове колонны какой-то шухер, охранники побежали к тому месту, а шибздик собачонкой проскочил меж ног и вот уже приткнулся опять к Сапунову.

— Видал, Митяй, как я из них сделал клоунов?!

Убрали перегородки между секторами, получился большой плац. В конце плаца возле проходной плотники завершали сбивку дощатого сооружения.

— Вешать, что ли, будут? — хмуро пошутил Митя.

— Наверно, наверно! — нервно хохотал Гошка. — Во класс, а, Митька?! Во покачаемся рядом, а?!

Митя легонько дал ему под дых:

— Хоть бы на виселице от тебя отделаться, шибздо!

Оказалось, не виселицу соорудили, а трибуну, и даже здоровенный, похожий на мину микрофон там присобачили. Обгуляшенный, повеселевший красноармейский народ ждал теперь чуда. Может, Гитлер нас в Турцию продает или в Африку к итальянцам погонит? Может, Сталин, курва, в Грузию убежал, а нам царя привезли?

Наконец автоматчики построились в ряд вокруг трибуны, а на верхотуру взобрались четверо: два немецких офицера, один какой-то удлиненный, другой порядком расширенный, капрал в очках и полноватый такой дядька в полувоенном, такой прямтаки большевик, что твой Киров. Может, они на самом деле примирились?

Сначала заговорил удлиненный. Скажет фразу, отойдет, тогда капрал его переводит.

— Русские солдаты, вы храбро сражались, и не ваша вина, что вы оказались в плену! Виноваты в этом преступные большевистские вожди, дерзнувшие поднять меч на победоносную Германию, на могущественный национал-социализм!

Гауптштурмфюреру Иоханну Эразмусу Дюренхофферу очень нравился этот момент, он получал удовольствие от перекатов своего хорошего голоса, несущего на литературном немецком языке крепкую и благородную истину этой огромной формации русских голов. К счастью, он не подозревал, что весь блеск его речи теряется в переводе очкастого капрала из фольксдойчей, русский язык которого представлял собой смесь местечкового акцента с южным простонародным уканьем и хыканьем. Он продолжал:

— Наш фюрер, рейхсканцлер Адольф Гитлер, хотел бы видеть в вас не врагов, а достойных трудящихся, вносящих свой вклад в установленный им новый порядок. Все остальное зависит только от вас!

Тотальный разгром большевизма приближается с каждым днем! Да здравствует новый порядок! Да здравствует Германия! Хайль фюрер!

Все четверо на трибуне, включая и руководящего большевика, щелкнули каблуками и подняли правые руки в нацистском приветствии. Затем руководящий большевик продвинулся к микрофону, одернул задирающийся на животе и на боковинах френчик, заговорил почти-что-на-нашенском-советском, тудыт-его-в-мякину:

— Дорогие русские бойцы, командиры! Я, полковник Бондарчук, обращаюсь к вам от имени Комитета освобождения России. Мы, патриотически и антибольшевистски настроенные командиры, оказавшиеся в тылу победоносных немецких войск, решительно порываем с прошлым и бросаем вызов сталинской тирании! Мы приносим глубокую благодарность германскому командованию и лично фюреру Адольфу Гитлеру, давшим нам возможность присоединиться к их благородной борьбе!

Солдаты, братья! Комитет освобождения призывает вас влиться в ряды борцов против ненавистного жидовско-коммунистического режима! Вы измучены, братья, но чего же вы хотите от немецкого командования, если Сталин не признает Женевской конвенции о военнопленных, для него вы все — предатели! Я хочу вас спросить, русские люди, как вы относитесь к этим кровожадным большевикам, к тем, кто порушил ваши дома и согнал вас, словно скот, в свои грязные колхозы, к тем, кто угнал сотни тысяч и миллионы ваших братьев в Сибирь и Казахстан, к тем, кто никогда не переставал насиловать нашу многострадальную матушку-Россию своей проклятой, марксистско-ленинской, жидовской теорией?! Вслушайтесь в голос своего сердца, и вы ответите — мы ненавидим их!..

Митя Сапунов с расстояния в добрую сотню метров пристально вглядывался в глыбу лица с открывающимся ртом. Иногда глыба замирала с открытым зияющим отверстием явно в ожидании приветственных криков и аплодисментов. Крики и шум приходили то с одного, то с другого конца плаца, но явно не в тех масштабах, на которые рассчитывал оратор. Митя переводил взгляд на лица товарищей. Большинство было безучастно, многие явно боялись, неизвестно чего в данном случае, прятали глаза. Мало-помалу, однако, особенно при упоминании колхозов и при слове «жиды», пленные начали оживляться.

— Долой красных выродков! — донеслось с трибуны.

— Долой! — вдруг взревело вокруг Мити несколько десятков голосов. — Кровопийцы! Гады! Долой жидов! Долой колхозы!

Почти уже забытое за годы жизни в профессорской крепости колыхнулось и сразу же вспучилось в Мите: обезумевший отец с охапкой горящей соломы в руках, последний, самый последний в жизни промельк мамки, ее истошный крик, и собственный бессознательный бег в темноте к лесу — спастись от людей, стать волком, — и потом почти волчье, с бугра подглядыванье за Гореловом, приход в село армейского отряда, долетающие до волчьих ушей вопли баб, рев скотины, и потом как курицу ту поймал, свернул ей шею, жрал... Все это страшное, грязное, деревенское, что заставляло мальчика потом иной раз просыпаться с колотящимся сердцем, с ухающим будто в бездонную пропасть животом, хватать воздух ртом, пальцами скрюченных рук обнаруживать себя вдруг на лестнице, в лунном луче, дико смотреть на развешанные картины, не понимая, что они означают, пока не появлялась бабушка Мэри и теплыми руками успокаивала, будто собирала все разбегающееся воедино под свои ладони.

Снова донеслись выкрики оратора:

— Русские солдаты, братья! Чудовищная большевистская империя рушится под сокрушающими ударами германского оружия, словно колосс на глиняных ногах. История наконец-то повернула на путь справедливого возмездия! И все-таки мы должны смотреть дальше и постараться увидеть завтрашний день нашей родины России! Ради этого будущего дня Комитет освобождения призывает вас влиться в ряды вспомогательных отрядов, которые со временем составят костяк новой русской армии!

Полковник Бондарчук был доволен: во-первых, не вполне выполнил приказание немцев, вернее, не совсем следовал их инструкциям, говорил не десять минут, как было сказано, а все пятнадцать, а во-вторых, и это самое главное, ввернул несколько несогласованных фраз, ну, например, про колхозы или вот про будущее России. Так, шажок за шажком, мы и укрепим свое собственное.

Переводчик, стоявший между Краусом и Дюренхоффером, набарматывал им на несусветном немецком содержание бондарчуковских выкриков, и они аплодировали, как бы показывая, что этот общественный деятель не марионетка, а некоторая самостоятельная величина. Потом, однако, Краус не очень-то деликатно хлопнул его по спине — пора, мол, закругляться — и сам вышел вперед. Речь штандартенфюрера продолжалась не более трех минут и не содержала ни грана риторики. Он сказал, что те, кто будут после соответствующей проверки зачислены в новые вспомогательные формирования — ни тот, ни другой немец ни разу не сказали «русская армия, русские отряды», — получат новое обмундирование, две смены белья, еженедельную баню, вполне удовлетворительное питание, табак и 35 немецких марок в месяц на развлечения. Солдаты, однако, должны помнить, что за малейшее нарушение дисциплины им придется отвечать по всей строгости германских законов.

На этом митинг закончился. Тут же за дощатыми столами какие-то парни в немецких мундирах без погон начали запись добровольцев. Их оказалось множество: неизвестно уж, что больше подействовало — ненависть к большевикам, бондарчуковские заклинания о «будущем России» или 35 марок штандартенфюрера Крауса.

— На тридцать пять марок, Мить, небось можно любую блядь купить, да и захмелиться как следует, — осторожно сказал шибздик.

— Ну, пошли записываться, шибздо! — небрежно так, легко, как будто в футбольную команду пригласил записываться, сказал Митя.

— Да ты че?! — испугался Гошка Круткин. — Против наших, Мить? Мы ж комсомольцы же ж, а?!

— Да какой я тебе комсомолец? — Митя хохотнул и направился к очереди на вербовку. — Комсомолец?!

Вдруг ярость вспыхнула в нем, он повернулся к семенящему рядом Гошке, ухватил того за заскорузлую грудину, подтянул, будто некий народный богатырь какого-то жалкого прихвостня.

— Да я твою комсомолию, всех этих «ваших», всю бражку красную всю жизнь ненавижу!

— Ну че ты, Митька, че ты, — плаксиво заканючил Круткин. — Подумаешь, большое дело, ну, айда запишемся...

Митька его отшвырнул:

— А тебе-то чего записываться, шибздо? Ты ж комсомолец, мандавошка!

Гошка даже вроде бы заплакал от досады, во всяком случае, стал что-то мокрое размазывать по грязи лица, со злобой взглянул из-под кулака на друга. Злоба была притворной. Митю вдруг посетило ощущение, что все вокруг нереальное, притворное, а они-то с Гошкой вообще без конца только и делают, что разыгрывают сцену для двух актеров.

— Ну ты, актер, — сказал он ему примирительно.

Круткин тогда и на самом деле захлюпал:

— Ты, Дмитрий, меня ни фига в жопу не уважаешь. Сначала шибздиком начал звать, а теперь прямтаки шибздо... За человека не считаешь!

Они встали в хвост очереди. Здесь уже говорили, что записавшихся сразу же грузят на машины и отвозят на санобработку, а потом в теплые казармы.

— Мить, а Мить, — мирно вдруг позвал Гошка, — а как же тетя Циля-то, а? Ты ж слышал небось, как оратор-то кричал «жидовский коммунизм»?! Жидовский, вот те на, Митя! А как же с твоей-то приемной мамашей-то, с Цецилией-то Наумовной, а? Да ты не злись, Мить, я ж просто, по-дружески...

Опять сценку разыгрывает, ну, шибздик, подумал Митя. А может, провоцирует?

Шибздик смотрел на него преданными глазками. В самом деле, кажется, озабочен. Почему же мне-то самому ни разу в голову не пришла тетя Циля? Тут он увидел, что вдоль очереди идет главный оратор, пожимает добровольцам руки, отвечает на вопросы. Вот сейчас самого начальника и спрошу, морда у него вроде не злая.

— Товарищ начальник, можно мне задать вопрос, который в этих обстоятельствах может показаться странным?

Полковник Бондарчук изумленно глянул, из какого пункта безликой массы военнопленных идет такая сугубо интеллигентская формулировочка, и выделил крупного молодого красноармейца, с простой русской, но в чем-то даже несколько романтической, почти есенинской внешностью.

— Ну, в чем же твой вопрос, дорогой?

— Ну, я вот лично по происхождению из раскулаченных, родители совершили самосожжение, чтобы в колхоз не идти, а вот приемной матерью у меня потом была еврейка. В этом случае на какое отношение я могу рассчитывать?

Бондарчук взял Митю под руку, отвел немного в сторону, доверительно, несмотря на жуткую вонь, исходящую от юноши, похлопал его по плечу:

— На равное, мой дорогой, на абсолютно равное отношение! Во-первых, ты, как я понимаю, чисто русский, из замученных крестьян, а во-вторых, мы ведь не против евреев как человеческих личностей. У меня у самого, — он чуть, но только самую чуточку понизил голос, — есть и друзья среди евреев. Мы ведь только лишь против чуждых идей, навязанных русскому народу, именно против жидовского коммунизма, а не против евреев. Вот ты сам как к коммунистам относишься?

— Всю жизнь ненавижу! — искренне воскликнул Митя.

— Ну вот, значит, ты и есть истинный боец Русской освободительной армии!

Бондарчук любовно подтолкнул Митю назад к очереди на вербовку и посмотрел ему вслед, отмечая про себя, что вот этого юнца следует запомнить, может быть, выделить впоследствии, любопытный молодой человек.

Тут за ним прибежал припятский переводчик:

— Прошу, не знаю, как вас звать, штандартенфюрер Краус послал за вами, пора ехать!

На бугре, уже за зоной, Бондарчук увидел «аристократию». Длинный, с оттянутым задом Дюренхоффер что-то улыбчиво и убежденно вещал, Краус, по-фельдфебельски заложив руки на крестец, стоял рядом в каменной задумчивости.

После блаженной санобработки и переодевания в чистое солдатское белье и суконную фрицевскую форму Митя и Гоша полночи просидели на лестнице под чердаком в здании фабричного общежития, превращенного в казарму. Блаженнейшее ощущение сытости и чистоты плюс еще дополнительное, совсем уже невообразимое блаженство в виде табачного довольствия не давали заснуть, возбуждали молодые существа, вновь как бы открывали горизонты будущей, казалось бы, совсем уже захлопнувшейся жизни. Гоша Круткин, прикуривая одну за другой толстенькие немецкие сигареты, читал стихи Есенина. Митя внимал. Вдруг его пронзило.

Ты — мое васильковое слово,
Я навеки люблю тебя.
Как живет теперь наша корова,
Грусть соломенную теребя?

Значит, все-таки это было, обращение к неведомой сестре, вечная российская корова, васильки во ржи, все одушевленное, цельное, а не разъятые каркасы... впредь, уж конечно, этого не будет, но это было, а значит, есть всегда, Есенин тому свидетель.

Гошка Круткин, шибздик, читал дальше с дурным базарным подвыванием:

> И тебе в вечернем синем мраке
> Часто видится одно и то ж:
> Будто кто-то мне в кабацкой драке
> Саданул под сердце финский нож.

Малый чрезвычайно гордился своей «дружбой» с Есениным, которая началась у него еще год назад в метростроевском общежитии, когда кто-то дал ему на три дня полузапрещенную замызганную книжонку издания 1927 года. Гошка тогда и перекатал особенно популярные стихозы чернильным карандашом в клеенчатую тетрадку, а потом, обнаружив, что они на девчат действуют бронебойно, начал стишата в свою тетрадку накапливать и разучивать наизусть. Собственно говоря, и дружба с любимым Митей Сапуновым началась с Есенина. До этого большой красивый парень при любом приближении снисходительно басил: «А ну, отцепись, в карман нассу без смеха!» Но однажды, когда была ему предложена клеенчатая тетрадочка: «Хочешь, Митя, почитать поэзию?» — посмотрел на шибздика другими глазами.

Что касается Мити, то у него в поэтической сфере была, благодаря тете Нине, более капитальная подготовка. Нина, которую он, разумеется, никогда не называл тетей и на которую, сказать по правде, давно уже поддрачивался, равно как и раньше на тетю Веронику, нередко затаскивала все серебряноборское семейство на поэтические чтения, нередко он и разные литературные разговоры слышал, и вот, таким образом, у него сложилось весьма снисходительное отношение к всенародному кумиру Есенину: «Ну Есенин, мужиковствующих свора. Смех! Коровою в перчатках лаечных. Раз послушаешь... но это ведь из хора! Балалаечник!»

И только вот в армии, в потное жестокое время, стал постепенно постигать свою исключительную близость к этим строчкам из «страны березового ситца». Ну, а сейчас вот, в чужом тылу, в мундире серозеленого сукна, каждая строка, будто рентген, проникала через все чуждое, отпечатывалась на коже, жгла сердце, изливала слезу, которую едва лишь могло сдержать скуластое лицо.

Затерялась Русь в Мордве и Чуди,
Нипочем ей страх.
И идут по той дороге люди,
Люди в кандалах...
И меня по ветряному свею,
По тому ль песку,
Поведут с веревкою на шее
Полюбить тоску...

Глава седьмая
Особая ударная

На командном пункте Особой ударной армии, расположенном на вершине большого и дикого, как бы былинного, бугра, в тщательно замаскированной системе блиндажей, царило деятельное возбуждение: шла решающая подготовка перед первым за всю позорную летне-осеннюю кампанию 1941 года наступательным движением Красной Армии.

Печки в блиндажах при дневном свете не топили, чтобы не обнаруживаться, и потому во всех отсеках командного пункта царил отчаянный холод. Никто, впрочем, этого не замечал, или, скорее, все делали вид, что не замечают холода, подражая, как всегда это бывает при больших штабах, командующему, генерал-полковнику Никите Борисовичу Градову.

Следует, однако, сказать, что некоторый подогрев все-таки был в наличии и нередко извлекался то из кармана тулупа, а то и из-за голенища сапога. В этом, собственно говоря, штаб тоже следовал примеру командующего, которому время от времени старшина Васьков, шофер его личного броневика, подавал добрую чарку коньяку.

Только что сколоченный штаб ОУА не был еще разъеден интригами и обожал своего молодого генерал-полковника. О нем ходили в среде молодых командиров слухи один дичей другого. Говорили, например, что он долгие годы был законспирирован за границей, руководя целой сетью наших агентов, пробрался якобы в самые верхи германского генштаба. По другим сведениям, он никуда не уезжал, но опять же принадлежал к глубоко законспирированной группе ближайших военных советников Сталина. Командиры постарше, из кадрового состава, только улыбались — подлинная история командующего Особой ударной армией выглядела более невероятной, чем все эти фантазии.

Вот уже около получаса свита генерал-полковника толклась у него за спиной в ожидании дальнейших действий и приказаний. Перетянутая портупеей спина как будто забыла о существовании своего продолжения, то есть свиты. Градов переходил от одного дальномера к другому, сам подкручивал окуляры, наблюдая позиции противника, и ничего не говорил. Что он там мог увидеть в заистринских заснеженных холмах, одному ему было известно, однако, значит, что-то видел, иначе бы не заставлял сопровождение толкаться без дела за его спиной.

Противник ничем себя не обнаруживал. Только один лишь раз Никита заметил медленное продвижение нескольких круглоголовых фигур по дну оврага среди свисающих космами корней и кустарника и подумал, что это, очевидно, связисты тянут линию из расположения Четвертой танковой группы в штаб генерала Буха. Нам бы такую связь, как у немцев. Анализируя действия вермахта в первые месяцы войны, Никита Борисович не мог не восхититься: многомиллионное скопление войск обладало подвижностью балерины, и это достигалось в первую очередь совершенством связи.

В остальном заистринские холмы хранили идиллический вид, если можно так сказать о безобразном пространстве, в котором преобладал мутно-белый цвет с рваными серо-коричневыми пятнами. Однако отсутствие движения в течение получаса тоже о многом может сказать. Никаких признаков жизни, и только три стальных башки медленно, почти неуловимо ползут по дну оврага среди коряг из расположения Четвертой танковой группы. И никаких дымков, тоже, стало быть, мерзнут, шнапсом еле-еле подкрепляются. Значит, затаились, знают о наших приготовлениях, ждут и впервые за все время войны относятся к русскому возможному контрнаступлению серьезно. Раньше эти танки уже шли бы вперед, проламывая нашу оборону, не давая сосредоточиться. Значит, у них по-прежнему нет бензина.

Удивительно, как точно гитлеровский поход на Москву повторяет Наполеона, даже и начали почти в один день: 24 июня 1812 года и 22 июня 1941. Повторяются и ошибки, особенно по коммуникациям. Как можно было начинать такую механизированную войну, не продумав проблему железных дорог, не подготовившись к переходу с европейской узкой колеи на русскую широкую? Значит, и там есть бездарности, свои Ворошиловы и Буденные, и Вильгельм Кейтель, значит, не семи пядей во лбу.

Никита Борисович подозвал начальника артиллерии полковника Скакункова:

— Прикажите, Иван Степанович, батарее Дрознина немедленно обстрелять вот эту балку. Пять минут хорошего интенсивного огня!

Продолжая наблюдать, он засек время на своих специальных командирских часах, которые иной раз своим настырным стуком на запястье будто подгоняли ток крови. Батарея Дрознина начала работать без промедления. В течение отведенного короткого срока снаряды пропахивали балку, вздымая столбы земли и древесного хлама. Затем все стихло. Еще через десять минут за линию фронта, заходя на дрознинскую батарею, перелетели три «мессершмитта». Тогда он приказал поднять звено «ястребков» и завязать воздушный бой. Все прошло замечательно, немцы клюнули на фальшивую артатаку, или, как говорят в лагерях, купились дешевки.

Вот уже несколько дней Никита Градов старался создать у немцев впечатление, что основной целью его наступления будет вот именно эта остановившаяся из-за нехватки горючего Четвертая танковая группа, что именно ее и постараются отсечь и перемолотить русские, чтобы устранить опасность окончательного штурма и захвата Москвы. Задумано же было как раз наоборот: полностью игнорировать танковое соединение и пройти клином значительно севернее, в течение одного дня подступить к Клину, там соединиться с частями 30-й армии и взять город. Если же Буху все-таки удастся пустить в действие десятка два-три танков, то они все равно погоды не сделают, ими займется штурмовая авиация. Иными словами, немцы будут считать, что русские атакуют в рамках концепции обороны, а перед ними вдруг начнет разворачиваться совершенно новая концепция — начало общего наступления, конец блицкрига. Очень довольный, Никита Борисович продолжал наблюдать мутно-белую долину, озарявшуюся теперь по краешку частыми вспышками залпов: артиллерия немцев открыла огонь по фиктивному штабу, оборудованному и экспонированному на полкилометра дальше в глубине обороны. Снаряды пролетали над настоящим командным пунктом.

В свите наконец до некоторых дошло, какого рода игрой занят был в течение этого получаса их командующий, иные из этих некоторых очень высоко эту игру оценили уже не с тактического угла зрения, а в свете большой стратегии, и среди этих иных не мог не восхититься старым другом заместитель начальника штаба по связи полковник Вадим Вуйнович.

Вадим, конечно, прекрасно понимал, что своим вызволением из лагеря он обязан Никите, хотя об этом не было сказано ни слова. Вообще никакого возобновления старой дружбы не получилось, не произошел даже, что называется, большой мужской разговор. Никита дал понять Вадиму, что его назначение в штаб ОУА носит временный характер и что по окончании нынешней кампании он будет волен уйти в другое соединение хотя бы для того, чтобы не чувствовать себя ущемленным, находясь в непосредственном подчинении у бывшего друга и мужа своей мечты. Конечно, было бы здорово откупорить пол-литра и разложить закусон на чемодане и так, в позах Кирилла и Мефодия, расставить все точки над частоколом латинских «i», рассказать друг другу о допросах, о тюрьме и о лагерях, однако это прежнее, казавшееся раньше столь естественным сближение теперь представлялось им почему-то почти немыслимым — немаловажную роль тут, очевидно, играл и колоссальный разрыв в чинах, шутка ли, полковник и генерал-полковник, и они как бы оба согласились с тем, что сейчас не до этого, что сейчас даже и времени-то нет для таких сидений, вот отобьемся, мол, тогда... Главное, что можем в глаза друг другу смотреть, не моргая и не краснея, вот это самое главное. Только однажды, в редчайший момент отсутствия других штабных, когда один лишь Васьков сидел у дверей со своим аккордеоном, Никита вдруг поднял голову от карт и спросил Вадима:

— Ты знаешь, что Вероника тоже была там?

Вадим не знал и был потрясен. Вообразить Веронику, звезду всей его жизни, там, среди шалашовок, было выше его сил. Несколько секунд они смотрели друг на друга и вдруг распознали друг в друге за личинами сильных военных мужчин дрожащих лагерных полудоходяг. Момент был такой сокрушающий, что они едва не бросились друг другу на грудь, чуть не разрыдались. Тут, к счастью, чуткий Васьков оборвал свою «Землянку», и они зашелестели картами, заговорили грубыми форсированными голосами, все дальше с каждой минутой отходя друг от друга, не друг от не друга, и от своей стыдной лагерной не сути, и все быстрее возвращаясь к своей якобы подлинной сути кадрового командного состава, к якобы реальной сути той войны, к которой шли всю жизнь. В конце же аудиенции командующий сказал своему замначштаба по связи:

— Сейчас с ней все в порядке.

Он увидел, что Вадим благодарен ему за эту фразу, и сам был благодарен ему за то, что тот ничего не переспросил.

Генерал-полковник отошел от своих дальномеров, потер руки и, довольный, подмигнул своему штабу. Каждый принял этот дружеский подмиг на свой счет, в том числе и полковник Вуйнович. От командующего исходил мощный поток энергии, он, казалось, и не сомневался в том, во что еще вчера никто не верил, — в победе; причем в самом этом понятии «победа» для него вроде бы и не было никакого идеологического мистицизма, ничего сродни газетным и радиозаклинаниям Агитпропа, победа для него была сугубо военным, профессиональным, почти спортивным понятием; и это, может быть, ободряло больше всего.

— Всем вернуться к своим обязанностям! — скомандовал Никита. — В семь часов оперативное совещание в Химках. Водки больше не пить, господа офицеры!

При этих словах начальник политотдела армии Головня поднял брови: это как же, мол, прикажете понимать, такое по меньшей мере странное в пролетарской армии обращение, однако командующий тут все свел к шутке:

— А также в карты не играть, романсов не петь, кадрили не танцевать! Мыслить оперативными категориями, подготовить соображения по своим хозяйствам!

Тут уж и Головня вместе со всеми расплылся в улыбке: шутка, он знал, поднимает боевой дух.

— Поехали, Васьков! — Никита широко зашагал к выходу.

Через несколько минут броневик, закамуфлированный сверху снопом гнилого сена, выехал из укрытия и по еле заметной дороге, можно сказать, через дикое поле, по которому впору Илье Муромцу проезжать, направился в расположение 8-го авиационного полка. За броневиком колдыбачил транспортер охраны, при которой неизбежно находился особист капитан Ересь.

У этого Ереся глаза шкоды, вспомнил про него Никита Борисович. Он их прячет. Какого черта он все время таскается за мной, кто его отрядил? Гадать не приходится, ясно кто.

Вдруг среди поля замаячили женские фигуры с лопатами, бросилась в глаза ярко-белая среди грязноватого снега пуховая шапка с длинными ушами, что можно завязывать вокруг шеи. Народное ополчение Москвы роет окопы, неумело, паршивенькими лопатами ковыряет застылую землю. Женщины провожали взглядами броневик. Вид у них был плачевный. Студентки и домработницы в городских, демисезонных пальтишках, иные даже в шляпках, много они тут наработают. Затея совершенно никчемная в военном отношении, однако ей придается большое пропагандистское значение. «Весь народ в едином порыве отстоял...» Кстати, на левом фланге у меня стоит бригада мужчин-ополченцев, дантисты и адвокаты, могучее воинство с одной трехлинейкой на троих, да и то не все исправны. Надо не забыть вывести их из зоны завтрашнего побоища.

На аэродроме генерал-полковника уже ждали, хотя он и не уведомлял авиационное начальство о своем приезде. Командир полка подполковник Благовейный со своим штабом и командирами эскадрилий уже шагал к нему навстречу. Вот это зрелище и в самом деле вдохновляющее, группа здоровенных мужиков в пилотских куртках, бодрящих друг друга уверенным шагом, хамоватым говорком-матерком, общей милитаристской ядреностью.

Основные силы полка были худо-бедно закамуфлированы в близлежащей рощице, на связные же самолеты, двухместные бипланчики У-2, камуфляжу не хватило, и они теперь стояли вразнобой посреди летного поля. Обмениваясь с Благоговейным репликами о боевой готовности, командующий направился к одному из этих бипланчиков, казалось, представлявших здесь историю авиации.

Пилот самолета вытянулся перед командиром. Лейтенант Будоражин! В левом углу рта золотой зуб, так называемая фикса.

— Ну что, лейтенант, прокатишь? — вдруг неожиданно для всех присутствующих спросил командующий и, не дожидаясь ответа, полез на пассажирское сиденье.

Все обалдели, особенно в группе охраны. Васьков метнулся:

— Да как же так, товарищ генерал-полковник?!

Будоражин же тут же скакнул на крыло, вытащил для командующего кожаное пальто на меху. За готовность к немедленным решениям будет отмечен. Через несколько минут тарахтящий «кукурузник» уже выруливал на взлетную полосу. Прищуренными глазами Никита наблюдал за группой охраны. Капитан Ересь, казалось, потерял голову от неожиданности, бросался то к Васькову, то к подполковнику Благоговейному, срывал голос, даже хватался за пистолет. Васьков стоял перед ним едва ли не на коленях, умоляюще прижимал руки к раздобревшей груди. Ясно, Васьков. Командир авиаполка даже не удостоил особиста взглядом. Автоматчики из охраны лыбились, показывали большие пальцы. Свои ребята.

Этот Ересь может себе и пулю в лоб пустить от отчаяния: не досмотрел. Перемахнуть тут на У-2 через линию фронта — дело десяти минут. Не успеешь и опомниться, как вот тебе — такой перебежчик! А ведь у Градова есть причины нас ненавидеть, он ведь «сучий потрох», «враг народа», не может он забыть чекистскую сноровку. Ну, тут и конец капитану Ересю и всем его блестящим планам на будущее.

Этот Ересь слишком эмоционален, холодно думал генерал-полковник, наблюдая мечущуюся среди офицеров долговязую фигуру. Избыток эмоций на его работе — вещь совсем не обязательная. У чекиста, как известно, должны быть «холодная голова и горячее сердце». В данном случае тут общий перегрев.

Перед разбегом Никита Борисович дал указание лейтенанту Будоражину, куда лететь, плотнее закутался в могучий кожан и откинулся на сиденье.

С высоты трехсот метров земля казалась исполненной унылой сонливости, как бывает в Подмосковье в тусклые дни уже застоявшейся зимы. И небо в этот момент было пустым, никаких стычек в воздухе, и орудийных вспышек не наблюдалось. Казалось, мир вдруг вернулся на советскую Русь. Впрочем, был ли тут когда-нибудь мир? Там, за Яхромой, располагались еще недавно огромные лагеря. Рабским трудом воздвигались шлюзы со статуями. Да и без этого хватало, всегда, со дня великой революции, хватало здесь страха, подлости, насилия. Впрочем, было ведь все-таки и другое — молодость, любовь, мечтательные вечера... Вот из такого примерно озера, что плывет внизу, выходила как-то на закате принцесса Грёза в обтягивающем купальнике, и вода стекала по всем блаженным изгибам ее тела, сначала потоком, потом струями, потом долго слетала каплями, загоравшимися под грандиозным символическим небом.

После четырех лет разлуки — и какой разлуки! — они встретились в отцовском доме так, словно ничего особенного не произошло, будто он просто из долгой командировки вернулся, как тогда, в тридцать третьем, когда несколько месяцев провел с секретным заданием в Китае.

В Серебряном Бору знали, что он освобожден и может появиться с минуты на минуту, так что обмороков не ожидалось. Тем более что Вероника уже вернулась третьего дня. Как и в прежние времена, он подъехал на военной машине, открыл калитку, пошел под соснами к дому. У крыльца из снега торчала пара лыж. В окне второго этажа виднелась вечная лампа из китайского фарфора. Никиту вдруг поразило промелькнувшее чувство неприятия всего этого, о чем не давал себе права даже и мечтать, что постоянно отодвигал подальше, как самое уже последнее, как мираж на грани умирания. Отцовский дом, лоно семьи... в этот момент все это показалось какой-то досадной несусветицей, неуместным привеском к его, мягко говоря, несентиментальной жизни, вроде той раздутой авоськи с продуктами, что свисала из форточки кухонного окна. Еще один шаг, и эти гадкие мысли выветрились, он открыл дверь и окунулся в родное, теплое, в этот чудом сохранившийся пузырь мира и добра.

Не обошлось все-таки без большого количества валериановых капель: мать и Агаша никак не могли прийти в себя. Некий почти юноша, крепыш подросток, да Борька же Четвертый же, собственное же отродье, кричал в телефонную трубку: «Дед, приезжай скорее, отец вернулся!» Удивили собранные в библиотеке тяжелые чемоданы. А это что же такое? Да ведь в эвакуацию же собираемся, Никитушка! Верулька висла на руке, не желала отцепиться, теребила шевроны. И тут, как будто прямо из прошлого, как будто полностью изгоняя из памяти все эти страшные четыре года, сбежала сверху ослепительная Вероника.

Через несколько часов, когда все уже утихомирились и они остались одни, он ее спросил:

— Послушай, как же это так получается, ты попрежнему возмутительно красива, все та же Вероника?

Она чуть вздрогнула, посмотрела на его лицо, в котором что-то в этот момент было пугающее, неузнаваемое.

— Ты находишь? Спасибо за комплимент. А вот ты как-то изменился, Китушка. Нет-нет, внешне ты стал даже лучше, просто совсем уже, ха-ха, шалишь, парниша, интересный мужчина, но вот что-то появилось... впрочем, это, конечно, пройдет.

Трудно было не понять, что она имеет в виду. В прежние времена даже после недельной разлуки он прежде всего тащил ее наверх и, не получив своего, буквально не мог ни с кем разговаривать, бродил как сомнамбула, даже было смешно, ну подожди же ты хоть десять минут для приличия, сумасшедший! А теперь вот — после четырех лет разлуки! — несколько часов колобродил внизу, даже в ванную отказался идти, он, видите ли, уже мылся сегодня, ждал отца, за обедом пил водку, на всех сиял, и на нее сиял, но не так, не так, как раньше он на нее сиял совершенно слепым от желания лицом.

Он посадил ее на колени и начал расстегивать платье. «Все те же духи», — промычал он, как бы уже охваченный страстью, но явно фальшиво. Сквозь запах французских духов Никита с отчаянием ощущал лагерную гнусь, слежавшуюся вонь барачных мокрых тряпок, слизь баланды, хлорку параши. Он встал с кровати, да так резко, что Вероника даже слегка отлетела в сторону.

— Ну, хорошо, милый, ну, ладно, ну, давай просто спать, ты устал, мой любимый...

Она смотрела на него совершенно новым, вот именно лагерным, собачьим взглядом.

— Нет, положди! Ты прежде скажи, как ты умудрилась не подурнеть? Ты выглядишь сногсшибательно, и даже ведь без косметики!

Она отмахнулась:

— Какая уж тут косметика! Вот нашла вчера чудом баночку крема, а духи еще остались от той жизни... Да вот еще и губную помаду купила у вокзала, с рук... к вашему приезду, мой повелитель... ужасную, «Огни Москвы»...

— Почему же не... почему же не намазалась? — спросил он, и вдруг прежнее стало возвращаться мощным приливом.

Она это почувствовала и посмотрела так, как он в этот момент хотел, по-блядски.

— Попробовала намазать, знаешь ли, но как-то очень уж вульгарно получилось. Хочешь, намажу?

— Давай я сам тебе намажу!

Он взял губную помаду, от которой пахло земляничным мылом, и стал раскрашивать ее покорное лицо. Ведет себя замечательно, очень опытно.

— Ты даже не похудела совсем, Вероника! Подкармливали?

— Вообрази, я там в театре играла! — хохотнула она, да так, что он совсем уже потерял голову. Он резко повернул ее к себе спиной. Она тут же с готовностью стала подставляться. — Вообрази, в самодеятельности лагерной косила, играла «Любовь Яровую». Большой успех, вообрази!

— Воображаю! — прохрипел он и вдруг увидел в темном окне отражение офицера с полураздетой бабой, сильнейшая порнографическая сцена, от которой совсем уже все у него внутри взбаламутилось. — Воображаю, — повторил он, — воображаю... актриска, да, да?.. Тебя там вохровцы ебли, да, да?.. Вохровцы тебя там подкармливали, Любовь Яровая, да, да?..

Она начала даже подвизгивать, чего с ней раньше никогда не бывало.

Потом они долго лежали неподвижно, он на боку, она — уткнувшись лицом в одеяло. Тоска и горечь выжигали их дотла. Никогда уже больше не вернется то, что было между ними всю жизнь, все то чистейшее, бурное, нежнейшее, все те смешнейшие, детские бормотания, все эти вихри страсти и нежности; все прошло, осталась одна проституция. Не только в ней, но и во мне сплошная проституция, подумал он. Не только во мне, но и в нем сплошная проституция, подумала она.

— Вот видишь, Никитушка, я для тебя и проститутку сыграла, — тихо сказала она.

Он не ответил, кажется, спал. Заснул, так и не сняв сапоги, как засыпают офицеры в борделе.

Она выбралась из постели, стряхнула с ног лодочки, бесшумно и бесцельно стала ходить по комнате, притрагивалась к шторам, к книгам, вдруг, словно спасаясь, бросилась к платяному шкафу, открыла его, стала перебирать то, что там висело, коечто все-таки хорошее, то немногое, что осталось после чекистского грабежа, и то, что Нинка вчера принесла, жоржет, крепдешин, кашмир... Вдруг разрыдалась под шквалом горя, стыда, безысходности, села на пол перед шкафом и, закрыв голову руками, унеслась в свой вчерашний день, в лагерный пункт на севере Урала.

В большом бараке женской зоны к вечеру после смены началось беснование. Блатнячки, то есть большинство населения, носились среди нар, выясняли отношения, качали права, «психовали». То и дело разыгрывались сцены ревности между «марухами» и «коблами». Завершались они визгом, катанием по полу. Потом с расцарапанными мордами замирялись, рассаживались в обнимку либо «песни спивать» — «Чайка смело пролетела над седой волной...», либо «романы тискать» про графов и их незаконных дочерей, ставших воровками и проститутками. Для «романов», естественно, использовались политические «контры» с легкими статьями, в основном «члены семьи», к которым относилась и Вероника. Третью большую группу населения составляли так называемые западники, крестьянки-католички из Галиции. Эти держались всегда все вместе, шептали молитвы на своем непонятном языке или вышивали. Попытки блатнячек разрушить их единство разбивались о какую-то странную туповатую нерушимость галичанок.

Вероника, наблюдая жизнь барака, думала о том, что каждый здесь по-своему борется за человеческое достоинство: галичанки своей нерушимой туповатой хлопотливостью, партийки, «члены семей» воспоминаниями о санаториях, и даже блатнячки, а может быть, они и больше всех других, визжат, и царапаются, и ревнуют друг друга так, словно отстаивают свое право на визг и драки, на ревность и половую жизнь, свое нежелание превращаться в рабочую скотину.

Так вот и она однажды в отчаянии бросилась к спасительному огоньку, к дому культуры КВЧ (культурно-воспитательная часть и здесь присутствовала как неотъемлемая единица коммунизма), записалась в драмкружок. Руководил кружком профессионал высшего класса, московский режиссер вахтанговской школы Тартаковский, которого незадолго до этого полуживым вытащили из шахты и решили вдруг использовать по специальности. Таково было предписание из центра в этот момент: поднять КВЧ! Вытащили и не пожалели: на спектакли его съезжалась лагерная знать со всего Псчерлага. Тартаковский Веронику стал выдвигать, она казалась ему человеком его круга, у них и в самом деле было много общих московских знакомых. Однажды на репетицию «Любови Яровой» явился начальник ОЛПа, майор Кольцов. Кто-то ему доложил, что там появилась среди зечек-актрис красавица генеральша. Не угодно ли ко мне, Градова, на часок, поговорить об искусстве? Кольцов был человек с прихотями. С тех пор и началась ее тошнотворная привилегия. Фаворитка начальника лагеря, вот позор! Не реже чем раз в неделю в бараке появлялся кольцовский ординарец Шевчук, эдакий казак, в папахе, с чубчиком, на широкоскулой морде скучающее хулиганство. «Градова, айда прогуляться!» Она проходила между нар. Блатнячки ей вслед подсвистывали: «На репетицию пошла, артистка?! Они там с Кольцовым вдвоем репетируют! Лезь к нам, красюха, мы с тобой получше начальника прорепетируем!» Неизменно хватала за руку старуха петербуржанка Каппельбаум: «Викочка, принесите мне, пожалуйста, чего-нибудь! Пожалуйста, кусочек чего-нибудь, дорогая! Чего-нибудь питательного, умоляю!»

Так продолжалось чуть ли не год, а потом ей выделили комнатенку в клубе, и она совсем уже отделилась от лагерной массы, то есть стала «придурком» самой высшей категории. Иногда, впрочем, после размолвок или перед инспекцией ее снова отправляли в барак, где блатнячки встречали ее кошачьим концертом. Потом милости возвращались.

Кольцов был долговязым, слабым и истеричным. Ко всем прочим прелестям он еще страдал недержанием мочи, то и дело подхватывался, грохотал сапожищами по коридору в сортир. Высшим наслаждением для майора было превращение зечки в даму. Он и в самом деле любил лицедействовать, только непонятно было, что за дикую роль он проигрывал наедине с Вероникой, похоже, что-то вроде «графа» из барачных «романов». Не Пигмалиона же, черт побери, в самом деле?

«Ах, дорогая, я не могу вас видеть в этом ужасном бушлате! Долой эти жуткие бахилы! Пожалуйста, душечка, снимите ваши кошмарные (выговаривание этого слова было для него сущим удовольствием), эти кошмарные ватные штаны! Посмотрите, что я вам привез! Вот белье, чулочки, шелковое платье, туфельки!»

Он надевал на нее это военторговское барахло и, только завершив ее чудесную метаморфозу, набрасывался с некоторым даже рычанием; то ли брал трофей, то ли получал плату за благодеяния.

В отчаянии и в тоске, с омерзением к покровителю, а еще больше к самой себе, Вероника весь этот вонючий театр, равно как и продуктовые подачки, принимала. Вчера еще, когда дошли до нее по лагерному беспроволочному телеграфу слухи о расстреле Никиты, казалось — нечего больше за жизнь цепляться, всему конец, а сегодня вот опять задергалась, как лягушка: сбиваю масло. Ради детей, говорила она себе. Выжить, вернуться к детям...

От Кольцова ее едва ли не тошнило: мокрый красный ротик, птичий клюв, воронья свалявшаяся челка, алчные и вялые конечности. Однажды в злобе на него она подмигнула ординарцу Шевчуку: «А ты чего же не заходишь, казак?» Молодой жлоб не замедлил появиться, и Вероника стала с ним отводить душу, как будто мстя за насилие над всем своим чистым и звонким, как удары по теннисному мячу, прошлым, над всем своим прежним «теннисом».

Никогда больше уже этого не будет, моего «тенниса». Она всхлипывала и скулила, сидя в растерзанном виде на полу возле платяного шкафа. Чуть поднимешь голову — и сразу видишь в зеркале шкафа морду с размазанной помадой, с подтеками туши из-под ресниц; стендалевское месиво, красное и черное, подлая насмешка над жертвами эпохи. Всему конец, и Никита ко мне больше никогда не вернется, да и к себе он больше никогда не вернется... конец, конец...

Всему конец, думал притворяющийся спящим ее муж, сорокаоднолетний генерал-полковник Никита Борисович Градов, Вероника не вернулась, ее больше нет, стоит ли сражаться с немцами над руинами семьи?..

Наутро начались большие хлопоты. Им была выделена, «рассургучена» огромная пятикомнатная квартира, в которой, как видно, перед тем как «засургучили», матерый какой-то «враг народа» обитал. Квартира в самом что ни на есть «аристократическом» районе, на улице Горького, напротив Центрального телеграфа. Вероника забыла все обиды и унижения прошедшей ночи: хочешь не хочешь, война не война, а квартиру надо было обустраивать, и детей надо было переводить в другую школу, и паек генеральский надо было оформлять и тэдэ, и тэпэ.

Ну что ж, подумал Никита, сидя в кабинке наблюдателя на допотопном биплане, дрожащем под струйками ветра, ну что ж, как в народе нынче говорят, война все спишет... Пилот обернулся, сверкнули молодые зубы. Все в порядке, товарищ командующий? Никита показал ему рукой направление в сторону расположения своих танковых частей.

Капитану Ересю малость полегчало: биплан отдалялся от линии фронта. «А вы, все ж таки, подполковник, поднимите звено прикрытия, — сказал он Благоговейному. — А то как бы с пути не сбились». Мощный летчик только саркастически на него покосился. «Слышите, что я вам говорю?!» — повысил голос особист. «Ты что, охуел, капитан?» — невежливо возразил командир полка и пошел прочь. Наглеет народ на войне, подумал Ересь. Надо меры принимать. Наглеет подчас народ, когда получает в руки оружие.

Танковый клин завтра должен решить все дело. Триста новеньких, только что прибывших с Урала «тридцатьчетверок» пройдут первый эшелон немцев примерно с десятью процентами потерь, второй эшелон, скажем, с пятью процентами потерь, основная масса, громя все вокруг и сея панику, за день подступит к городу. Никита смотрел сверху на подходящую к березовой роще новую колонну. Добрая машина Т-34, по всем статьям она вроде бы превосходит немецкий «T-IV», посмотрим, как завтра себя покажет в деле, в условиях стремительного наступления. Из люка головного танка командир помахал рукой пролетающему биплану. За еловым бугром, в балке, стояла дюжина чудовищ, гордость РККА, шестидесятитонные ИСы. Никаким камуфляжем их не прикроешь, да и чего камуфлировать, вот уж действительно секрет Полишинеля... Медлительные динозавры в течение всей войны, начиная с боев на линии Сталина, так называли немцы систему укреплений за старой западной границей, были излюбленной мишенью немцев. «Мессершмитты» их вроде даже за добычу не считали, пехотный же фриц, прожженная фронтовая бестия, привыкший разбираться в разных видах многонационального оружия, немедленно изучил слепые секторы пулеметчиков ИСа, спокойно подходил на удобную дистанцию и только тогда уже вытаскивал гранату из-за голенища. И все-таки до сих пор верховное командование считает остатки тяжелых танков важнейшим резервом. Сталину, должно быть, не докладывают о фронтовой судьбе его крестника. Вот и Особой ударной навязали дивизион, как ни отмахивался Никита.

Их-то мы и пустим на Сосняки, чтобы создать впечатление главного удара. За ночь их надо будет подвести вплотную к линии фронта. Разумеется, их сожгут в течение первого же часа, однако именно этот час и может оказаться решающим. Неожиданная мысль вдруг пробралась холодной струей за пазуху: значит, танкистам этого дивизиона можно уже выписывать похоронки? Ну что ж, строго ограничил себя командующий, жертвуя сотней, спасаешь тысячу. Ну а кто оказался в тех или в других порядках, это уже не в нашей компетенции.

Внизу появилась полуразрушенная артиллерийским огнем машинно-тракторная станция, разросшаяся в свое время вокруг оскверненных церковных зданий. Там среди искореженных комбайнов стояли невинные на вид грузовики-четырехтонки с косо торчавшими из кузовов в небо рельсами, так называемая бесствольная реактивная артиллерия. Вот это действительно серьезное оружие, создает исключительную интенсивность и плотность огня. Говорят, солдаты стали называть эти странные пушки «катюшами». Славненький юморок, ничего не скажешь, вполне в стиле этой войны; юморок, говорок, табачок, потом все к черту разлетается в пламени и разрывах. Однако, если эту столь славно изрыгающую смерть «катюшу» не поставить на подходящие колеса, толку от нее будет мало. На этих четырехтонках она далеко не уедет, а между тем она как раз должна метаться вдоль линии фронта, подобно огненному Азраилу, быть неуловимой на пересеченной местности и входить в прорывы. Армии нужен мощный и быстроходный массовый грузовик-тягач, но таких у нас нет и не предвидится. О такой машине еще Тухачевский в свое время говорил, но к нему не прислушались, а ведь без этого мы сейчас практически не сможем начать никакого серьезного контрнаступления. Надо снова и снова поднимать этот почти безнадежный вопрос, у нас нет выхода, американцы для нас такую машину строить не будут.

«Катюшисты», очевидно, уже знали, что над ними летает командующий. Несколько расчетов построились и взяли под козырек среди эмтээсовского хлама.

Будоражин четко выполнял предписания, после МТС стал забирать далее в северо-восточном направлении. Никита Борисович озирал огромное пространство, замершее в предгрозовом спокойствии. Здесь под его началом стоят едва ли не триста тысяч людей, и каждый из них надеется уцелеть не только в завтрашнем бою, но и вообще в войне, вернуться домой, в свою собственную, единственную для каждого теплынь. Армия, почти равная всему войску Наполеона, пехотинцы, артиллеристы, танкисты, летчики, две кавалерийские бригады и даже одна бригада морской пехоты (держать их в резерве до самого штурма!), саперы, связисты, десантники, и каждый уверен, что убьют не его, а другого. Загадка человеческих масс, как и моя собственная загадка, думал он: мы все полагаем уцелеть, а между тем вполне хладнокровно считаем проценты потерь, даже не задумываясь о том, что эти проценты, всегда более или менее верные, если их считает хорошо подготовленный специалист, представляют собой массу мгновенных превращений осмысленных, движущихся, надеющихся существ в разодранные клочья плоти. Но выбора же у нас нет, подумал он и вдруг преисполнился каким-то вдохновенным, как бы симфоническим отчаянием. Мой звездный час, великая война, разве не к этому я шел всю жизнь?

Мирный снежный край вдруг озарился огнем. Из-за линии фронта стали бить несколько немецких батарей. Летчик обернулся. Сообразительный парень. Никита Борисович сделал жест — назад и вниз! Что означает этот мгновенный обстрел? Уж не готовят ли наступление? Может быть, я все-таки где-то что-то просмотрел? Огонь затих так же внезапно, как начался, как будто это было не дело рук человеческих, а лишь мимолетное явление природы, быстрый выплеск магмы, и только. Они приближались к аэродрому, а в пустом белом небе, будто бы безоблачном, просто сменившем голубой цвет на белый, на большой высоте в сторону Москвы шла эскадрилья бомбардировщиков «Дорнье», которых англичане метко называют «летающие карандаши». Они уходили все дальше на восток, и там завязывался воздушный бой, но это было уже за пределами градовского хозяйства.

Антракт III. Пресса

Московское радио

Немецкие рабочие! Вас заставляют работать с ужасной скоростью. Работайте медленно, чтобы ускорить конец Гитлера!

Би-Би-Си

Неизвестный лондонский таксист вчера сказал: «Он откусил больше, чем может прожевать».

Известный Бернард Шоу заявил: «Или Гитлер больший дурак, чем я думал, или он совсем рехнулся...»

«Нотисиас Графикас», Аргентина

...В обстановке полной секретности произошло подавление фашистского путча с участием высоких чинов армии и государства...

«Тайм»

Красный «поворот кругом». Когда Советская Россия 22 месяца назад подписала пакт с Гитлером, американская компартия внезапно изменила свою ориентацию на пронацистскую и превозносила пакт как «великолепный вклад в дело мира».

Теперь председатель этой партии Уильям Фостер заявляет, что новая война — это «атака на народы и Германии, и Соединенных Штатов, и всего мира... Советское правительство отстаивает жизненные интересы народов всего мира... всего передового и прогрессивного человечества...»

«Тайм», 13 октября 1941 г.

На прошлой неделе Адольф Гитлер сказал, что он побил Россию. Очевидно, он имел в виду, что он бьет Россию... Ему еще многих надо победить, прежде чем положить шкуру медведя в немецкой гостиной... Ему еще придется разбить украинские армии усатого кавалериста Семена Буденного...

Переговоры по ленд-лизу... Просящие говорят: нам нужны легкие бомбардировщики к такому-то ...бря. Дающие отвечают: это невозможно. Просящие: в таком случае Москва падет. Дающие: сделаем все возможное...

«Тайм», 20 октября 1941 г.

Русские армии маршала Тимошенко окружены в районе Брянска и в районе Вязьмы... Южные армии маршала Буденного разбиты... Лучшие войска маршала Ворошилова заперты в Ленинграде...

«Нью-Йорк Таймс»

Новгород представляет собой ужасное зрелище. Кладбище живых трупов.

В XIII веке этот город называл себя «Господин Великий Новгород», и его кремль уже тогда был намного старше самой старой постройки Соединенных Штатов... «Штукас», однако, не испытывают никакого уважения к реликвиям. В городе осталось всего 56 домов...

«Тайм», 27 октября 1941 г.

...Жизнь Сталина, ревностно оберегаемая ужасными аббревиатурами ОГПУ и НКВД, теперь под угрозой ТНТ* . Три его комнаты в Кремле под прямым прицелом. На прошлой неделе семь раз бомбы падали внутри старой крепости...

...Гробница Николая Ленина на Красной площади закрыта... Предполагается, что его останки увезены из города...

«Тайм», 17 ноября 1941 г.

Уинстон Черчилль: «Мы клянемся самим себе, нашим русским союзникам, народу США, что мы никогда не вступим в переговоры с Гитлером».

Генералиссимус Чан Кай Ши: «Это очень важный момент в нашей общей борьбе».

---

* Тринитротолуол.

Генерал Шарль де Голль: «Мы достигли как раз того момента, когда прибой побед повернул в нашу сторону».

«Тайм»

Человек 1942 года — Иосиф Сталин, чье имя по-русски означает «сталь»...

Люди доброй воли — Вильям Темпл, архиепископ Кантерберийский; Генри Джей Кайзер, промышленник, выпускающий корабли «Либерти», Вендел Уилки, совершивший кругосветное путешествие как независимый политик.

Люди войны — Эрвин Роммель, крупнейший виртуоз среди полевых командиров; Федор фон Бок, достигший западного берега Волги; лягушконогий Томоюки Ямашита, выбивший англичан из Сингапура; сербский генерал Дража Михайлович, сопротивлявшийся, когда сопротивление казалось невозможным; генерал Эйзенхауэр, высадившийся в Северной Африке; Дуглас Макартур, чье искусство и отвага подняли его на уровень героя.

«Гардиан»

Майор Валентина Гризодубова — 31-летняя хорошенькая соколиха красной авиации. У нее пятилетний сын, которого она называет «ястребок»... Женские эскадрильи летают на «харрикейнах» и даже на бомбардировщиках... Нина Ломако сбила немецкий самолет за месяц до рождения своей дочери... «Рождественский фейерверк!» — восклицает пилот Королевских военно-воздушных сил. Мужчину могут теперь вытеснить с любой работы! Вот бы познакомиться с этими девочками!

«Тайм»

Рабочие на уральских заводах неделями ждут своей очереди в баню.

Антракт IV. Голубка-Россет

Являясь снова в этот мир, Александра хотела бы быть «голубем мира», то есть пролетать, планируя и кувыркаясь, над мраморными террасами Александрийской библиотеки, нежно гукать на карнизах поближе к окнам мудрецов и поэтов, то есть жить в так называемом далеком прошлом. Вместо этого опять, как душа Александр Сергеевич однажды удачно сострил, «черт догадал» ее родиться вновь все в той же стране россов, да еще в так называемом будущем, на грани страшных холодов, где в мутные страшные дни войны и тюрьмы не знаешь, что делать с талантом любви и изящества.

И все-таки сердчишко ее опять трепетало, когда она видела знакомый до голубиных слез фасад театра Большого и рядом фасад театра Малого, квадригу на крыше, колоннаду, ступени, по которым когда-то, наездами из Петербурга, взбегали милые друзья, юноши ранней николаевской поры, полные жизни, идей, поэзии. Вместо них сейчас быстро двигался в разные стороны тип нового времени: остриженная наголо голова, лицо с выпирающими желваками, узкой прорезью рта, странными, то ли угрожающими, то ли насмерть запуганными глазами.

Нет, не к этим людям бежали от кровавого парижского сброда все эти Делоне, Россеты и Амальрики. Далеки, далеки эти люди от обретенной роялистами русской буколики!

Лепясь к карнизу незнакомого огромного дома с выцветшей и лиловатой фреской, которая как-то совсем не соотносилась с нынешним кругломордым типом, голубица мечтала об Александрийской библиотеке, о юношах кружка «Арзамас», о вальяжно подрагивающих длинных бакенбардах Государя, о натертых воском полах, о шуршащих, сбегающих вниз по торжественным лестницам хороводах фрсйлин... Кто-то посыпал из форточки хлебных крошек, она их с благодарностью поклевала, заглянула сквозь пыльное стекло в глубину комнаты. Там сидел с остановившимся взглядом стриженный бобриком, длинноносый человек в зеленом сукне. Вдруг вспомнилось: балкон над Ниццей, на нем, спиной к морю, стоит такой же длинноносый и сутулый, только с длинными, всегда не идеально промытыми патлами — кто он? «Уже не влюблены ли вы в меня, Николай Васильевич?» Казалось, он в ужасе сейчас взмахнет фалдами сюртука и поднимется над Ниццей, и подхватится прочь к голубеющим холмам Прованса, чтобы там где-то скрыться в каменьях, пряча ноги в далеко нс идеальных чулках. Вместо этого он ринулся мимо нее, через все комнаты к выходу, застучал башмаками по лестнице, две недели не являлся. Любовь журавля и голубицы казалась несовместимой.

Голубка-Россет промурлыкала длинноносому гуманисту нечто благодарственное за крошки белого батона, полученного по литеру «А» из межведомственных фондов. С тех пор началась их дружба. Голубка-Россет прочно обосновалась на этом карнизе, где можно было даже прятаться от холодного ветра в горловину вентиляции. Длинноносый ни разу не забыл трижды в день подсыпать из форточки великолепных крошек. Он улыбался неровными зубами, смешно вытягивал губы, думая, что перед бессловесной тварью можно не стесняться проявлений нежности.

Голубка-Россет полюбила одинокого человека, хотя и отдавалась неоднократно голубиному королю всей Театральной площади. Впрочем, ей никогда не приходило в голову, что одно имеет к другому хоть малейшее отношение. Перелетев площадь и приземлившись на ее карнизе, голубиный король сначала склевывал все остатки белых крошек, только потом уже начинал ухаживание, которое отличалось продолжительностью и куртуазностью. И, лишь только выполнив ритуал, начинал бурно теснить голубку-Россет в угол, за каменный столбик, где и брал ее к обоюдному удовольствию. Так когда-то влекли ее по полутемным залам во дворце над большой водой, чтобы заткнуть в какой-нибудь бархатный угол и наградить высочайшей милостью. Однажды в экстазе голубка заметила высунувшийся из форточки длинный нос и остановившийся в страхе круглый глаз своего кормильца.

Так прошло несколько недель до того дня, когда голубка-Россет, выбравшись из вентиляции утром, не нашла на карнизе хлебных крошек. Не появились они ни к полудню, ни к вечеру. Недоумевая, она топотала возле окна и вдруг содрогнулась от скрипа открывшейся самой по себе форточки. Она вспорхнула на форточку и заглянула внутрь комнаты. Длинноносый сидел поперек кровати, привалившись спиной к стене, и хрипел. С носа у него свисали две налившиеся его кровью пиявки. «Лестницу! — еле слышно сквозь предсмертный хрип выкрикивал он. — Дайте лестницу!»

Подхваченная турбуленциями разыгрывающейся здесь симфонии, голубка-Россет взвилась в предночное небо, в котором висели осветительные ракеты, запущенные с земли навстречу эскадрам бомбардировщиков.

Улететь навсегда и умереть вдали — страстно мечтала она. Через несколько месяцев она пересекла воюющую Европу и села на черепицы крыши у мансардного окна, в котором виден был лысый человек в матросской тельняшке. Она осмотрела изломы крыш и расплакалась от узнавания. Лысый и востроглазый между тем одним движением карандаша зарисовал ее с распушившимися перышками в свой альбом. Еще через несколько лет этот рисунок превратился в символ мира, на котором неплохо погрели руки дезинформаторы «холодной войны».

Глава восьмая
Профессор и студент

После пяти месяцев непрерывной работы в дивизионном госпитале в марте 1942 года Дод Тышлер приехал на неделю в Москву за новым хирургическим оборудованием. Признаться, никогда он не думал, что поездка на обыкновенном троллейбусе может доставить такое удовольствие. Едва увидев на улице Горького зеленое двухэтажное транспортное средство, Дод устремился к нему, пробился через толпу пешеходов, желающих стать пассажирами, с наслаждением дал втиснуть себя внутрь и вдавить на верхнюю палубу.

Троллейбус шел к центру. Убогая военная Москва вокруг казалась Доду воплощением столичности, мира и карнавала. В разбитое окно влетала совершенно волшебная струя ранней городской весны. Она проходила по плохо побритой щеке Тышлера, ныряла за спину кондукторши — такой типичной, такой московской, такой довоенной! — в открытую заклиненную дверь и немедленно возвращалась через то же разбитое окно на ту же щеку. Блаженство, лирика, воспоминания о Милке Зайцевой!

Проехали Тверской бульвар, вот он, поэт, стоит хоть и в деревянном ящике, но все-таки присутствует, зажигалки, значит, нерукотворное-то не берут! А вот и нимфа социализма парит в прежнем апофеозе над угловым домом, а ведь она-то уж должна была бы прежде всего скапутиться при таком воспаленье Везувия. Даже мильтоны в наличии, не военный патруль, а самые обыкновенные московские мильтоны в валенках с галошами. Хоть и постаревшие на три десятка лет, но все-таки свои, московские мильтоны! И даже клочки старых афиш видны между военными плакатами, ёкалэмэнэ, довоенная эстафета по Садовому кольцу... он и сам тогда бежал пятисотметровую дистанцию за команду «Медика», сумел обогнать троих гавриков и передал палку — кому? Ну, как же кому, вот именно, все той же незабываемой Милке Зайцевой.

Дод Тышлер как бы и не замечал полнейшей измученности в лицах сограждан, забитых досками парадных и, наоборот, зияющих черными дырами подъездов, чьи двери зимой были расколоты на дрова, длиннейших и безнадежнейших старушечьих очередей, ждущих часами и днями, какие талоны вдруг случайно «отоварят», страшных пьяных калек войны, скучковавшихся вокруг кино «Центральный», шакалоподобных пацанов, торгующих там же папиросами, по рублю штука, девчушек с посиневшими носиками, в разбитых опорках, жалко все-таки пытающихся не пропустить свою молодость... Парень обладал своеобразной ненаблюдательностью или, вернее, сверхнаблюдательностью: он не замечал массового убожества и, наоборот, немедленно выхватывал из массы то, что хоть каплю выделялось, — смелый взгляд, например, или великолепные полярные унты, или мирно идущих в московской толпе трех французских офицеров, или выходящую из ЗИСа на другой стороне улицы умопомрачительную красавицу в лисьем жакете... От последней Дод Тышлер не мог оторвать глаз, увы, через минуту она уже была закрыта проходящей колонной грузовиков. Естественно, старлей медслужбы Тышлер не мог знать, что перед ним мелькнула жена командующего фронтом генерал-полковника Градова и родственница его пропавшего шефа, майора медслужбы, профессора Китайгородского. Высадившись в Охотном ряду, он пешком отправился в Главмедсанупр армии, опять же с неслыханным наслаждением проходил мимо гостиницы «Москва» и здания Совнаркома, мимо «Метрополя», Малого театра, Большого театра и ЦУМа... Прогулка по столице оказалась еще большим удовольствием, чем поездка на двухэтажном троллейбусе. Твердая ровная поверхность под ногами, уже одно это чего стоит! Не нужно каждую минуту примеряться, где присесть, а где плюхаться на пузо, блаженство же! Москва, кажется, начинает понемногу приходить в себя после отбитого набега иноземцев.

Прибыв вчера ночью, Дод застал свою мать Дору с любовником. Гениально, неувядаемая Дора! В письмах на фронт она писала, что отказывается эвакуироваться в Свердловск в основном из-за того, чтобы соседи, сволочи, не захватили в ее отсутствие их комнату с большим окном-фонарем прямо на углу Арбата и Староконюшенного. Бомбы я не боюсь, а если выживем и отобьемся, Додьке все-таки будет куда привезти свой мешок с орденами, так размышляла Дора. Основная причина, может быть, была именно в этом, но вторая, не основная, причина, как теперь догадался Дод, состояла в почтенном человеке с немыслимым именем-отчеством: Паруйр Вагричевич тоже эвакуироваться не мог или не хотел.

При виде тощей длинной фигуры сына Дора заголосила совершенно в стиле Фаины Раневской: «Щипни меня, Паруйр! Я грежу!» — любовник же, не говоря ни слова, накинул богатую шубу на небедную шелковую пижаму и исчез в арбатских мраках. Впрочем, почти немедленно вернулся с тремя бутылками кагора.

Москва живет, думал Тышлер, сворачивая с Кузнецкого моста на Неглинку. Не веря своим глазам, он увидел в окне аптеки, что там внутри вплотную стоит народ в очереди за желтыми шариками: витаминное драже. Ей-ей, Москва как-то быстро оживает, хоть до сих пор еще налеты случаются и аэростаты воздушного заграждения пока еще висят. Возле аптеки тетка била по щекам маленькую девочку за то, что та съела «без спроса» три шарика драже, но Дод этого не заметил. Зато вперился в новинку, жуткий, абсолютно зверский антинемецкий плакат «Окно ТАСС»: «Днем сказал фашист крестьянам: шапку с головы долой! Ночью отдал партизанам каску вместе с головой!» Фашист напоминал свирепого носорога, партизан — щуку. Это надо будет запомнить. Это же хохма!

В Главмедсанупре даже старухи санитарки были облачены в военную форму. При входе строго проверяли документы. Пройдя в коридор первого этажа, Дод услышал стук многочисленных пишмашинок, как будто взвод пулеметчиков отбивался от парашютного десанта. Почти немедленно среди военврачей, сновавших по кабинетам, он натолкнулся на двух однокурсников. Вот, извольте, Генка Мазин и Валька Половодьев, собственными персонами, в лейтенантских кубиках и даже с портупеями через плечо! Парни с восторгом его обратали: «Дод, да ты откуда?!» — «Я-то? Да как же ж откуда? Из Тридцатой, натюрлих!» — «Из Тридцатой чего? Из тридцатой горбольницы, что ли?» — «Да из Тридцатой армии, черт бы вас побрал, киты!»

Ребята, оказалось, работали в московских госпиталях и завидовали его «полевому опыту». Знали бы они, с чем его едят, этот полевой опыт. В Главмедсанупре они, очевидно, были своими людьми, особенно Валентин Половодьев. Они стали его таскать по кабинетам, знакомить с милейшими девицами в армейских сапожках, что делали их нижние конечности еще более привлекательными. «Любое важное дело надо начинать с секретарши, с делопроизводительницы», — поучал Половодьев. «И завершать с ними», — острил Мазин. Тышлер, видно, производил впечатление. Заявки его бодро запорхали по наманикюренным пальчикам симпатичных лейтенантш.

— Теперь наше дело только перекуривать в коридоре, — сказал Половодьев.

Они уселись на подоконник под мраморной лестницей.

— Ну, а как вообще-то наши? — спросил Тышлер. — Кто где из выпуска вообще-то?

— А кто тебя конкретно интересует, Дод? — спросил Мазин. — Милка Зайцева, что ли?

— Ну, хоть и она. Замужем? В эвакуации?

— Хочешь ей позвонить, Дод?

— То есть как это позвонить?

— А вот гривенник бросить в тот железный ящичек, и все. И доктора Зайцеву попросить. И Милка — твоя.

Тышлер, скрывая смущение, растянул свои длинные члены, хрустнул суставами:

— Эх, ребята, сейчас бы в волейбольчик поиграть!

Вдруг прибежала со второго этажа миловидная офицерша.

— Это вы — старлей Тышлер? Вас хочет видеть Борис Никитич!

Она была так многозначительна, что Дод тут же вскочил и оправил гимнастерку. Борис Никитич хочет видеть! Слышите, ребята, меня к Борису Никитичу позвали! А кто такой этот Борис Никитич, ребята? Мазин и Половодьев стояли по стойке «смирно», задрав башки и закатив глаза, выражая полнейшее ошеломление то ли от новости, то ли от гонца. Да ведь они к тому же и актеры, известной были сатирической парой в институтском капустнике. Девушка фыркнула:

— Перестаньте валять дурака, мальчики! Небось хирургию по его учебникам учили!

Оказалось, что Дода хочет видеть не кто иной, как генерал-майор, профессор Б.Н.Градов, заместитель главного хирурга Красной Армии. Для Дода это была и в самом деле новость, от которой можно остолбенеть. Хирург Градов — это была давняя уже легенда в медицинском мире, да и среди пациентов, то есть всего московского населения. О таких людях в компаниях неизбежно кто-нибудь спросит: а что, разве он еще жив? Дод не только учился по учебнику Градова, но и несколько его лекций слушал, которые всякий раз оказывались своего рода событиями в культурной жизни, на них немало и гуманитариев съезжалось, а однажды Дод даже умудрился пролезть в аудиторию градовской операции: сложнейшие анастомозы под местной анестезией, незабываемо! Как это может быть, что такой человек хочет меня видеть?

Градов встал ему навстречу, показал на кожаное кресло перед своим столом:

— Садитесь, пожалуйста, товарищ старший лейтенант!

Дод смотрел во все глаза. Надо запомнить, может, детям потом буду своим рассказывать об этой встрече. Борис Никитич был совсем уже седым, однако фигура его в генеральском кителе была все еще исполнена крепкой стати. Говоря, он как-то забавно иной раз выпячивал нижнюю губу, что делало его лицо совсем не генеральским, но рассеянно-интеллигентским. Эта мимика кого-то напоминала Доду, но кого, он не смог сразу сообразить. Не предыдущую же, в самом деле, ступень на лестнице эволюции.

— Значит, вы из Тридцатой армии, товарищ Тышлер, из Пятого дивизионного госпиталя, не так ли?

— Так точно, товарищ генерал-майор, — ответствовал Дод.

Оба они улыбнулись, как бы давая друг другу понять, что между ними существуют более естественные отношения, чем военная субординация, а именно университетские отношения профессора и студента.

— И вы там исполняли обязанности старшего хирурга? — Градовские светло-серые глаза вдруг вперились Доду в лицо с непонятной интенсивностью.

— Очень недолго, товарищ генерал-майор, всего лишь около месяца после того, как погиб мой шеф, я ведь только в прошлом году выпустился из Первого МОЛМИ, — сказал Дод.

— И ваш шеф был Савва Константинович Китайгородский, не так ли?

Тышлер тут заметил, что правая кисть профессора немножечко проплясала по зеленому сукну стола. Вдруг он вспомнил, кого ему напоминала профессорская мимика. Савва вот так же иной раз выпячивал нижнюю губу. Что-то странно обезьянье и в то же время сугубо русскоинтеллигентское было в этой мине. Вдруг он все вспомнил: футлярная анестезия по методу Градова — Китайгородского. Они, должно быть, когда-то работали вместе.

— Скажите, Давид, вы были свидетелем его гибели? — спросил Градов.

Ему явно стоило трудов держать себя в руках, и на лице его отпечаталось явно не генеральское страдание.

— Расскажите мне, пожалуйста, все, что вы знаете.

Волнение его передалось Доду, и он, спотыкаясь, начал вспоминать, как они оперировали летчика под интенсивным обстрелом, как в госпиталь ворвались немецкие танкисты и как они вдруг всем приказали убраться вон. Всем, кроме Саввы. Его они почему-то задержали. И он закричал: «Все уходите! Немедленно! Уносите раненых!» — а сам сел в угол и обхватил голову руками.

— Таким я его видел в последний раз, Борис Никитич. На полу, в позе отчаяния.

— Значит, все-таки живым?! — воскликнул Градов.

— Да, в тот момент живым, но... Потом... Потом те, кому удалось бежать из госпиталя, собрались на холме, примерно в километре от места действия. Мы думали, что мы уже вышли из зоны боя, что это вроде как бы ничья земля, если можно так сказать, когда армия бежит... но тут началась контратака наших, и сначала звено за звеном на этот парк и школу, где был госпиталь, стали налетать «илы», потому что там было полно немецких танков, и там сущий ад творился, профессор, то есть, простите, Борис Никитич, товарищ генерал-майор... Танки взрывались, загорались «илы», а школу просто сровняли с землей. В довершение ко всему прочему туда на нее один «ил» рухнул, сбитый. А потом прошла контратака, и парк снова оказался в наших руках. Мы тогда с несколькими ребятами побежали вниз, чтобы хоть что-то спасти из хирургического оборудования, но... какое там... там было сплошное месиво кирпича, ну и... вы сами понимаете... А через полчаса опять началось... дичайший артобстрел, не поймешь — свои или чужие... да еще эти «юнкерсы» начали пикировать на парк... и наши опять побежали назад... словом... веселый выдался денек... — У Дода от этих воспоминаний стали непроизвольно, как лапки у лягушки под ножом, подергиваться лицевые мышцы... — Простите, Борис Никитич, мне это потом снилось много раз... такая «Герника»... сплошное месиво... — Он полез в карман гимнастерки и вытащил очки. — Вот что я нашел там, среди руин... это его очки, я их запомнил... он в них оперировал... три с половиной диоптрии... я взял их себе на память и пользуюсь иногда, когда глаза устают... но у меня, конечно, есть и свои, так что если хотите, Борис Никитич...

Градов держал в руках тяжелые, с толстыми стеклами в роговой оправе очки Саввы Китайгородского, которые всегда так славно венчали его крепкий нос. Профессор пытался отогнать то, что пугало его больше всего, то, что он называл про себя старческой слабиной, когда не хочется уже больше ни на что смотреть, ничем заниматься, а только лишь хочется закрыть лицо руками и растечься, растечься в тоске по всему человечеству.

— Спасибо, Давид, — сказал он. — Я передам их своей дочери.

— Почему вашей дочери? — в замешательстве спросил Тышлер.

— Она — его жена. Вы не знали? Да, вот такая история... вот такая история...

Градов бормотал и бросал на Дода какие-то непонятные стыдливые взгляды, весь как-то обмяк, скукожился в кресле, струйки пота текли по лбу, скапливались в бровях, а между тем и глаза уже набрякли влагой. Доду было неловко смотреть, как старик борется с подступающими рыданиями. Потом вдруг Градов распрямился, подтянул к себе несколько папок с бумагами, эти движения как бы демонстрировали, что он взял себя в руки.

— Большое спасибо за информацию, товарищ Тышлер. Ваши заявки все подписаны, так что вы можете получать оборудование. В скором времени мы вместе с Бурденко и Вовси отправимся на фронт и будем также в расположении Тридцатой армии, так что надеюсь снова вас увидеть. Слышал о вас как о способном и инициативном военном хирурге.

Дод вылез из глубокого кресла и тоже подтянулся. Он чувствовал себя паршиво. Из всех художеств войны та мясорубка под Клином почему-то особенно врезалась в память. Всякий раз, как она вставала перед ним, хотелось все послать к чертям, бежать куда-то и там исчезнуть в чем-то.

— Простите, Борис Никитич, простите за эту проклятую информацию, — пробормотал он срывающимся голосом и этим как бы показал профессору, что при нем совершенно необязательно держать себя в роли генерала.

Градов понял, преисполнился к нему теплоты, взял под руку и проводил до дверей кабинета.

— Никогда не думал, что мне придется оплакивать Савву, — сказал он ему на прощание, и Дод, несмотря на юный возраст, тут же понял, что стояло за этой фразой.

Остаток дня Дод Тышлер провел с однокурсниками. Они раздобыли «мячишко и сетчишку» и стали ездить по Москве в поисках площадки. Все спортзалы были либо закрыты, либо переоборудованы то в госпитали, то в склады, то в казармы. Наконец в «Крыльях» нашлось помещение, совсем нетронутое, хоть и нетопленое. Начали перекидываться, «стучать в кружок», а потом один за другим другие «киты» подгребли, и к вечеру собралась приличная «гопа», остатки волейбольной общественности столицы. Даже зампред федерации появился, волейбольный library остролицый человек Слава Перетягин. Посмотрев на Додову игру, подошел к нему: «Тебе, Тышлер, тренироваться надо. После войны в сборную войдешь. Хочешь, бронь тебе схлопочу?»

Дод хохотнул, бросил Перетягина, пошел дальше «колы сажать». Тапочек ни у кого не было, играли босиком. «Ну, ничего, — утешался Половодьев, — отыграемся и спиртяги ка-а-к засадим!»

Вдруг дверь в спортзал открывается, и на пороге вырастает не кто иной, как почти «подруга моего детства Инга Зайонц» — собственной персоной Милка Зайцева. Ну, разумеется, доброхоты ее вызвали в «Крылья» — дескать, Дод Тышлер умирает, видеть хочет. «Звучит» девица, ничего не скажешь, мечта действующей армии! Шинель внакидку, пилоточка над гривой волшебного волосяного покрова, хромовые сапожки до колена, а юбочка чуть-чуть, не более чем на полсантиметра, выше. Глаза, разумеется, насмешливые: ха-ха, мол, кого я вижу, Дод Тышлер!

Дод как раз разбегался, чтобы прыгнуть к сетке, когда она вошла, ну и, завершив разбег, провел удар, вломил через блок и только тогда уж пошел к аплодирующим ладоням.

— Ха-ха, — сказал он. — Кого я вижу! Те же и Зайцева Людмила, ого!

— Ну, хватит, Дод, дурака валять, — сказала она. — Влезай в сапоги и пошли!

— Эй! — закричали волейболисты. — Не отдадим Дода! Куда ты тащишь, Милка?

— Спокойно, мальчики! — сказала звезда всех трех московских мединститутов. — Завтра погуляете, на свадьбе! Адью!

Назавтра они расписались. Просто на всякий случай, ну, если вдруг тебя шлепнут, а я рожу, чтобы у дочки была отцовская фамилия, ну, в общем, чисто практические соображения, Дод, мой любимый, мой единственный, без которого просто уже никак не могу...

Глава девятая
Тучи в голубом

Расставшись с Тышлером, Борис Никитич несколько минут стоял у окна своего кабинета. В этой огромной комнате его не раз посещало чувство незаконности здесь своего пребывания. Дом был построен за несколько лет до революции знаменитым московским миллионером для личного пользования, и вот здесь, где он сейчас стоит, предполагались, очевидно, какие-нибудь совещания правления фирмы с курением дорогих сигар, с распитием многолетнего бренди...

В ветвях маленького парка стоял переполох: только что вернулись грачи, они кричали и хлопали крыльями так, словно не узнавали города. Перезимовавшие воробьи носились между ними, как будто сообщали о том, что здесь произошло за время их отсутствия. Самое печальное состояло в том, что московский мусор утрачивал свою питательность.

Борис Никитич держал в руках Саввины очки. Стекла даже не разбились. Он вспомнил, что Савва очень гордился этими очками, а Нинка, как всегда, потешалась над ним, хотя сама как раз и добывала французскую оправу по каким-то таинственным московским путям. «Ты в этих очках, Савка, стопроцентный враг народа и буржуазный лазутчик! Тебя в конце концов заберут прямо на улице за эти очки, и будут правы — если все начнут ходить в таких очках, что из этого получится?»

Борису Никитичу иногда казалось, что Савва Китайгородский ближе ему, чем собственные сыновья, и, уж во всяком случае, он был для него кем-то гораздо более значительным, чем просто ученик или даже зять, муж любимой Нинки. При всей любви к Никите и Кириллу он всегда видел в них со своей колокольни некое несовершенство, невоплощение, неполную состоятельность, то, что называлось прежде «мальчики не удались». На эту тему тоже было немало шуток в семье, и он всегда комически отмахивался, изжить, однако, своего разочарования не мог: не пошли по градовскому пути, презрели медицину, отдалились... Даже и после трагедии, как он всегда называл аресты сыновей, эта мысль не оставляла его и даже иногда принимала не совсем нравственные очертания: вот, мол, уклонились от нашего, градовского, предназначения, вот и поплатились... Этой мысли, конечно, Борис Никитич никогда не давал ходу.

Что касается Саввы, то в нем-то как раз он видел полное совершенство, воплощенность, самостоятельность. Потомственный, как и они, Градовы, интеллигент разночинного класса, к тому же врач, стало быть, зачинатель будущей и косвенный продолжатель династии. В принципе Борис Никитич не видел в истории цивилизации более естественного дела, чем врачебное.

Саввиного отца, Костю, он помнил со студенческих лет. Они не дружили, но симпатизировали друг другу. Градов со своей Мэри Гудиашвили были даже званы на свадьбу Кости Китайгородского и Олечки Плещеевой. Тот ранний брак тогда всех восхитил. Как милы были молодожены и как идеально подходили друг другу! Несколько лет спустя, то есть когда маленькому Савве было уже лет семь, значит, году примерно в десятом или одиннадцатом, пошли слухи, что Костя и Олечка разошлись и даже с какой-то свирепостью, полной непримиримостью, после чего Костя в скором времени исчез, уехал работать за границу, кажется, в Абиссинию. Савва, подрастая, не вспоминал отца: это была запретная тема в большой семье Плещеевых, а потом и в большой семье советского народа, поскольку пребывание родственников за границей стало криминалом. Он, кажется, и в анкетах не сообщал о загранице, а в графе «отец» писал «умер в 1911 году»: поди проверь после красной разрухи. Дореволюционное время загадочным образом так отдалилось, что казалось, столетие прошло с тех времен, когда подданный империи мог спокойно через Париж и Марсель уехать в Абиссинию. Никто, кажется, даже в близком окружении не помнил о Савином отце, кроме Бориса Никитича и Мэри Вахтанговны. Кажется, и Савва сам не очень-то был осведомлен об Абиссинии. Упоминать отца в присутствии матери считалось совершенно неуместным: прелестные губки Олечки Плещеевой немедленно стягивались в подобие сушеного инжира. Велика, велика была та старая, тайная обида.

Конечно, он видел во мне отца, думал Борис Никитич. С самого начала, еще студентом, когда он начал робко приближаться, он видел во мне не только профессора, но как бы модель своего отца. Ну, а потом его влюбленность в Нинку, и все страдания, и наша нарастающая дружба, и, наконец, их женитьба, и его теперь уже законный статус зятя, почти сына... Да и для меня он был чем-то вроде модели сына, почти продолжателя династии... И вот теперь все кончилось, он растворился в этом дьявольском пандемониуме... все поглощается клубами огня, и сам огонь наших дней поглощается огнем безвременья... И все-таки надо продолжать и драться всем вместе против немцев...

Он хотел было позвонить Нинке и договориться о встрече, но не решился. Вместо этого надел на генеральский китель старое штатское пальто и вышел из кабинета, сказав изумленной секретарше, что вернется через час и что никаких машин за ним посылать не надо.

Он шел по старым московским улицам почти тем же путем, что и Дод Тышлер. Неглинка, Кузнецкий мост, Камергерский, Тверская... Он редко употреблял новые названия для любимых с детства мест, такую фронду себе еще можно позволить, да и с какой стати, скажите, Садово-Триумфальная становится Маяковской, а Разгуляй, предположим, Бауманом? Большие дома начала века, когда-то наполненные светом, комфортом, либеральным мировоззрением, а теперь кишащие коммунальным прозябанием, то сдвигались стеной, то вдруг открывали проемы предзакатного неба. Однажды вот на таком же фоне перед ним пролетела человеческая фигура с облачком яркой юбчонки вокруг чресел. Он ехал тут на трамвае, а фигура, пролетев с балкона седьмого этажа, рухнула на крышу троллейбуса. Трамвай проехал. Никто в нем не видел пролетевшей фигуры, а он вскочил, открыл было рот, чтобы крикнуть, но понял, что будет неправильно понят, и тихо сел на свое место. Вот только в памяти это и осталось: последние столь необычные секунды чьей-то жизни. Дальнейшее — молчание; вы сходите на следующей?

Он перешел Тверскую, то бишь Горького, и прошел под аркой нового, незадолго до войны построенного дома в Гнездниковский переулок, который в этот момент, если не обращать внимания на забитые фанерой подъезды, выглядел, как и прежде, даже и дама с собачкой гуляла; обе, впрочем, были соответствующим образом постаревшие и пообтрепавшиеся. Была, впрочем, одна, наклеенная как раз на стену дома Китайгородских примета времени — сатирический плакат «Окно ТАСС». На левой его половине грудастый наглый немец в стальной каске грозно наступал на несчастных русских крестьян. «Днем сказал фашист крестьянам: шапку с головы долой!» На правой же половине те же крестьяне саблей снимали с грудастого тела мордастую голову: «Ночью отдал партизанам каску вместе с головой!» Борис Никитич почему-то долго топтался и созерцал плакат. Неадекватность возмездия как-то неприятно его удивила. Все-таки ведь только шапку снять требовал, а поплатился головою. Вчистую сразу, одним махом все мышцы, сосуды, связки и позвонки, какова хирургия! Наши союзники англичане вряд ли рисуют на своих антинемецких плакатах такую пакость.

А у нас, помнится, ведь и раньше так было, милостивые государи, ведь и в первую войну немцам обрубал доблестный казак Кузьма Крючков отвратительные щупальцы. Наконец он понял, почему так долго тут топчется перед сатирическим плакатом. Он просто был не в силах войти в дом к Нинке и Ёлке с такой новостью в роговой оправе, что лежала у него сейчас в кармане пальто. Все-таки до сих пор Савва числится пропавшим без вести, и Нина до сих пор каждый день ждет, что ее пропавший вдруг пришлет весть, и со всего города к ней стекаются рассказы о пропавших без вести, которые вот вдруг прислали весть, а потом и сами объявились. Однажды, позвонив ей, он что-то замешкался с трубкой и тут же услышал Нинин радостный голос: «Савка, ну вот и ты, наконец-то!» Нужно передать ей все, что рассказал Тышлер. Не говорить впрямую, что Саввы уже нет, но рассказать обо всех обстоятельствах его исчезновения. И передать очки. Но нужно ли это? Ведь эти очки как раз впрямую ей и скажут, что Саввы больше нет. Что ж, жена и дочь должны знать о смерти мужа и отца, в конце концов мы, Градовы, никогда не прятались от реальности... Безнравственно будет прятать от нее то, что знаешь, скрывать последнюю память, вот эти очки, оправу которых она с таким торжеством для него раздобыла у московских спекулянтов. Это будет грех — утаить от нее то, что знаешь... Грех? Вот именно, грех.

Тут вдруг изуродованная фанерой дверь распахнулась, и на улицу вышла Нинка. Борис Никитич тут же отвернулся к дурацкому плакату. Она прошла мимо, не заметив его. Посматривает на часы, очевидно, опаздывает в свою «Труженицу». Под аркой поскользнулась на заезженной ледяной дорожке. Довольно грациозно сбалансировала. Он быстро пошел за ней, почти побежал. На улице Горького в толпе Нинка оглянулась, видимо, почувствовала, что кто-то за ней идет. На углу вообще остановилась, недоуменно осматриваясь. Борис Никитич тогда махнул ей перчатками:

— Ба, да это же не кто иной, как поэтесса Градова! А я-то думаю, кто это такой стройненький там поспешает, кто-то такой знакомый!

Она поцеловала его в щеку, тревожно заглянула в глаза:

— Ты шел за мной, Бо? Что-нибудь случилось? Что-нибудь новое о Савве?

— Нет-нет, я совершенно случайно тебя увидел, я просто... ну... был на совещании в Моссовете... ну, по вопросу о транзите раненых... а потом решил просто прогуляться, такой день чудесный, первый после этой жуткой зимы...

— Ты как-то странно одет, — сказала она подозрительно.

— Да вот, знаешь, не знаю сам... просто надоела шинель, вечное козырянье, — бормотал он.

— Ну, а о Савве... по-прежнему ничего? — быстро спросила она.

— Ничего утешительного, — сказал он.

Она схватила его за руку:

— А неутешительного? Ну, говори! Отец! Не смей скрывать!

Он снова спраздновал труса.

— Нет-нет, я просто имел в виду, что, к сожалению, связь со многими соединениями еще не восстановлена... Наступление врага отбито, он отброшен, но многие части еще с осени остались в «котлах»... не исключена возможность, что Савва в одной из этих войсковых групп и что скоро все наладится, однако, я тебе уже это говорил, надо быть готовым и к самому печальному варианту... ведь это же война, огромная жестокая война, — говорил он уже привычные в градовском доме фразы.

Они стояли на углу Пушкинской площади, и над ними в закатных лучах парила триумфальная дева социализма. Нина немного успокоилась, у отца на самом деле, кажется, ничего нового. Она давно уже в глубине души понимала, что Савва погиб, однако яростно — и сама с собой, и с родными — стояла на одном: если ничего не известно, значит, жив.

— Ты в редакцию? — спросил отец. — Пойдем, я тебя провожу.

Она взяла его под руку, и они медленно пошли в жалкой и мрачной толпе первой московской военной весны: шинели, телогрейки, несуразные комбинации штатских одеяний.

— Как ты себя чувствуешь, Бо? — спросила Нина.

— Я? — удивился отец. — В общем неплохо для моих шестидесяти семи лет. А почему ты спрашиваешь?

— Нет, я имею в виду не физическое самочувствие, — сказала она. — Мне кажется, что ты как-то сильно взбодрился духовно с начала войны. Такое впечатление, как будто война развеяла твою уже навсегда устоявшуюся тоску, разогнала вечную хмарь в твоем небе. Может быть, я ошибаюсь?

Он благодарно на нее посмотрел: какая умная, тонкая девочка! Так ведь и на самом деле было. Поздний возраст жизни подошел к Борису Никитичу перед войной, как зев мрачнейшей пещеры. Он едва уже мог бороться с приступами депрессии. Причин, разумеется, было немало: двусмысленность положения во врачебной иерархии, разлука навеки с любимым другом, арест сыновей, вечный страх за внуков, но главная причина, очевидно, заключалась в самом позднем возрасте, в приближении неизбежного, в полном кризисе привычной, позитивной натурфилософии, призванной вроде бы бодрить, а на самом деле не оставляющей ничего, кроме гримасы скелета. И вдруг...

— Да, ты права, Нинка. Должен признаться... Знаешь, я никогда не чувствовал себя лучше после... ну, после определенной даты. Верь не верь, но я испытываю какой-то будто молодой подъем, что-то напоминающее дни выпуска из факультета, вдохновение. Знаю, что прозвучит кощунственно, но мне кажется, что эта жуткая война пришла к нашему народу как своего рода причастие...

Нина держала его под руку и шла, примеряя свой шаг к отцовскому, глядя себе под ноги и кивая. Колыхались под ушаночкой ее темные, хорошо промытые волосы. Вдруг он заметил в них ниточку седины.

— Кажется, понимаю, о чем ты говоришь, — сказала она.

Он продолжал:

— Мне кажется, не только у меня такое настроение, у каждого в той или иной степени... Впервые после определенной даты мы перестали панически бояться друг друга. На самом деле мы только сейчас реально объединились перед лицом смертельного врага. Врага не только этих, ну... — тут Борис Никитич все-таки, несмотря на всенародное сближение, сильно понизил голос, — ну, властей предержащих, но и всей нашей истории, всей нашей российской цивилизации... Все эти старые страхи, угрызения, подозрения, низости, даже жестокости вдруг показались людям второстепенными. И уж если мы сегодня жертвуем собой, то хотя бы знаем, что не ради заклинаний, а ради нашего естества!..

— Ты прав, Бо! — сказала Нина отцу. — Я тоже испытываю что-то в этом роде. И это идет рядом с постоянной тоской по Савве. Странная параллель. Вот тут Савва, вот тут война как некая симфония.

Иногда эти параллели вдруг пересекаются, и тогда становится легче: Савва вливается в общую музыку. Понимаешь? Ну, а теперь расскажи мне все, что ты на самом деле знаешь. Смелее, Бо, ведь ты все-таки хирург!

Они давно уже миновали подъезд дома, в котором располагалась «Труженица», и теперь шли по Страстному бульвару, на котором старушки, ангелочки российской юдоли, сидели, пожевывая свои мягкие десны. Борис Никитич в поисках опоры приблизился к фонарному столбу, потом вздохнул, потряс головою, на которой несколько нелепо, набекрень, сидела военная фуражечка со звездой, и наконец молча протянул дочери Саввины очки.

Тогда уже она стала искать опору и точно вслепую приближаться к скамейке. Села рядом с какой-то бабушкой, залилась горчайшими слезами. Старушка смотрела на нее с благородной симпатией. Слезы лились потоком, наконец-то они освобождали Нину от своего присутствия. Борис Никитич сел рядом, обхватил трясущиеся плечи. «Дочь», — счел он нужным объяснить соседней старушке. Та строго кивнула. Он вытащил из кармана большой, отглаженный Агашей до полного совершенства носовой платок, стал подносить к Нининому лицу, та утыкалась ему в ладонь мягкими губками и носиком, той мордочкой, что в детстве получала от него столько ласковых словесных несуразиц.

Потом она вдруг взяла у него платок, вытерла насухо лицо и приказала рассказывать все, что знает, ничего не утаивая. В слезах ей все мерещились обстоятельства Саввиной смерти, истечение крови из ран, медленное замерзание в разбитом, с растасканными досками сарае, с зияющим сквозь дыры небом в неумолимости мелких, словно стальная стружка, звезд. Она была удивлена, насколько реальные обстоятельства не соответствовали ее воображению. Подробно она расспросила и про Дода Тышлера, и про все детали боя в парке под Клином, и про финал, когда уцелевший персонал госпиталя вернулся на руины, и как старлей Тышлер, постоянный Савин ассистент, нашел там его очки.

— Значит, тела все-таки никто не видел? — спросила она.

Отец понял, что в ней рождается новая надежда.

— Нет, тела никто не видел. — Он замолчал, не желая добавлять: «К счастью, никто»...

Нина встала:

— Спасибо, папа, спасибо, что все рассказал. Ну, пока, мне нужно в редакцию.

— Да уж какая там редакция, — сказал он. — Давай вызову машину, ты возьмешь Ёлку и поедешь в Серебряный Бор, посидишь там у нас пару дней с мамой.

— В другой раз, папа, не сейчас. У нас выход номера, совещание... А завтра я пойду в церковь и буду молиться весь день...

Они двинулись обратно, на Страстную площадь. Нина шла твердо, Борис Никитич слегка спотыкался.

— В какую церковь ты хочешь пойти? — с трудом спросил он.

— Не важно в какую, — ответила она. — В Елоховскую. Почему мне нельзя пойти в церковь? Ведь я же крещеная, да? Папка, ну, скажи, вы меня крестили?

— Разумеется, — сказал он. — Тогда всех крестили...

— Даже если бы и некрещеная была, все равно пошла бы в церковь! — с горячностью произнесла она, и он взглянул на нее с опаской. Бледность на ее щеках вдруг сменилась ярчайшим румянцем. Дерзкий молодой вид, словно в годы «синеблузников». — Куда же нам еще идти, если не в церковь! — продолжала она. — Если уж сейчас, после всего этого, русские в церковь не пойдут, то что же это за народ, Бо?

— Хорошо, хорошо, — пробормотал он. — Хочешь в церковь, иди, пожалуйста, но только не надо этого афишировать...

Они расстались у входа в редакцию. Борис Никитич быстро зашагал в сторону управления. Нина стала подыматься по обшарпанной лестнице. И все будет как обычно, думала она. Верстка, сверки, гранки, идиотские заголовки, штампованный текст, оптимизм, вера в победу, святая ненависть к врагу... монтируются ли два эти слова: святость и ненависть?

Она вошла в редакцию и сразу немного успокоилась. Она всегда почему-то успокаивалась, входя в эту дурацкую редакцию. Видимость стабильности, иллюзия деятельности, самообман... Отсюда в тридцать седьмом, прямо отсюда увели Ирину Иванову, и все равно эта редакция кажется каким-то основательным фундаментом, олицетворением надежности.

В большой комнате сидели шесть сотрудниц, женщины в основном Нининого, то есть бальзаковского, возраста. В углу неизменно кипел чайник, «певец коммун». Все повернулись к Нине и уставились, как будто первый раз видят.

— Ну что, девочки? — устало спросила она и прошла к своему столу. На нем, как обычно, восседала редакционная кошка Настасья Филипповна.

Нина села, гребешком быстро пролетела по волосам, притянула к себе свою долю верстки. Настасья Филипповна направилась было бодаться, но, увидев папиросу, отвернулась с поднятым хвостом: не одобряла курильщиц. Все сотрудницы продолжали глазеть на Нину.

— Ну, в чем дело, девчонки? — устало спросила она. — Узнали что-нибудь? Ну, валяйте, выкладывайте!

— Вот актриса! — восторженно пискнула кудрявенькая простушечка Глаша Никоненко.

Все засмеялись. Нина обвела всех взглядом, на лицах какое-то дурацкое блаженство.

— Ты на самом деле ничего не знаешь? — спросила Тамара Дорсалия; удивление, словно маска-недомерок, занимало только часть ее значительного лица.

— Так ведь можно человека до истерики довести! — вдруг сорвалась Нина. — Мало ли что я знаю! Вы-то откуда все знаете?

— «Комсомолка» напечатала твои «Тучи в голубом» вместе с нотами Саши Полкера, — сказала завредакцией Маша Толкунова, которая всегда называла всех знаменитостей по имени, этак небрежно, словно приятелей. — Ты что же, мать моя, радио не слушаешь?

Тут все бросились к ней с лобзаниями. Оказывается, она на самом деле ничего не знает! Да ведь Шульженко уже поет! Уже повсюду только и слышишь «Тучи в голубом»! Вся страна уже поет, весь фронт! Ты же знаменитостью стала, Нинка! Вот, посмотри! Ей сунули «Комсомолку». Там, в середине, под заголовком «Секрет успеха» были три портрета: ее собственный, знаменитой певицы ресторанного стиля Клавдии Шульженко, а также композитора Александра Полкера, веселого циника, бильярдиста и пижона. Далее следовали текст и ноты, а потом подборка писем «бойцов фронта и тружеников тыла», в которых восторженно говорилось о том, как новая песенка помогает им «бить немецкую гадину» и «ковать оружие для победы».

— Ой, девочки, да ведь вот сейчас как раз передают концерт по заявкам! — пищала Глаша. — Маша, ну, можно включить, а? Ну, ведь наверняка же будут «Тучи в голубом»! Ой, Нинка, ну это же чудо! А как танцевать-то под нее замечательно!

Включили радио. И впрямь сразу после хора Пятницкого объявили, что по многочисленным заявкам передается песня Александра Полкера и Нины Градовой «Тучи в голубом» в исполнении Клавдии Шульженко.

Зазвучал оркестр, мягкие, под сурдинку трубы, задумчивый саксофон, переливы рояля — Саша сам тут играл, будучи виртуозом джазового пиано, потом вступил любимый всем народом низкий голос певицы.

Тучи в голубом
Напоминают тот дом и море,
Чайку за окном,
Тот вальс в миноре...
Третий день подряд
Сквозь тучи, от горизонта
«Юнкерсы» летят
К твердыням фронта.
Третий день подряд,
Глядя через прицел зенитки,
Вижу небесный ряд,
Как на открытке.

Тучи в голубом
Напоминают тот дом и море,
Чайку над окном,
Тот вальс в миноре...
«Юнкерс» не пролетит
К твоим глазам с той открытки,
Будет он сбит
Моей зениткой,
Тучи в голубом
Станцуют тот вальс в мажоре,
Встретимся мы с тобой
Над мирным морем.
Тучи в голубом,
Тучи в голубом...

Нина впервые слушала эту песню. Неделю или около того назад в Доме композиторов после чтения Сашка Полкер пристал: «Дай мне текст, ну что тебе стоит!» Он требовал, чтобы она прямо сейчас, «не отходя от кассы», написала ему текст или хотя бы «рыбу» сделала, потому что он через три дня должен сдать новую песню — лирическую! — для фронта, а за это он будет весь вечер играть на рояле для всей компании. Они тогда всей компанией забрались в какую-то отдаленную от общих мест гостиную с роялем, кто-то, оказывается, притащил несколько бутылок вина из старых запасов, получилось сборище совсем в довоенном духе. Нина присела в углу, минут за двадцать «накатала» вот этот текст и отдала Сашке, и тот сразу же стал наигрывать и мычать...

«Вальс в миноре», разумеется, превратился в «Вальс в мажоре», мотив и на самом деле получился заразительным, вполне «инфекционным», можно сказать, «эпидемическим». Удлиненная вторая строка в каждом куплете рождала осторожный синкоп, и это, возможно, и делало песню не похожей на сотни других в этом же роде, возник некий загадочно-советский слоу-фокс, присутствие же «юнкерсов» и зенитки придавало все-таки некоторый рисунок всей прочей голубой размазне. Ну и наконец, задушевная романтическая, советская femme fatale Клавдия Шульженко завершала победоносно этот удар по сентиментам измученной страны: преодолеем, пройдем, вернемся... Тучи в голубом все еще доступны каждому, самому голодному, самому обреченному, раненому, даже умирающему... Умирающему, может быть, больше всего.

Все сотрудники смотрели на Нину. Она сидела на краешке стола, в одной руке у нее была дымящаяся папироса, другой она почему-то закрывала глаза. Вдруг у нее задергалось горло. Она бросила папиросу и обеими руками попыталась прикрыть эту конвульсию, но горло дергалось, вырывалось из рук. Глаша Никоненко в полном изумлении смотрела на нее. Странные люди, тут радоваться надо, прыгать до потолка, а она дергается.

Глава десятая
Кремлевский гость

Блестящая толпа военных в начищенных сапогах, сверкая пуговицами и орденами, шагала по пустынным коридорам и залам Большого Кремлевского дворца. Безупречный паркет отражал движение толпы, та в свою очередь всеми своими сапогами, пуговицами и лысинами отражала мраморные панели и рельефы, а также сияющие люстры Кремля. Собранным с разных фронтов командирам, должно быть, трудно было себе представить, что где-то в России в конце зимы 1942 года еще существует такая благодать.

Благодать, оказывается, существовала. Она как бы олицетворяла все еще не поколебленную основу, за которую и бились на ближайших подступах, бились с отчаянием, уже без веры в победу, на последнем издыхании. И все-таки отстояли, не пустили чужие сапоги гулять по этим паркетам, отодвинули прямую угрозу. Пока, скажет осторожный. Ну что ж, пока — это тоже неплохо. На войне живешь минутой. Не зацепило сейчас, не зацепило еще раз и еще раз, ну что ж, это совсем неплохо. Во всяком случае, в толпе блестящих офицеров царило явно хорошее настроение. Приближалась церемония награждения генералов, особо отличившихся в зимней кампании 1942 года. Некоторым из этих генералов явно нечем было похвастаться, особо отличились они только тем, что уцелели и не сдались в плен, однако им тоже, всей армии этот кремлевский прием должен был сказать, что времена суровых наказаний прошли, наступили времена всяческого поощрения вооруженного человека. Что касается генерал-полковника Никиты Борисовича Градова, то он даже в этой толпе выделялся твердостью шага и решительностью черт лица. Улыбка же, постоянно, словно сторожевой, проходившая по этому лицу, держала в себе смыслов, пожалуй, не меньше, чем джокондовская. В довоенные времена с такой улыбкой в Кремль лучше было бы не являться, нынче же ее главный посыл, может быть, даже вызывал особое почтение. Главный же посыл состоял в уверенности в успехе и отсутствии страха. Все остальное, что стояло за этой улыбкой, не прочитывалось: время было такое, не до нюансов. Во всяком случае, командующий Особой ударной армией, блистательно завершившей январский контрудар, взявшей Клин и отрезавшей 16-ю армию врага от его основных сил, мог себе позволить вышагивать по Кремлю с такой многосмысленной улыбкой в глазах, на устах и в носогубных складках. Генералы вошли в Георгиевский зал и расположились вдоль одной из его стен. Внушительная группа сильных мужчин. Как обычно, над всеми возвышалась верблюжья серьезная голова Андрея Власова. Напротив стоял инкрустированный царский стол, на нем видны были заготовленные загодя коробочки орденов.

— Что предпочитаешь, Никита Борисович, «Анну» на шею или «Георгия» в петлицу? — шепнул Мерецков.

— Оба не помешают, Кирилл Афанасьевич, — шепнул в ответ Градов. — А ты небось «Станислава» с дубовыми листьями алкаешь?

— Угадал, ваше превосходительство, — вздохнул Мерецков.

Вот какие шутки нынче позволяли себе красные генералы вместо того, чтобы трепетать от благоговения. Война диктовала свою моду, армия выходила вперед, партия и Чека скромненько до поры потеснились.

Открылись двери, и с мягкими отеческими аплодисментами вошли вожди; впереди, воплощением полной непристойности, «всесоюзный староста» М.И.Калинин со своей зажеванной бородой. За ним скромно шел сам. Далее следовали вожди, «портреты», среди которых заметно было отсутствие Молотова. Последний пребывал в этот момент в Лондоне, куда прилетел инкогнито под именем «Мистер Смит из-за границы» на четырехмоторном бомбардировщике. Там он подписывал договор с Иденом и Черчиллем, договор о двадцатилетнем (20-летнем!) сотрудничестве Союза Советских Социалистических Республик с Британской Империей. А ведь сколько словесной энергии потрачено было со времен «ультиматума Керзона» на проклятья английскому империализму! Не смеется ли провиденье над большевиками, а вместе с ними и над лордами Альбиона? Скромно поблескивало за первым рядом вождистских круглых плеч пенсне Л.П.Берии: ни дать ни взять фармацевт старой формации. Интересно, не сам ли он своими руками убил нашего дядю Галактиона? Никита вместе со всеми генералами мощно аплодировал в ответ вождям. Вспыхнули лампы кинохроники.

Сталин выглядел как Сталин. Что о нем еще можно сказать? Человеческие категории, вроде «потолстел», «похудел», к нему не подходят. Он просто выглядит как олицетворение Сталина, и это значит, что он в полном порядке. Хотел бы я видеть, что с ним было во время паники, подумал Никита. Не олицетворял ли он тогда полураздавленного таракана, не гонялась ли тогда за ним какая-нибудь кремлевская сова?

Сталин мягко, за плечи чуть-чуть подвинул Калинина к микрофону. «Михал Ваныч», как всегда, разыгрывая свою роль «старосты», в которую он вошел еще в сорокалетнем возрасте, зашамкал с листочка:

— Дорогие товарищи! В ознаменование разгрома центральной группировки немецко-фашистских войск Президиум Верховного Совета СССР принял решение о награждении группы выдающихся советских военачальников...

Генерал-полковника Никиту Борисовича Градова вдруг посетила весьма оригинальная мысль: «Интересно, если бы я приказал своим автоматчикам прикончить всю эту компанию, подчинились бы ребята?» Он глянул вбок на стоявшего за несколько человек от него красавца Рокоссовского: «Интересно, а Косте не приходит в голову такая же мысль? Ведь сам недавно, как я, тачку толкал. От имени и по поручению всех зеков Колымы и Псчоры?..» Вдруг ему показалось, что его мысль и взгляд не ускользнули от слепо поблескивающих стеклышек пенсне. Холодная струйка прошла вниз по позвоночнику, но в это время как раз прозвучало его имя.

На его долю выпала высшая награда — Золотая Звезда Героя Советского Союза вкупе с весомым кругляшом ордена Ленина. Он четко прошагал по звенящему паркету, принял из «старостиных» рук драгоценные коробочки... опять мелькнула дурная мыслишка — «не перепутал ли мудак коробочки» — и, осененный улыбками вождей — «славные люди, добрые люди, экая, в самом деле, приятная компания», — повернулся к микрофону:

— Я благодарю правительство Советского Союза и лично товарища Сталина за эту высокую награду и обещаю приложить все силы для достижения общей цели. От имени бойцов Особой ударной армии хочу выразить полную уверенность в окончательной победе над врагом!

Вдруг окатила волна какого-то истинного, неподдельного вдохновения, мгновенного счастья от полного приобщения ко всему тому, что в этот момент олицетворяло его страну, даже и вот к этой, и вот именно к этой, особенно к этой группе лиц, которых он еще несколько минут назад представил себе под прицелом своих верных автоматчиков.

После церемонии всех награжденных пригласили в смежный зал на небольшой, скромный банкет а-ля фуршет. Война войной, а угостить товарищей надо — так, очевидно, думал Сталин. А то еще подумают, что я жадничаю. Стол был накрыт именно как бы от его лица, то есть с некоторым грузинским мотивом: великолепные кавказские вина, сыры, огурчики и редис из кремлевских парников. Не обошлось, конечно, и без русских традиций, икра и севрюжий балычок присутствовали. Водки не подали, что вызвало некоторое недоумение у привыкших к этому напитку фронтовых генералов.

— У нас у всех много дел, товарищи, — сказал Сталин к концу банкета. — Однако я хотел бы поделиться с вами некоторыми соображениями. Сейчас начинаем переговоры по ленд-лизу с американскими союзниками.

Он произнес последние два слова с каким-то особым прищуром, с некоторым юморком, с одной стороны, как бы говорящим о грандиозном достижении: вот, мол, какие у нас союзники, американские союзники, но, с другой стороны, как бы и позволявшим усомниться в истинности такого «союзничества»: между коммунистом, мол, и ражим капиталистом — какой союз?

— Так вот, — продолжал он, — предстоят большие поставки боевого снаряжения. Нам необходимо тщательно продумать список наших насущных нужд. От этого будут зависеть заказы, которые Рузвельт сделает американским заводам. Вот вы, товарищ Градов, как вы считаете, что прежде всего необходимо нашей армии с прицелом на предстоящие сражения?

Этот вопрос, вернее, его адрес всех удивил. Градов стоял довольно далеко от Верховного главнокомандующего, и не через стол, то есть не в секторе прямого обзора, а на той же стороне, то есть для того, чтобы обратиться именно к нему, надо было иметь в виду, что справа от тебя находится среди других, может быть, более важных лиц именно главком Особой ударной Никита Градов с бокалом «Ркацители» в правой руке и с вилкой в левой.

Все повернулись в сторону Градова, и тот без всякого замешательства, словно было вполне естественно, что Сталин обратился именно к нему с первым вопросом о ленд-лизе, положил вилку на тарелку, поставил бокал на стол и сказал:

— Я считаю, товарищ Сталин, что прежде всего нам необходим грузовик. Большой мощный грузовик с надежной ходовой частью, способный пройти по любым дорогам, перевезти войска и амуницию, буксировать артиллерию среднего калибра и нести на себе гвардейские минометы. Честно говоря, без такого грузовика я слабо себе представляю, как мы сможем перейти ко второй фазе войны, то есть к наступательной фазе, а она не за горами, товарищ Сталин. Наша промышленность уверенно наращивает выпуск танков, но она не располагает мощностями для массового производства такого быстроходного, мобильного и в то же время мощного грузовика. Между тем американцы, как я понимаю, на своих заводах Форда и «Дженерал моторс» смогут быстро развернуть эту насущно важную продукцию.

В паузе, наступившей вслед за этим, лица медленно поворачивались к вождю. Сталин с минуту стоял в задумчивости, молча приминал большим пальцем табак в своей трубке, однако все уже понимали, что это благожелательная задумчивость, что ему явно понравилось высказывание генерал-полковника, тем более что в нем прозвучала такая профессиональная уверенность в скором переходе ко второй фазе войны.

— Интересная мысль, — произнес Сталин. — Я хотел бы, товарищ Градов, чтобы вы подготовили детальную докладную записку для очередного заседания Совета Обороны. А теперь, товарищи, позвольте мне провозгласить тост за нашу героическую армию и ее военачальников!

— Ура! — грянули генералы.

Бокалы поднялись и прозвенели. Начался общий оживленный, приподнятый разговор. К Никите подошли Жуков, Мерецков и Конев. Заговорили о грузовиках. «Ты прав, конечно, Никита Борисович, без этого мы не вытянем. Нам еще сапог бы заказать в Америке. В лаптях даже Вася Теркин до Берлина не дочапает». Высший состав явно показывал новичку, вчерашнему «врагу народа», что он свой, что он один из них и никто его выскочкой не считает.

— Не я же это придумал, — очень в жилу тут вставил Градов. — В чем был секрет Брусиловского прорыва? Он первый посадил пехоту на грузовики.

— Серьезно? — удивился, то есть наморщил свою обтянутую голой кожей голову, Конев. — Значит, еще в шестнадцатом?

— Ну, механизацию пехоты во всех ведущих армиях мира начали еще в начале тридцатых, — сказал Мерецков. — И мы тоже.

— Правильно, — кивнул Никита. — Однако именно тогда стали говорить, что у нас нет надежной машины. Помните, Георгий Константинович, об этом еще...

Он осекся, едва не сказав «об этом еще Тухачевский говорил». Конев и Мерецков немедленно отвлеклись взглядами в сторону, Жуков же смотрел прямо на него. Все трое, конечно, немедленно поняли, чье имя едва не сорвалось с его уст. В лагерях шептались, что Тухачевскому на допросах чекисты выкололи глаза. Может быть, это была лагерная «параша», а может быть, и нет. А Жуков, кажется, свидетельствовал против Тухачевского. Так же, как и Блюхер, чье имя тоже нельзя произносить. А что такое Тухачевский? Палач Тамбова и Кронштадта? А ты сам, кронштадтский лазутчик, каратель, убийца моряков, жрешь лососину в логове грязного зверя! Мы все запятнаны, все покрыты шелухой преступлений, красной проказой... Он заполнил паузу большим глотком «Ркацители», просушил губы накрахмаленной салфеткой и закончил фразу:

— Ну, вы, конечно, помните, товарищи, как об этом говорили в наркомате и генштабе.

Жуков серьезно и мрачно кивнул. Он помнил. Разговор снова оживился. Вторая фаза войны, ленд-лиз, коалиция трех колоссальных держав, все это прекрасно, ребята, — кто-то, кажется, Конев, так и сказал, «ребята», — однако немцы стоят все еще в трехстах километрах от Москвы, и еще неизвестно, что нам принесет летняя кампания. Скорее всего, они начнут наступление южнее, а именно на харьковском направлении, а может быть, и еще южнее, на Ростов и далее на Кавказ... так что, пока коалиция заработает на полных оборотах, «Васе Теркину» придется одному отдуваться. Так что давайте, ребята, выпьем сейчас за него, за нашу главную надёжу, русского солдата!

И Никита, снова, как и при вручении наград, охваченный наплывом какой-то героической симфонии, поднял бокал и стал чокаться со всеми окружающими, товарищами по оружию. Вся склизкая мерзость сдвинута швабрами истории в прошлое, сегодня мы все едины, история предоставляет нам шанс отмыться добела!

Разъезжались в ранних сумерках. Прожекторы уже начинали обшаривать московский небосвод. Зенитчики вокруг соборов и палат Кремля стояли на боевых вахтах.

— Куда сейчас, Никита Борисыч? — спросил Васьков. Как почти во всех вопросах хитрого мужичка, и в этом был подтекст. Ехать ли, мол, на улицу Горького, то есть домой, к деткам, а главное, к Веронике Александровне.

Конечно, хочется их всех увидеть, Борьку, Верульку... Однако Вероника наверняка уже знает, что при мне теперь Тася, дальневосточная медсестричка, полевая походная женка, как она сама себя очаровательно называет, ППЖ — с большим комплектом постельного белья, с буфетом, с целой сворой ординарцев под командой; молодка без комплексов, а с одним лишь, весьма благородным желанием услужить князю-командарму. Трудно себе представить, чтобы Вероника не знала об этом, уж кто-нибудь-то из генеральских жен-доброхоток непременно посочувствовал. Нет, невозможно сейчас встречаться, отводить глаза, преодолевать фальшивую интонацию, слишком сильно все уже раскололось, не склеишь. Вот что оказалось главной жертвой тридцать седьмого года, наша любовь...

— Ты что, не знаешь куда, Васьков? На фронт! Завтра — бой, все будем на передовой!

— Слушаюсь! — ответствовал Васьков с якобы слепой преданностью, как будто между ними не было «отношений».

Бронированная машина командующего в сопровождении двух крытых грузовиков взвода охраны прокатилась мимо Кремля, прошла с сомнительным постукиванием в ходовой части по брусчатке Красной площади — «Васьков, слышишь?» — «Так точно, товарищ генерал-полковник! Принимаем меры!» — мимо толстопузого сундука с готическими башенками Исторического музея, на Манежную — по правую руку «жизнерадостная» архитектура поздних тридцатых, гостиница «Москва» и дом Совнаркома, в глубине смутно, сквозь сумерки выделялись колонны посольства нашего нового могучего союзника США, окна затемнены, но наверху сквозь щелку пробивается узкая полоска света — кто там сидит? Дипломат, разведчик, офицер связи? — двинулась вверх по улице Горького, сквозь аллею затемненных массивных домов, и вот он, мой нынешний «дом», который я обхожу стороной, вот его верхний этаж, семь окон моей квартиры — там сейчас, должно быть, Борис IV занимается с гантелями, наращивает мускулатуру, и тихая Верулька сидит с книжкой в кресле, и Вероника, должно быть, у себя перед трюмо, в страданиях «бальзаковского возраста», может быть, даже и с коньячком, — пошла вверх, все больше набирая скорость, все дальше уходя от «сердца родины», в сторону полей и холмов завтрашнего боя.

Никита посмотрел на профиль своего шофера. Васьков немедленно дрогнул в ответ, как бы с полной готовностью спрашивая: какие будут уточнения, товарищ генерал-полковник? Следи за дорогой, Васьков, никаких уточнений, просто изучаю. А чего же изучать-то, Никита Борисович, я теперь весь перед вами, как на ладони. Ну вот я и смотрю, как бы с ладони тебя не сдуло. Есть, товарищ генерал-полковник!

После позорного выступления Ереся в расположении авиаполка в декабре прошлого года Никита однажды, оставшись в блиндаже наедине, вырвал у Васькова из рук тальяночку и в буквальном смысле припер к стене с пистолетом под горло.

— Ну-ка, рассказывай, Васьков, все по порядку о своих делах с особистами!

Что оставалось делать, если вся жизнь твоя завязана на этом необычном человеке, все, можно сказать, скромное материальное благополучие?

— Пистолетом не надо стращать, товарищ генерал-полковник, пули не боюсь, а вот лучше впрямую поставить вопрос о моей к вам исключительной, многолетней преданности.

Да, еще в Хабаровске заставляли стучать на вас, но я так стучал, чтобы вам не вредить. Да, к Веронике Александровне подсылали после вашего несправедливого ареста, однако я так действовал, чтобы матери-одиночке только помочь, и не только пальцем к ней не притронулся, но, напротив, отпугивал других желающих. Признаюсь, товарищ генерал-полковник, они, чекисты, меня сразу же к вам после освобождения приткнули, однако ж я так действовал, что всю им стратегию сбивал. Например, псрсдал по инстанциям якобы ваши размышления о ценности Сталина.

— А о бездарности товарища Ворошилова не передал? — спросил Никита, зорко щурясь на своего незаменимого стукача. Пистолет он давно уж с васьковского горла снял, однако в кобуру не убрал, положил перед собой на стол.

— Ну что вы, Никита Борисович, как можно! — воскликнул Васьков. Эту сугубо интеллигентскую интонацию подслушал, должно быть, в Серебряном Бору.

Никита усмехнулся:

— А напрасно не передал, Васьков. Для того и было высказано, для передачи.

У Васькова дрогнули брыла, щенячьим восхищением засветились глазки.

— Значит, давно уже расшифровали, Никита Борисович? Малость играли со мной, да?

— Теперь играть не будем, — сказал Никита тем своим недавно появившимся, «фронтовым» тоном, который не оставлял несогласным никаких шансов. — Теперь все будет всерьез, Васьков!

Васьков трепетно подался вперед, понял, что не выгонит, вшей кормить в окопы не пошлет.

— Да я, товарищ генерал-полковник, ради вас на все готов!

— Что же, посмотрим.

Никита закурил папиросу, прогулялся по директорскому кабинету (штаб стоял в усадьбе совхоза), потом подошел к Васькову, в истуканской позе сидевшему у стола, заглянул в болотные глазки:

— Капитану Ересю тут у нас нечего делать. Слишком старается — на собственную жопу.

— Понял, — шепнул в ответ шофер. — Понял и знаю, как сделать.

— Ну, хорошо, Васьков, — усмехнулся Никита. — Сделаешь, когда скажу.

Дня через три после начала наступления командующий со всей своей кавалькадой прибыл в расположение 24-го пехотного батальона. Подразделение, вернее, то, что от него осталось, пыталось отдышаться среди холодных пепелищ некогда раскидистого села. Узнав, что батальон потерял в наступлении политрука и что без пополнения завтра они никак не смогут выполнить свою задачу, Никита обнял комбата, мохнатобрового, с торчащими из ушей и ноздрей пучочками волос человечка, за плечи:

— До завтра, комбат. Получишь два броневика и роту моряков, а комиссара... комиссара я тебе пришлю. — Он оглянулся на свиту в своей, уже всем известной, быстрой задумчивости, за которой обычно следовали мгновенные и непререкаемые «градовские» решения. — Вот тебе политрук! Капитан Ересь, до особого распоряжения откомандировываетесь к майору Духовичному.

Свита на мгновение застыла в прекрасной немой сцене. Чекиста, «особняка», который вроде бы был вне обычного подчинения, с которым все, так или иначе, осторожничали, главком одним махом отправляет на передовую, в завтрашнюю убийственную атаку! Главком же позволил себе удовольствие в течение нескольких секунд лицезреть игру кровеносных сосудов на лице своего соглядатая. Капитан Ересь, покачиваясь, нырял из неслыханного возмущения в ледяной ужас, а оттуда уже дрейфовал в сплошную синюшную зону гибели и отчаяния. Вот это тебе за всех, кого ты допрашивал, а может быть, и расстреливал, от имени всех, на кого ты стучал, с приветом от всех, кому ты душу изломал вербовкой. Теперь придется тебе с пистолетиком личный пример подавать, «за Родину, за Сталина!», сучий потрох!

На обратном пути с передовой старшина Васьков, мигая всем, чем можно мигать, то есть и носом, и бровями, и округлым, как уральский валун, подбородком, неслышно шептал:

— По гроб жизни не забуду, Никита Борисович! Верным оруженосцем вашим лишь позвольте остаться, не пожалеете!

— Прекратить мерлихлюндию, Васьков! — строго сказал Никита.

— Слушаюсь, товарищ генерал-полковник! — радостно гаркнул «верный оруженосец».

С этим теперь было все ясно. Далее следовало укрепить своими людьми весь штаб, всю канцелярию и всю группу охраны и связи. Свой человек давно уже у него сидел «зампотылом» — не кто иной, как генерал-майор Константин Владимирович Шершавый. С последним главкому точно пришлось иметь нелегкое объяснение, в результате чего «дивный вестник» вошел в разряд вернейших градовцев. Своих, а иной раз «своих» Никита определял на глазок, в полной уверенности, что «глазок» его никогда не ошибется, он продвигал на посты комкоров и комдивов, старался пронизать ими весь свой комсостав до полкового уровня.

Собственно говоря, этим же занимались все большие «шишки» войны, главкомы армий и фронтов. Считалось вполне естественным, что военачальник вырабатывает свой собственный костяк армии или фронта. Центр если и не поощрял этого, то молчаливо не препятствовал. Неизвестно только, был ли и у других главкомов тот же прицел, что и у Никиты, — свести «стук» до минимума, вытравить из ближайшего окружения чекистскую коросту. Так или иначе, после первого полугода на посту главкома Особой ударной армии Никита добился своего: вокруг него стояли верные или казавшиеся ему таковыми «крепкие мужики» и «не хамы». Подразумевалось, что и не стукачи, ну, а так как без стукачей в Красной Армии невозможно, то делалось так, чтобы они, эти совсем уж необходимые стукачи, работали на своего дядю, а не на чужого.

Все эти градовские люди смотрели на своего молодого главкома — Никите еще не было и сорока двух лет — с восхищением, но без «мерлихлюндии», были ему верны — или так ему опять же казалось, — решительны и не трусливы. Все они знали, что Градов пойдет еще выше, что ему уже прочат Резервный фронт, а это означает, что и все они продвинутся вслед за ним, к новым кубикам, ромбам и шпалам, а может быть, и к неведомым звездам, ибо шли уже разговоры о возможном возврате армии и флота к дореволюционным знакам различия, то есть о превращении красного комсостава в миллион раз обосранное «золотопогонное офицерство». В редкие дни затишья командарм пускался в лыжный забег по проложенной загодя конвоем лыжне. Он отменял сопровождение и брал с собой только любимую собаку, крутолобого тугодума лабрадора по имени Полк. Ни в коем случае не Полкан, черт вас побери! Не смейте звать фронтовую собаку презренной дворовой кличкой! Скользя со все нарастающей скоростью, со все большим размахом рук вдоль кромки леса, Никита старался не обращать внимания на постоянно маячивших в отдалении «волкодавов» своей охраны. Ему хотелось хоть в эти редкие минуты почувствовать одиночество. Штабные, может быть, предполагали, что, вот так отдаляясь, Градов продумывает дальнейшие удары по фон Боку и Рундштедту, между тем всемогущий владыка трехсоттысячного воинства старался прежде всего разогнать по жилам кровь, прочувствовать каждую свою мышцу, пальцы, шею, грудь, длинные мускулы спины и черепаший панцирь живота, мощных львят под кожей плеч, ритмично играющих дельфинов в скользящих и летящих ногах. Иными словами, во время этих одиноких тренировок он пытался хоть ненадолго выбраться из командармовской шкуры, отрешиться от военно-политического значения своей персоны, вернуться к своей сути или хотя бы к этому страннейшему кожно-мышечно-костяному контейнеру, в котором путешествует его суть.

Неясные эти и, казалось, столь необходимые для самоосознания чувства постоянно отвлекались звуками близкой войны: то прогревающимися за березовой рощицей танковыми моторами, то отголоском внезапно вспыхивающих на передовой артиллерийских дуэлей, то нарастающим, и отлетающим, и снова нарастающим ревом сцепившихся в небе самолетов... Война — тысячи кожно-мышечно-костяных контейнеров живой сути, каждый в путанице своих собственных рефлексов, страхов и надежд, ежедневно встают и бегут навстречу летящим к ним миллионам отшлифованных кусочков металла, не вмещающих никакой сути, кроме взрывчатки. Каждую минуту происходят тысячи трагических — или элементарных? — стечений обстоятельств, соединения скоростей и остановок, движений влево или вправо, падений или подъемов, совпадений с неровностями земли, соединение секунд, мгновений, и живое сталкивается с неживым, плоть налетает на сталь или догоняется сталью, разрывается ею, с ревом или молча исторгает из рваных дыр вслед за мгновенно исчезающим паром крови свою личную, неповторимую суть, которая тут же растворяется в черных клубах стоящего на весь охват неба пожарища. «Дальнейшее — молчание», если, конечно, не считать гниения и мерзких запахов, которые вопиют. К кому, к чему? Странно, но я, столько махавший саблей, стрелявший во все стороны из всех видов стрелкового оружия, я, косвенный, нет, прямой виновник гнусных расстрелов полосатогрудой братвы, я, едва не загнувшийся в плену красно-фашистской банды, я, отдавший всю жизнь войне, до сих пор, до вот этой, второй Отечественной, позорной сталинско-гитлеровской, что-то не очень-то постигал подлинный смысл этого человеческого занятия. Может быть, виной тому бесчисленная теоретическая литература, которой я так самозабвенно в тридцатые годы увлекался? Наукообразная игра в солдатики?.. Побывавшие недавно в расположении Особой ударной армии связные офицеры союзников, узнав, что командующий свободно читает по-английски, оставили ему охапку журналов «Тайм» и «Лайф». С той поры Никита сохранил привычку с любопытством пролистывать глянцевитые страницы, полные снимков со всех театров боевых действий Второй мировой войны. Там — за пределами России — пока что преобладали водная и воздушная стихии. Американская морская пехота на огромных пространствах Тихого океана высаживалась на клочки суши, имена которых звучали, как гимназические мечты двенадцатилетнего Китки Градова: Соломоны, Маршаллы, Новая Гвинея... «Летающие тигры», «томагавки», «небесные ястребы», «кобры», бомбардировщики с раскрашенными под акульи пасти кокпитами атаковали японские позиции на Филиппинах. Камикадзе целились в гигантские авианосцы. В Атлантике англичане отбивали свои конвои от немецких подводных хищников. Много было снимков морских спасательных операций. Спасали своих, спасали и чужих. Экипаж только что потопленной подлодки среди пляшущих волн плыл в пробковых жилетах к английскому эсминцу. Лица немцев поражали спокойствием, иные даже улыбались, видимо, были уверены, что англичане вытащат их из воды, а не пройдутся им по башкам пулеметной очередью. Увлекательная, почти мальчишеская, почти спортивная война! Какое отношение она имеет к нашей бесконечной грязи, гнили, гною, ошеломляющему по масштабам и непримиримости уничтожению плоти? Сухопутная война в Африке тоже выглядела весьма увлекательно. Там явно не было тесноты. На фоне огромных пустынных горизонтов — атаки редких танков и стрелков в блюдоподобных касках и шортах до колен. Артиллеристы обслуживали орудия голые по пояс, стало быть, одновременно можно было и воевать, и загорать. Патрули въезжали на открытых броневичках в древние арабские города; за зубчатыми стенами угадывались дивные мордашки, до глаз прикрытые чадрой.

«Лайф» преподносил серию снимков о прошлогодней победоносной кампании в Абиссинии. «Капитуляция герцога Аоста оказалась кульминационным пунктом восточноафриканских операций. 19 мая в Амба-Алачи итальянская армия численностью 19 000 сложила оружие. Вице-король Абиссинии и главнокомандующий итальянскими силами в Восточной Африке с пятью его генералами и штабом сдались последними. Вы видите герцога Аоста в сопровождении английских офицеров выходящим из пещеры, где располагалась его штаб-квартира. Потерпевшим поражение войскам были оказаны воинские почести перед строем шотландского полка «Трансвааль».

Герцог Аоста был длиннее всех длинных англичан и довольно нелеп в своих тонких крагах. Он шел рядом с улыбающимся английским командующим и что-то тому увлеченно объяснял, очевидно, причину поражения своих войск. За ними вперемешку двигались английские и итальянские офицеры. И те и другие были в легком светлом обмундировании. Многие англичане — в шортах. Один полковник в классической позе держал под мышкой свой стек. Итальянцы, как проигравшие, держались несколько более скованно, чем победители, хотя, казалось, именно им принадлежала в этом краю роль хозяев, англичане же явились в гости. Герцог Аоста сжимал в левой руке перчатки. Не исключено, что он в принципе не очень-то был разочарован создавшейся ситуацией: лучше все-таки попасть в плен к британским колонизаторам, чем к абиссинским дикарям. Его войска между тем маршировали перед строем шотландских гвардейцев. Потом шотландцы маршировали перед его войсками. Разница заключалась в том, что первые несли в руках ружья, тогда как у последних руки отдыхали. Играли шотландские волынщики и итальянские трубачи. Никита показывал эти снимки своим штабным, и те шумно хохотали. Женевская конвенция, тудыт ее горохом! Никита тоже улыбался. А между тем так и должны завершаться цивилизованные войны, черти полосатые! Партия сыграна, гроссмейстеры останавливают часы, обмениваются рукопожатием.

Цивилизованные войны, элегантные мясорубки. Суть войны, которой я, мальчик из династии русских врачей, отдал всю свою жизнь, все-таки выявляется здесь, где пленных гонят как грязный скот и при первой возможности просто избавляются от них, все мы знаем как; где идет террор гражданского населения, где мы уходим, за собой поджигая и взрывая все, не думая о тех, кто остается, а потом возвращаемся и видим плоды своей жестокости и адской жестокости врага, все те же гниль и вонь, чудовищное уничтожение плоти... ради чего, ради спасения родины или ради победы Сталина над Гитлером?.. А теперь, когда эти великолепные вояки, тевтоны, взялись за массовое уничтожение еврейских детей и старух... вы по-прежнему настаиваете на джентльменстве, учредители конвенций?

Он умерял свой бег, тормозил и, наконец, останавливался среди заснеженных сосен и берез, горячий и румяный. И, как всегда после выхода из лагеря, немного ожесточенный. Это почти незаметное, как ему казалось, лагерное ожесточение было, очевидно, все-таки заметно окружающим. Не раз он спотыкался о взгляды людей, как будто понимавших и боявшихся. Немедленно возвращался Полк, трогал лапой, подставлял свою крутую лбину. Никита ободрял пса ласковой трепкой за ушами: «Хороший пес, хороший, немного туповатый, но это бывает среди солдат»...

То, что я делаю, противоречит моему предназначению. Мне предназначено было стать врачом, как отцу моему, деду и прадеду, я должен был заботиться о человеческой твари, а не посылать тысячами на убой. Однако если я делаю то, что я делаю, значит, таково и было мое предназначение, не так ли?

Ну-с, поздравляю, блистательно завел самого себя в «котел» предательской логики. Теперь выбирайся! Он смотрел на часы и, сильно махнув сначала левой, а потом правой лыжей, поворачивал назад. Немедленно меж стволов или из-за ближайшего бугра появлялась охрана, верные «волкодавы»-автоматчики. Разумеется, они всегда присутствовали. «Князь войны» возвращался в свои владения.

Тут следует еще добавить, что к его блистательным сорока двум годам у генерал-полковника Никиты Градова развился исключительный эротический аппетит. Молодых баб вокруг было немало — медсестры, связистки, секретарши службы тыла, летчицы полка ночных бомбардировщиков, — и все они знали об этой слабости своего любимого командующего, и многие, ох, знали об этом совсем не понаслышке. Дальневосточные, однако, впечатления оказались незабываемыми. Месяц назад Никита послал Васькова за Тасей, и она, разумеется, тут же приехала и очень быстро освоилась в роли главной фронтовой спутницы героя, продолжая и в самые интимные минуты называть его с исключительной услужливостью на «вы» и Никитой Борисовичем. Ну, только в самые уж разынтимнейшие моменты позволяла себе Тася забирающее за душу: «Ой-е-ей, Ники-и-итушка-а-а Борисо-о-ович».

Так жил красный герой и бывший зек, молодой полководец все разворачивавшейся мировой войны. Каждую минуту он должен был держать в уме все свои позиции, тылы и фланги, а также воздушное пространство над головой, и как водитель за рулем начинает ощущать автомашину продолжением своего тела, так и Никита уже вбирал в понятие своего «я» все многие тысячи, находившиеся у него в подчинении, всю технику и весь боезапас и нередко мысленно, а порой и вслух употреблял такого рода выражения: «левое мое крыло выходит к Ржеву, в то время как правое мое крыло охватывает Вязьму».

И только один маленький отряд полностью выпадал из этого охвата его крыльев — его собственная семья. Они, казалось, эти трое, в большой квартире на улице Горького — генеральша Вероника, Бобка IV и Верулька — совсем к его нынешней жизни не относились, принадлежали вроде бы прошлому, в котором некий фантом, именуемый Никитой Градовым, хоть и существовал, но все-таки не был еще настоящим Никитой, то есть командующим

Особой ударной армии. Все больше сгущались сумерки за кормой идущего к фронту броневика, тускнела косо лежащая над крышами раскаленная шпала заката. Москва уходила в таинства светомаскировки. Парящая над Страстной дева социализма старалась не взирать на западные рубежи.

Глава одиннадцатая
Кремлевский хозяин

После завершения генеральского приема Сталин отправился в свой кабинет, куда ему подали ужин. За его стол в этот вечер был приглашен только один человек, нарком, или, как все чаще говорили в столице, министр государственной безопасности, Лаврентий Берия. Помощник Берии, молодой полковник, и трое из охраны Сталина по грузинской традиции тоже были приглашены к столу. По этой же традиции ребята слегка поломались, дескать, как можно нам, людям заурядного калибра, сидеть рядом с великим вождем, но потом с превеликим счастьем расположились за дальним концом длинного конференц-стола.

Ужин был такой, как Сталин любил, в простом грузинском стиле. Ломали горячий чурек, овощи макали прямо в соль, курчонка обирали руками, каждый сам себе наливал красного вина. Сталин пристрастился теперь к коллекции «Киндзмараули», ему казалось, вся животворная сила кахетинских долин вместе с этим вином вливается в его 63-летние жилы. Первую пару стаканов он выпивал залпом, сразу возвращался боевой дух, исторический оптимизм, потом потягивал, временами воображая себя пастухом на склоне горы, где-нибудь под Телави: сижу с трубкой на удобном камне, ноги в шерстяных чулках и галошах, плевать на все войны и заговоры; в эти моменты лукаво щурился.

В последние два месяца Сталин почти совсем уже успокоился. Кажется, не пропадем. Не удастся Адольфу повести меня по Берлину с веревкой на шее. Историческая ситуация складывается в пользу свободолюбивых народов мира. В армии новый комплект людей работает неплохо. Будущие историки, быть может, укорят меня за устранение потенциальных изменников, а может быть, и похвалят. Может быть, укорят как раз за то, что не всех тогда выявили. А верных, надежных военачальников осталось достаточно. Взять хотя бы Жукова, Конева, Власова... Конечно, были ошибки и в другую сторону, как же без этого, не ошибается тот, кто не имеет ни малейшего понятия о ходе истории. Хорошо, когда некоторые ошибки можно исправить, как, скажем, в деле Константина Рокоссовского или этого, Никиты Градова... Этот, кажется, является сыном того врача... Сталин усмехнулся. Моего врача. Хорошего врача, в отличие от скотины Бехтерева, которого отравили еще в двадцать седьмом, паршивом, году...

Сталин снова усмехнулся. Берия сидел в страшном напряжении, пытаясь разгадать усмешки «тирана», как он всегда в своих глубинах называл любимого вождя. Помощник Берии, полковник Нугзар Ламадзе, ломая хорошо прожаренного, хрустящего цыпленка, тоже следил за малейшими колебаниями теней и света на лицах вождей. Теоретически, думал он, я мог бы сейчас одномоментно изменить ход истории. Двумя прыжками пролететь отсюда до того конца стола, схватить литровую бутылку

«Киндзмараули», обрушить ее на голову товарища Сталина! Товарищи из его охраны, очевидно, не успеют вовремя среагировать. Далее открывается большой простор политическому воображению.

— Этот Градов, — проговорил Сталин. — Как он тебе, Лаврентий?

Берия мгновенно внутренне перестроился. В этом и состоял секрет его столь благоприятно развивающихся отношений с «отцом народов» — бесконечная череда внутренних перестроек. Сейчас перед Сталиным сидел бдительный страж всенародной и его личной безопасности.

— Сказать по правде, товарищ Сталин, мне в его взгляде что-то не понравилось, — осторожно заметил он. Сказать ли товарищу Сталину, что есть сигналы на Градова, и весьма серьезные сигналы? Нет, пожалуй, сейчас это будет неуместно. Конечно, полностью неуместно сейчас, сразу после вручения наград. В будущем, однако, если накопится материал, можно будет напомнить товарищу Сталину эту реплику про взгляд, то есть подчеркнуть свою прозорливость.

— Он хороший солдат, — сказал Сталин.

— Конечно! — тут же перестроился Берия. — Великолепный солдат!

— Взгляд, — проворчал Сталин. — У всех людей во взглядах мелькают неожиданные вещи. Иногда и у тебя, Лаврентий Павлович, ловлю во взгляде что-то неприятное. — Как бы в поисках подтверждения своей мысли, Сталин обвел глазами комнату и остановился на Нугзаре Ламадзе. — Вот и у этого полковника во взгляде может что-нибудь такое мелькнуть. Что ты имеешь в виду — «взгляд», Лаврентий?

Волна перестроек захлестнула Берию. Пытаясь что-то нащупать, он наконец остановился на чем-то вроде бы подходящем.

— Я имею в виду «ежовскую травму», товарищ Сталин, — сказал он. — Это нелегко забыть.

Кажется, попал! «Ежовская травма» явно понравилась Сталину. Берия давно заметил, что вся интрига с безжалостным карликом Сталину явно была по душе. Очевидно, он даже гордился ею. Столько сделать руками этого человека, а потом убрать его с таким, панымаэш, ызачэством в жопу истории! Горе мне, думал тем временем Нугзар по-грузински, доберусь ли я сегодня до моего дома? Сталин отодвинул тарелку и вытер усы:

— Ну, хорошо, Лаврентий, какие новости из Америки?

Берия снова мгновенно перестроился, превратившись из осторожного бдителя внутренней безопасности в широкого, стратегически мыслящего деятеля международного масштаба, четко управляющего всеми службами зарубежной агентуры.

— В Белом доме уже разрабатывается план колоссальной высадки. Это как раз то, о чем нам сообщали из Англии. Сотни кораблей, тысячи самолетов...

— Высадка в Европе?! — Сталин быстро здоровой рукой придвинул к себе коробку «Герцеговины Флор», вытащил трубку из кармана кителя. — А ты в этом уверен, Лаврентий?

— Высадка — это вопрос недель, товарищ Сталин, — уверенно заговорил Берия. — Сведения из самых надежных источников. Только еще неясно, где высадятся. Во всяком случае, на юге, товарищ Сталин, не на севере. Может быть, во Франции, может быть, в Италии, чтобы заодно отрезать армию Роммеля. По всем признакам уже создано объединенное командование операцией. Во главе — американский генерал Эйхен... Эйхенбаум, кажется... какая-то еврейская фамилия, — матово отсвечивающее пенсне на секунду повернулось в сторону полковника Ламадзе.

— Генерал Дуайт Эйзенхауэр, товарищ Сталин, — тут же скромно доложил полковник. Все остатки ужина были уже отодвинуты. На скатерти перед Ламадзе лежала тонкая кожаная папка с последними оперативками.

Сталин бросил на него быстрый взгляд. Как будто дотронулся до ребра кинжалом, подумал Нугзар. Облачко ароматного дыма поднялось над плотной, словно слежавшейся шевелюрой вождя.

— А ты не путаешь опять, Лаврентий? — с мягким юморком спросил он.

В этот страшный момент Берия не успел перестроиться, выдал себя мгновенно запотевшими стеклышками, покатившейся по правой носогубной складке капелькой пота. Оглушить бутылкой по голове, объявить по радио о трагической кончине, заключить сепаратный мир с Германией, все отдать, что потребует Адольф, расшириться за счет британских колоний на Ближнем Востоке, взять Иран... Как себя поведет Нугзар? Ф-ф-у, что только в голову не приходит, ебенаматрена, совсем я чатохлеебуло...

— Почему «опять», товарищ Сталин? — почти жалобно спросил он. — Что вы имеете в виду — опять, товарищ Сталин?

— Ты что, забыл свои ошибочки, Лаврентий? — с прежней мягкостью стал выговаривать ему, словно нерадивому ученику, Сталин. — Забыл, как сигналы о немецко-фашистском вторжении игнорировал? Как наших агентов казнил за распространение паники? Короткая у тебя память, товарищ нарком! Может быть, еще что-нибудь тебе напомнить? Как насчет четырнадцати тысяч польских офицеров, которые бы нам сейчас так пригодились для совместной борьбы со зверем?

Вот так, подумал Берия, конечно же, мне не избежать судьбы Ежова. Ведь все же было им подсказано, им самим, и «сеятели паники», и поляки... Всю жизнь я разгадываю желания Кобы, что это за судьба... и всю жизнь я же — под угрозой разоблачения! Теперь с этими польскими антисоветчиками. Рано или поздно это дело выплывет на поверхность, тем более что и захоронения оказались на оккупированной территории, и тогда, на всякий случай, есть уже козел отпущения, Берия.

Он нашел в себе силы больше не возражать «тирану» и только лишь сделал знак своему помощнику. Стройный полковник немедленно взял кожаную папку и понес ее вдоль стола к Сталину. Охрана вождя следила за его движением хорошими бдительными взглядами. Сталин открыл папку, жестом отослал полковника на место, выпустил очередное облачко отработанной «Герцеговины». Оборванные мундштуки папирос валялись перед ним на столе. Что за странная привычка — ломать папиросы, чтобы набить трубку? Неужели не может себе заказать лучшего в мире табаку?

— Америка, — медлительно, с удовольствием произнес Сталин, как будто ложку меда вытаскивал из банки. У Берии отлегло от сердца: значит, вовсе не собирается развивать тему «ошибочек», просто сорвал на нем какое-то свое мимолетное неудовольствие. Сталина на самом деле кольнуло острейшее неудовольствие, когда пошел разговор о планах высадки союзников. Почему не довели до его сведения? Значит, по-прежнему не доверяют? А может, еще считают ниже себя, прислужники капитализма? Впрочем, тут же подумал он, планы настолько секретны, что их нельзя передавать ни через курьеров, ни радиодепешей. Идею встречи «большой тройки» мы пока отклонили. Встречаться на каких-то сомнительных островах, в сомнительном Каире, лететь туда на «летающей лодке», страдать от страха и тошноты — увольте: руководитель Советского Союза пока считает это преждевременным. Черчилль собирается в Москву, это его дело. Должно быть, как раз с этими новостями и прилетит, и тут мы слегка его ошарашим нашей информацией. От этой мысли у Сталина тут же подскочило настроение, и он забыл об «ошибочках» своего наркома. Америка, думал он с удовольствием, перелистывая оперативки. Такая страна, такая производительность! Почему мне выпала паршивая Россия для воплощения великих идей? В Америке мы давно бы уже построили образец коммунизма для всего мира... нэ повэзло. Как Пушкин однажды сказал: «Черт догадал меня родиться в России с душою и с талантом». Америка, вот это страна! Ресурсы, индустрия, массы, то есть производительность труда!

Так, пококетничав немного сам с собой, Сталин вдруг сильным взглядом прошил полковника Ламадзе.

— Ты откуда, джигит? — спросил он его по-грузински.

Это было так неожиданно, что Нугзар вскочил с грохотом стула и каблуков и, только поняв, что вопрос неформальный, да и задан на неформальном языке, так сказать, языке очага, вернулся в прежнюю позицию под улыбчивыми взглядами охраны.

— Мы из Сигнахи, товарищ Сталин. Ламадзе из Сигнахи, товарищ Сталин, — сказал он, как бы извиняясь за свою чрезмерную реакцию на простой вопрос старшего человека, да заодно и за городок Сигнахи, так красиво висящий над Алазанской долиной.

— Ламадзе... Ламадзе из Сигнахи, — попытался припомнить Сталин. — Послушай, вы не родственники ли тем боржомским Ламадзе, к которым имеют отношение кутаисские Мжаванадзе?

Нугзар просиял:

— Вы совершенно правы, товарищ Сталин! Моя боржомская тетя Лавиния была женой Багратиона Мжаванадзе, директора винодельческого совхоза в Ахалцихе.

— Ага! — торжествующе воскликнул Сталин. — Стало быть, и те Кикнадзе, батумские пароходчики, — ваши родственники?

— Разумеется! — радостно продолжал подыгрывать вождю Нугзар. Он, конечно, уже понимал, что мнимое родство с какими-то капиталистами из Батуми ему сейчас никак не повредит, а, наоборот, будет хуже, если откажется. — Сигнахская ветвь Кикнадзе, товарищ Сталин, нам очень близка. Мы жили дом в дом с дядей Николой Кикнадзе, пока не переехали в Тифлис.

— А я ничего этого не знал, — с притворной озадаченностью произнес Берия.

— Ага, — очень довольный сказал Сталин. — Я вижу, память меня не подводит! Ты, стало быть, джигит, должен быть родственником тем тифлисским

Гудиашвили, а? Помнишь, Лаврентий, была там знаменитая аптека Галактиона Гудиашвили?

— Я его родной племянник, товарищ Сталин, — на том же радостном порыве поисков общегрузинского родства произнес Нугзар и только потом уже почувствовал дуновение могильного хлада, давление мраморного пресс-папье на макушку. Мелькнул величественный предсмертный взгляд убиенного им дяди Галактиона. Сталин, к счастью, в этот момент на него не смотрел, весь обернувшись к Берии.

— Очень хорошо помню эту замечательную аптеку. Я обычно там покупал такие, — он прыснул, как кот, — такие штучки по десять копеек, две штучки в пачке. Не всегда был мой размер, к сожалению.

Он захохотал, и Берия захохотал почти одновременно. Эдакое добродушное мужчинство. Мы, собственно говоря, одна компания, я, Клим, Вячеслав, Лазарь, Лаврентий... словом, одна компания, держащая власть. Нугзар приложил ладонь ко лбу. Холодный пот перешел на ладонь. Все в порядке.

Сталин повернулся к нему:

— И такой джигит все еще полковник? Непорядок, Лаврентий! Так и вижу этого сигнахского Ламадзе с генеральскими погонами на плечах, хотя погон в нашей армии еще нет.

Все присутствующие заулыбались, зная красивую мечту Верховного главнокомандующего о переходе к старым знакам различия. Сталин определенно был сегодня в отличном расположении духа. Еще бы: поощрил свой высший генералитет, получил добрые вести из Америки, хорошо поужинал в симпатичной грузинской компании. И сова сегодня не фокусничала, скромно, невзрачным серым чучелом сидела на люстре под высоким потолком. Он встал из-за стола, и все встали. Попрощался за руку с верным Лаврентием и с новоиспеченным генералом Ламадзе. Хорошее вино всегда приводит к правильным идеям. Теперь у этого джигита есть прямой выход на меня, и я его запомню на тот случай, если наркомвнудел начнет фокусничать.

В дверях он задержал Берию:

— Да, кстати, а кто там у Градова, в Особой ударной армии, начальником политотдела?

— Генерал-майор Соломон Головня, — тут же ответил нарком.

Сталин еле заметно поморщился. Не очень-то красиво звучало это имя, далеко не идеальное звучание.

— Надо укрепить этот участок, — проговорил он. — Помочь Градову преодолеть «ежовскую травму». Подумай о кандидатуре и доложи.

Спускаясь по ковровым дорожкам мраморной лестницы, Берия, как всегда после встречи с «тираном», думал о его исключительных способностях. Какой шахматист, какой психолог, все ловит, ничего не забывает! Даже Нугзарку не забыл! Он приостановился. Сияющий Нугзар едва не налетел на него.

— Хорошо, что ты не все рассказал о своих родственниках, Нугзар, — тихо, но очень внятно сказал наркомвнудел.

Антракт V. Пресса

«Тайм», 22 июня 1942 г.

Американский посол в Виши, высокий лысый адмирал Лихи, встретился с маршалом Пэтэном. Вот его впечатления:

Дом Градовых в Серебряном Бору

Борис Никитич Градов (Юрий Соломин) и Никита Градов (Александр Балуев)

Саша Шереметьев (Алексей Макаров) и Борис IV (Илья Носков)

Режиссер-постановщик Дмитрий Барщевский, Екатерина Никитина, Алексей Зуев, автор сценария Наталья Виолина, Марианна Шульц

Адъютант Васьков (Валерий Иваков)

Надя Румянцева (Марина Зайцева)
и Циля Розенблюм (Марианна Шульц)

Шевчук (Дмитрий Харатьян)

Никита Градов (Александр Балуев)

Никита Градов (Александр Балуев) и Вадим Вуйнович (Алексей Кортнев)

Оператор-постановщик — Красимир Костов, продюсер — Антон Барщевский

Вадим Вуйнович (Алексей Кортнев) и Семен Стройло (Дмитрий Ульянов)

Рабочий момент. Илья Носков, Алексей Макаров и Дмитрий Барщевский

Надя Румянцева (Марина Зайцева) и зоотехник Львов (Марк Рудинштейн)

Рабочий момент съемок. Инна Чурикова и Юрий Соломин, репетиция танго

Никита Градов (Александр Балуев)
и Вероника Градова (Екатерина Никитина)

1945 год. Возвращение с фронта

1) Старый маршал теперь не верит, что державы «Оси» могут выиграть войну.

2) Пэтэн желает победы союзникам.

3) Пэтэн упорно сопротивляется нацистскому давлению, осуществляемому через Лаваля, включая угрозу уморить голодом 1 500 000 французских военнопленных.

4) Адмирал Лихи лично глубоко уважает маршала Пэтэна.

Молотов посещает Лондон инкогнито. Он вылез из самолета в стеганом костюме и пилотском шлеме. Огромный четырехмоторный бомбардировщик был сюрпризом для офицеров Королевских ВВС. Экипаж был настолько многочисленный, что англичане стали задаваться вопросом, когда кончится очередь людей, выпрыгивающих из машины...

Фотограф «Дейли Миррор» был арестован полицией...

Официально Молотова именовали «Мистер Смит из-за границы»...

Мистер Вэндел Уилки приземлился в Москве на «летающей крепости», которую русские называют «чудовище»... На другой день он с послом Стэндли пошел слушать Седьмую симфонию Шостаковича. Он также слушал концерт Леонида Утесова с его джазом РСФСР...

Все русские спрашивали Уилки: «Когда будет второй фронт?» В Кремле мистер Уилки обедал со Сталиным. «Скажите американцам, — сказал вождь, — что нам нужны все продукты, которые они могут послать...»

«Тайм», 17 мая 1943 г.

На Манхэттене состоялся просмотр нового фильма «Миссия в Москву». Противоречивый фильм вызвал бурю среди интеллигенции. Полный восторг среди коммунистов. Автор «Дейли Уоркер» Майк Голд назвал фильм «патриотическим и бесстрашным, лучшей пропагандистской картиной» в его жизни. Люди, менее приверженные сталинизму, реагировали по-разному. Энн Маккормик из «Нью-Йорк Таймс» считает, что фильм «абсолютно несправедлив к России и неверно представляет Америку»...

Литературный критик Эдмунд Уилсон, бывший марксист, назвал фильм «обманом американского народа»... Философ Джон Дьюи сказал, что «Миссия в Москву» — первый в нашей стране пример тоталитарной пропаганды»...

Фильм, между прочим, показывает маршала Тухачевского на суде, тогда как тот был тайно казнен без всякого суда...

Наряду с гордостью за свою армию советские газеты полны неукротимой ненависти. «Убей немца! — торжественно призывают «Известия». — Убить как можно больше немецких солдат и офицеров — это священный долг каждого красноармейца, каждого партизана, каждого жителя оккупированных территорий...»

Дети спрашивают своего отца: «Папа, сколько немцев ты убил сегодня?»...

«Ньюсуик», март 1943 г.

После 15 месяцев того, что Гитлер назвал «арийской колонизацией», Харьков выглядит, как город, прошедший через землетрясение, черную чуму и чикагский пожар... Как только немцы вступили в город, вдоль всей Сумской на каждом балконе появились повешенные русские... Красивые украинские девушки отправлялись в Германию как товар...

Май 1943 г.

Московские семьи наконец-то получили возможность отведать американской ветчины. В магазинах выдавали по два фунта этого редкого для Москвы деликатеса...

На вопрос корреспондента «Нью-Йорк Таймс» и лондонской «Таймс» Ральфа Паркера, хочет ли Россия видеть Польшу сильной и независимой, Сталин ответил: «Разумеется, хочет».

Посол Джозеф Дэвис прибыл в Москву, где его встретил представитель Молотова Деканозов, похожий на одного из семи гномов, но не на Допи, поскольку он один из самых толковых людей в СССР. «Если увидите у нас что-нибудь плохое, скажите нам. Если что-нибудь хорошее, всему миру» — такова была просьба Деканозова.

Фото: Дэвис и Сталин. Два «Джо» сияют перед камерой.

«Таймс», 8 марта 1943 г.

Французские партизаны атаковали гранатами казино де Лиль, убив при этом 23 немецких офицера.

«Ньюсуик», август 1943 г.

Генерал-лейтенант Петр Сабенникофф, 6 футов 4 дюйма, рассказывает: «Под Курском были сконцентрированы ударные части, хорошо тренированные молодые жесткие мужики до 30 лет.

Однако и они начали сдаваться... Те, с кем я разговаривал, заявляли, что на них очень подействовало падение Муссолини...»

Ревут бомбардировщики. Взрывается мина замедленного действия. В землянке кто-то играет на аккордеоне вальс Шопена...

...Капитана Рикенбэйкера пригласили русские летчики, чтобы проверить его выносливость на водку. Возвращаясь по пустынным московским улицам, он возглашал: «Я сбил троих, шесть под вопросом, Бог знает сколько ушли с повреждениями...» Утром он сделал следующее наблюдение: «Новые эполеты царского происхождения в Советской Армии, уважение к военным чинам и снижение роли комиссаров — это путь к капитализму и демократии!»

«Нью-Йорк Таймс», февраль 1943 г.

Воронеж. Граждане разыскивают свои дома, солдаты — вражеские мины.

Вслед за заявлением посла Стэндли о том, что Советский Союз недостаточно сообщает об американской помощи, ваш корреспондент поспешил устроить проверку в московских продовольственных магазинах... «Конечно, мы получаем американские товары, — сказали ему в одном из магазинов, которые здесь называют гастроном. — Вот сыр, великолепный лярд, сахар, растительное масло...» Продавцы выражали спокойное удовлетворение, но отнюдь не бурную благодарность.

Половина всех танков, отправляемых по ленд-лизу, и сорок процентов тактических самолетов идет в Россию.

Советский посол в США Максим Литвинофф возразил адмиралу Стэндли, сказав, что советский народ глубоко ценит американскую помощь.

«Таймс», апрель 1943 г.

Епископ из Сейнт-Элбанс запросил правительство в палате лордов, является ли производство противозачаточных средств делом государственной важности, и получил ответ от лорда Манстера: «Нет, сэр...»

Антракт VI. Конь с плюмажем

Старый цирковой мерин Гришка коротал свой век в конюшне на Цветном бульваре. Его давно уже не выпускали на манеж, хотя он был уверен, что без труда выполнил бы всю программу: и круговой ход, когда вольтижировщик прыгает тебе на спину и встает на седле с широчайшим комплиментом к публике, и поклон с подгибом обеих передних конечностей и с покачиванием роскошного султана, и даже вальсировку на задних копытах под медные «Амурские волны». Он скучал по этим церемониалам. В бытность свою императрицей России, Гришка тоже любил все парадное, пышное, ярчайшее, внимание сотен глаз, прикованных к полным величественным плечам матушки-Государыни, проход вдоль строя шестифутовых гвардейцев, внимательный отбор лучшего банана, наиболее впечатляющей виноградной грозди. Говорили, что во внимание принимались только размеры, это было неверно. Важнее было общее, месье Вольтер, гармоническое развитие этих «простодушных» a'la Russe: крепкий нос, хорошо подкрученный ус, достаточной, но не чрезмерной ширины грудь, втянутый живот, выпирающий под лосинами живо-трепещущий натюрморт; надеюсь, Вас не шокирует эта обратная игра слов. Итак, третьего, седьмого и одиннадцатого сразу после приема австрийского посланника ко мне в спальню!

Дальнейшее никогда не вспоминалось Гришке, да и вообще, если что-нибудь и являлось из астральных пучин, где размещалась теперь прежняя империя, то это были лишь покачивания высоких напудренных причесок, сверкание алмазных диадем, звон оружия, музыка, то есть все тот же цирк.

Однажды пришел старый друг и повелитель, конюх, которого тоже звали Гришкой. Странным образом от него в тот вечер меньше, чем обычно, пахло сивухой. Гришка-конь не знал, что в осажденном городе практически прекратилась продажа спиртного.

Гришка-мужик надел на коня узду, прижался наждачной щекой к его ноздре и немного всплакнул. «Эх, тезка, — забормотал он. — Падлы позорные велят мине вести тебя на бойню в Черкизово по причине нехватки фуражу. Такого артиста и неплохого коня — под топор! Лучше бы мы сбежали с тобой еще в одна тысяча девятьсот тридцать седьмом году на вольный Кавказ...»

Экую несуразицу плетет сегодня мужик, подумал Гришка-конь и стал выводить из стойла свое белое в яблоках тело. Конюх шел за ним, прицепившись к узде. Они вышли на ночной бульвар, над которым в небе косо висела огромная аэростатина. А он говорит, что в городе нечего есть, подумал Гришка-конь. Экую несуразицу плетет этот мужик. «На что твоя шкура пойдет, я не знаю, — продолжал бубнить конюх. — Может получиться пара сапог. А из мослов твоих, может, клею наварят, Григорий. Тоже полезный продукт...»

«А ведь как ты был хорош, Гришка! — вдруг, словно после стакана, воспламенился Гришка-мужик. — Ведь под золотыми попонами выплывал, точно пава, точно царица цариц! Был бы ты жеребец, отправил бы тебе на племенной завод, кобылок бы трепал до скончания дней, имел бы овес!»

Так они вышли на Самотеку к проходящим через столицу артиллерийским частям. Многие пушки были на конной тяге. Солдаты взяли Гришку-коня у плачущего старика. Так подошла к концу эта очередная инкарнация большого женственно-лошадиного начала. Как и русская императрица, Гришка-конь погиб с именем России, то есть блистательного цирка, на устах. И был расклеван вороньем, и был расклеван вороньем.

Глава двенадцатая
Лето, молодежь

В июле 1943 года вспомогательная команда «Заря», что располагалась в казарме на окраине Чернигова, была поднята еще до рассвета для выполнения спецзадания. Команда эта состояла из бывших русских военнопленных и была, по сути дела, подразделением создаваемой Русской освободительной армии, которую возглавил перешедший год назад на сторону немцев генерал-лейтенант Андрей Власов. Солдаты были обмундированы в немецкую серую форму, о принадлежности же к власовским частям говорили нарукавные нашивки с надписью «РОА».

Многие парни в эти летние дни в подражание немцам закатывали рукава до локтя и расстегивали воротники. Мите же Сапунову этот чужой шик не нравился, меньше всего он хотел походить на арийского завоевателя. Вот Гошка Круткин тот как раз из кожи вон лез, чтоб его хотя бы издали местные бляди принимали за человека первого сорта, «херренменша»: и сигаретку приклеивал к нижней губе на немецкий манер, и словечками любил бросаться, вроде «шайзе», «швайн», «квач», и «Лили Марлен» вперемежку с «Розамундой» насвистывал.

Почему-то он очень сильно подрос за полтора года в немецких тылах, сравнялся почти ростом с крупным Сапуновым и стал чем-то напоминать идеологического офицера Иоханна Эразмуса Дюренхоффера, который нередко посещал русские части для произнесения речей. Суетливости у него, однако, не убавилось, и по отношению к Мите он попрежнему выступал в прежней роли шухарного такого пацанчика на подхвате. Удивительно, как он всегда умудрялся не отстать от Мити, несмотря на бесконечные переформирования. Всегда он так устраивался, чтобы попасть в одну и ту же роту, взвод и даже отделение с Сапуновым. Впрочем, и Митя теперь то и дело оглядывался — здесь ли Гошка? Привык как-никак. Какое-то вроде чуть ли не родственное появилось отношение к этому шибздику. Один только раз за полтора года из-за паршивой девки, коммунисточки, заимел Митя зуб на верного оруженосца, но об этом теперь и вспоминать не хочется. Грязное было, мародерское дело, и кто в нем виноват, не поймешь. Вскоре махнул рукой: забыть и растереть; война — она все спишет.

Все эти полтора года русских добровольцев из спецзоны «Припять» только и делали, что перевозили по территории рейха. Немецкое командование, похоже, не знало, что делать с ними. То вдруг начинали усиленную муштру, то бросали на несколько недель бесхозными. Оружия приличного не доверяли. До «шмайссера», например, никто из них и не дотронулся. Таскали тяжелые карабины времен Первой мировой войны, да и к тем боезапас выдавали только по особому распоряжению. Обучали пользоваться немецкими гранатами, но как обучили, так гранаты тут же отобрали.

Не особенно даже было понятно, кто командует. Немецкие инструкторы постоянно менялись. Русские комитетчики, вроде полковника Бондарчука, заявлялись, толкали речуги и тоже линяли. Использовали русских на самой что ни на есть подсобке. То вагоны посылали разгружать, то в караул вокруг железнодорожных станций. Один раз в Винницу привезли готовить стадион к нацистскому празднику. Устанавливали скамейки, поднимали мачты для знамен. Много хлопот было с огромным портретом фюрера в кожаном пальто с поднятым воротником и надписью по-украински: «Гітлер — визволитель». В боевых действиях Мите с Гошей пришлось за эти полтора года участвовать ну не больше двух-трех раз, да и то, что это были за действия, типичная суходрочка. Один раз привезли куда-то на территорию Польши только что переформированный батальон, раздали патроны, выбросили в большое поле. Впереди деревенька с костелом, за ней лесные холмы синеют. Пара бомбардировщиков гвоздит без перерыва лес и деревеньку. Потом с полдюжины бронетранспортеров пошли на деревеньку, а русский батальон пустили пешком через поле. Стреляли на ходу из своих карабинов. Неизвестно, куда эти пули летели. В лесу, однако, немало лежало побитых ребят в квадратных конфедератках. На опушке расстреливали пленных. По счастью, ни Митя, ни Гоша в расстрельную команду не попали и прошли мимо, как будто это их не касается.

Еще пару раз пришлось стрелять, на этот раз под Бобруйском. Там тоже из леса выкуривали партизан, но в этот раз уж своих, советских. Вот там как раз, под Бобруйском, противнейшая история с девкой произошла, о которой вспоминать не хочется. Потом опять на переформирование повезли, теперь в Германию, в городок Дабендорф. Вот с этим по-настоящему повезло, посмотрели самую всамделишную Европу. Как живут люди! Чисто, спокойно, даже непонятно, как это можно так жить. Городок, по сути дела, напоминал дачный поселок, вроде Серебряного Бора, только лучше. Дома более добротные, каменные, некоторые с колоннами, ворота из витого чугуна. Неподалеку там находилось большое военное производство, и туда едва ли не через день слетались бомбить англо-американские плутократы, пособники большевиков. Гул бомбежки долетал до Дабендорфа, горизонт озарялся вспышками, но здесь было спокойно, и казалось просто, что гроза шумит. Немного даже странно было смотреть, что асфальт сухой.

Туда, в Дабендорф, приезжал сам Власов Андрей Андреевич. Мужик впечатляющего роста, ничего не скажешь. В самом деле, произвел на солдат основательное впечатление, когда сказал: «Такова наша историческая судьба, солдаты. Пройдем через все бои, страдания и унижения, чтобы открыть новую страницу в истории России!» Неплохо было сказано. Окрыляюще.

Митя снова тогда заполыхал мрачным вдохновением, хотя, по правде говоря, никакой «исторической судьбы» вокруг себя не видел. Скорее уж Гошка прав, говоря, что все ж таки лучше, чем в лагере сгнить заживо. Здесь можно хоть в кино иной раз сходить. Брали пивка полдюжины, пакет резиновых сосисок, забирались в задний ряд смотреть на волшебных германских кинодив — Марику Рокк, Лени Рифеншталь и Цару Леандер. Как только эти красотки появлялись на экране, блондинка ли Марика, брюнетка ли Цара, ребята тут же запускали руки в штаны, дополняли кинопроизведения игрой своего мощного, хоть и немного однообразного воображения. «Нас обоих с тобой расстреляют», — говорил Митя Гошке после пива. «Ну и хер с ним, — отвечал Гошка. — Всех на хуй когда-нибудь расстреляют, на то и война».

«Неинтересная жизнь», — говорил на другой день Митя за умывальником. Бросал себе пригоршнями воду под мышки и думал: «Что за говняная такая у меня складывается биография?» Гошка за его спиной отражался в тусклом зеркальце, горестно кривил губы, выказывая исключительное сочувствие, чуть не плакал: понимаю, Мить, понимаю твои запросы, да что поделаешь, Мить, война, Мить, война подлая гонит нас, юношей, как табун лошадей, такая есенинщина.

Даже щекотался немного верный Гошка, чтобы развеселить загрустившего друга. Митя с грубым видом давал ему под дых, однако видно было, что ценил сочувствие и к Гошке даже чувствами преисполнялся: все-таки друг, а друг, как известно, не портянка, вместе все-таки по дорогам войны пашем.

Конечно, если бы не война, другие были бы друзья у Мити. Ходил бы в медицинский институт по желанию деда Бориса, носил бы белую кепку, футболку и белые туфли, изучал бы самую гуманную профессию, с сокурсниками посещал бы концерты в консерватории, как подобает всякому интеллигентному человеку. Появилась бы у него и девушка из такой же, как и его, градовская, превосходной семьи, девушка вроде тетки Нинки, только, разумеется, помоложе. С этой девушкой бы гуляли в Нескучном саду, говорили бы о науке и искусстве, позднее дружба переросла бы в любовь. Здесь же, на войне, все это человеческое оборачивается отвратным кривлянием, как будто кто-то передразнивает — вот мечтал о чем-то, вот теперь получи это в реальном виде, то есть в мародерстве, свинстве, как будто тебя уже раз и навсегда вписали в грязный реестр, как будто уже решено, что не быть тебе человеком. Вот так и под Бобруйском было, в той деревеньке, где батальон стоял перед началом противопартизанской операции прочесывания. Невозможно все-таки совсем отогнать поганое воспоминание, возвращается, как приблудившаяся собака, как будто защиты просит.

Вечером как-то Митя с Гошей маялись на завалинке возле той избы, где были на постое, как вдруг из клубного домишки на крыльцо выходит девица Лариса, местная библиотекарша, мечта вооруженных сил по обе стороны фронта. Собственно говоря, имя и профессию узнали спустя пять минут, а в первую минуту Мите показалось, что перед ним кинематографический мираж: завитая крупными кольцами прическа, глазищи-озера, ярко-красный рот, волнообразное тело под маркизетовым платьем, туфли на высоком каблуке.

— Ну что же, мальчики, пожалуйте в гости!

Голос — сама чувственность, сразу все вздымается. Гошка восхищенно заржал, жарко шепнул в ухо:

— Ну, Митяй, мы сегодня с тобой увеличим боевой опыт!

Любопытное наблюдалось у Ларисы на столе торжество гуманизма: бутылка фрицевского шнапса и горшок с самогоном, браги жбан. Быстро захмелились.

— Ну, как жизнь молодая, предатели родины? — кокетничала пугающая красотой библиотекарша.

Вытащила из-под кровати патефон, горсть игл уральской стали, пластинки с песнями из кинофильмов. «Нам песня строить и жить помогает, она, как друг, и зовет и ведет...»

— Ой, Митяй, зуб даю, сдаст она нас партизанам! — шепнул Гошка.

Лариса кружилась по комнате, закинув голову в кинематографическом счастье, голубой маркизет взлетал, обнаруживая отсутствие трусов. Патефон хрипел марш, а она, видите ли, вальсировала под свою собственную музыку.

— Из вас двоих, мальчишки, кто первый меня ебать будет? — спросила она.

— Митька, Митька первый! — закричал Круткин. — Давай, Митяй, воткни ей, как следует, а я пока на стреме постою, чтоб партизаны не ворвались!

Лариса взъерошила Митину голову:

— Ну, давай, кудряш!

Раз, и села к нему на колени, лицом к лицу, красным жадным ртом вмазалась в Митины губы:

— Давай, дери меня, как сидорову козу, не стесняйся!

Митя все-таки еще очень сильно стеснялся. С «боевым опытом» (по части женских органов) был у него явный недобор, если не сказать полное отсутствие. Конечно, Гошке наврал немало из собственных фантазий, а на самом деле к женщине первый раз прикоснулся лишь за месяц до Ларисы, в Польше, когда ребята, поддав, какую-то толстуху малолетку поймали и пустили ее «под хор» в высохшем фонтане. Митина очередь когда дошла, он ничего не чувствовал, кроме тошноты. Хорошо, что темно было, все же не опозорился перед товарищами. Засунул орган куда-то, скорей всего, просто в складку кожи, где все хлюпало, изобразил мощный напор. Малолетка же только рыдахтала, то есть рыдала и кудахтала, ничего не поймешь. Пакость и позор, однако ничего не поделаешь — война, боевая спайка, если все вокруг становятся шакалами, то и ты — шакал.

С Ларисой явно все пошло иначе, все по-настоящему, подлинное рождение мужества. Никогда не подозревал за собой таких способностей. Дева пела, стонала, кусалась: «Митя, мой любимый, как же ты хорош! Давай! Давай! Еще! Еще!» И он вдруг совершенно ошеломляюще влюбился в изгибающееся под ним волнообразное тело, в обострившееся лицо, воплощение романтики.

Гошка сидел на крыльце со своим карабином, как бы охранял от партизан, однако дверь держал приоткрытой, наслаждался зрелищем. Выгоню его к чертовой матери, думал Митя, продолжая сладкую работу, не дам прикоснуться к этой девушке. Дверь закрою и буду с ней до утра, а потом, может, убежим вместе куда-нибудь навсегда. В Аргентину, «где небо южное так сине». Потом прибыли в Аргентину, а может, куда и получше. Все мысли пропали, началось полнейшее извержение взаимных восторгов, ошеломляющее танго. И только лишь когда восторги стали убывать, услышал Митя хохот, топтание сапог в девичьей комнате, голос харьковчанина Кравчука:

— Во дает Сапунов! В профсоюз не платил, а все дырки захватил!

Это была батальонная неразлучная шестерка, что всякий вечер шлялась по округам в поисках, кого бы пустить «под хор». Очумевшие парни, кажется, совсем уже забыли, что баб можно искать поодиночке, или, скажем, на пару, или, скажем, совсем не искать. Волоклись друг за другом, зырили вокруг шакальими глазами, вот такие «колхозники».

— Давай, Митяй, закругляйся! Погулял, передай товарищу!

В толкучке мелькало похабное лицо задушевного друга, предателя Гошки. Митя выскочил из аргентинских южных объятий. Последнее, что успел заметить, плавающий лунный блик на лице любимой.

— А ну, катитесь отсюда, шакалье! У меня в кармане лимонка!

Двое тут же насели на него, потащили в сторону, Кравчук же сразу бросился к раскинувшемуся на оттоманке телу. Митя рвался, как стреноженный конь. Швырнули с крыльца в грязюку, вдогонку сапоги полетели и штаны, взметнувшиеся в ночном небе, как тень человека. Из дома неслось скотское ржанье, топот, взвизги Ларисы «давай-давай, мой хороший!», квикстеп «Рио-Рита»: кто-то, дожидаясь очереди, прокручивал патефон.

Митя собрал имущество, долго сидел в тени, колотил зубами. Была бы на самом деле лимонка, непременно бросил бы в окно, чтобы у всей хевры хуи пооборвало. Старуха прошмякала по двору, глянула через заборчик: «То ж у новой библиотерки хлопцы гуляют». В конце концов Гошка появился с двумя карабинами на плечах, Митиным и своим собственным. Разоружить мерзавца было делом одной секунды. Долго метелил гада ногами, кулаками, локтями под подбородок, в брюхо, делал «шмазь», лапой хватил за морду, волочил. Ни малейшего в ответ сопротивления, даже странно. Бессильно откидывалась в стороны головенка с застывшей на губах мечтательной улыбкой.

— Ну, признавайся, гад, и ты там прогулялся?

— Ну, а как же, Митяй, конечно, прогулялся же ж! За Боровковым и перед Хряковым, по свойски же ж...

— А что с ней?

— А с кем?

— С Ларисой, с кем же еще, ублюдок!

— А чего с ней, порядок, нагулялась баба. Не бей меня больше, друг. Я же ж их не звал, сами приперлись.

Вот такое паршивое дело омрачило на энное количество времени отношения двух неразлучных москвичей. И долго потом еще Митя весь содрогался, вспоминая свое «аргентинское приключение», хотя и дошли до него некоторые подробности непростой Ларисиной биографии. Оказалось, например, что ту насилку и насилкой-то в принципе нелегко назвать, потому что девица вечно сама напрашивается. Так говорят, что ее еще в сорок первом пропустили через взвод доваторские казачки, а потом уж пошло: и немцы, и итальяшки, и своей предостаточно похабели из партизан, короче говоря, развилось у женщины не что иное, как бешенство матки. Так что выводы напрашиваются, милый Митя: в лучшем случае «трепачка» мы с тобой из «источника знаний» подцепили, в худшем — сифилягой нас наградила жертва войны. Тогда носы потеряем, Сапунок, будем ходить безносые с тобой. Два безносых друга. У-ха-ха, у-ха-ха! Получалось, в самом деле, довольно смешно — два безносых друга! Да, так нас с тобой и в Аргентину не пустят, Гошка Круткин. А хер с ней, с Аргентиной! Мы в Африку с тобой подадимся, там половина населения заживо разлагается. Ой, умру, половина, говоришь, населения без носов? Натюрлих!

Обошлось все же первым вариантом, простым «архиерейским насморком». Вместе ребята корчились, держались за концы, вместе им стрептоцидовую эмульсию в зады закатывали; боль такая, большевику не пожелаешь! Неплохо, однако, поломанные отношения скрепляет. Зуба больше на Гошку Митя не держал, а Лариску на фиг позабыл. Бабе этой, видно, недолго гулять осталось. Не позабыл он только одного — своего с ней восторга, какого-то вихревого воплощения мечты. Позор и тоска выжигали его в моменты этих воспоминаний. Значит, и любовь моя уже навеки испохаблена проклятой жизнью, пропущена через «хор» трипперных козлов, значит, и любви теперь уже у меня настоящей не будет, если я испытал это даже и не с женщиной, а с каким-то призраком войны? С солдатской лоханкой?

Ну, разумеется, такими мерлихлюндиями он даже с Гошкой не делился, корчился в одиночку, все больше свирепел. Все дальше от него, в нереальность, отходил очаг градовского дома, все серебряноборское. Агашины почти неслышные, в шерстяных носках пролетания, легкие ее бормотания, от которых уютно начинала журчать подростковая макушка; раскаты рояля Мэри все размывались, растрепывались, как пролетающие облака, голос ее еще держался, в одной ключевой, сильной, как Бетховен, фразе: «Дети, к столу!»; основательное похрустывание паркета под башмаками размышляющего вдоль и поперек кабинета деда Бо; маленький камень в углу участка под елками и папоротниками, а зимой под шапкой снега, как большущий гриб, — усыпальница любимого Пифагора. Все это, весь этот мир любви и твердых человеческих обычаев, куда судьба его вдруг поместила, вытащив наугад из пе-

пелища, все это было, как теперь становилось ясно, лишь передышкой, а дальше опять русская доля.

— Куда едем, герр Линц? Вохин фарен унс? — спросил Гошка унтера, который в то утро раздавал боезапас, по подсумку с патронами. Четыре крытых брезентом грузовика уже поджидали их роту за воротами. Пожилой, похожий на сапожника унтер, от которого, несмотря на ранний час, уже пахло чем-то хорошим, что-то пробурчал, для Мити совершенно непонятное, а для Гошки все-таки замечательно понятное, ибо умел паренек из кучи непонятного выхватывать что-нибудь одно и сразу понимал, что к чему.

— Он нас всех в жопу посылает, в глубокую жопу, и говорит, что там она как раз и располагается, куда нас везут, а везут нас в какой-то Гарни Яр.

Митя еще зевал, тянулся, молодая радость жизни все время подавлялась общей хреновостью. В жопу так в жопу, куда ж нас еще пошлют, в Гарни Яр так в Гарни Яр. Небось опять партизан прочесывать или железную дорогу чинить...

— В Гарни Яр! Ну и дела! — вдруг икнул Гошка, будто что-то вспомнил, связанное с этим названием.

— С чем его едят, этот Гарни Яр? — спросил Митя.

Не дождавшись ответа, полез в фургон, занял там угловое место, привалился к костлявому плечу друга и впал в дремоту. Когда через пару часов тряска и толчки прекратились и прозвучала команда выходить, солдаты увидели вокруг пустынную землю, вроде бы совсем не тронутую ни цивилизацией, ни ее высшим достижением, механизированной войной. Вокруг, насколько хватал глаз, лежала лишь неровность земной коры, голые холмы и лесистые впадины, ни столбов с проводами, ни сгоревших домов, ни бомбовых кратеров не наблюдалось. Только лишь грунтовая дорога, по которой приехали, напоминала о современности: она была основательно укатана гусеницами и шинами грузовиков, то есть использовалась для передвижения войск. Вдоль этой-то дороги и предстояло развернуть боевое охранение команде «Заря».

По паре солдат с карабинами было расставлено через каждые несколько сот метров, в зоне видимости от одной пары до другой. Приказано было следить, чтобы никто не приближался к дороге, а главное, чтоб никто с нее в сторону не удалялся. В случае необходимости, стрелять без предупреждения.

— А кого ждем, господин лейтенант?

— Колонну.

— А какую колонну?

— Пешую колонну. Колонну людей. Это все. Повторите приказание!

Митя, разумеется, остался вдвоем с Круткиным. Сели на пригорке. Подул вольный ветер. По всем просторам неба, кажись, в разные стороны бежали резвые облака. Древняя Русь заявляла о себе в каждый момент существования.

— Эх, Гошка, Гошка, — вздохнул Митя Сапунов.

— Эх, Митька, Митька, — эхом отзывалась дружба.

— И на хуя мы родились в это время поганое, — проговорил Митя.

— Все времена, Митяй, поганые, — весело возразил Гошка. — Во все времена вокруг одна уголовщина.

— Ты что-то стал мне часто возражать, говнюк, — мерно сказал Митя своему вассалу.

«Давай закурим, товарищ, по одной! Давай закурим, товарищ мой!» — пропел Гошка из пластинки Утесова.

— Интересно, откуда немцы табак берут? Ведь он у них не растет, — задумался Митя.

— А из Италии небось, — предположил Гошка. — В Италии-то он растет.

— А вот, кстати, об Италии. Похоже, Гошка, дело пахнет керосином. В Италии, говорят, англичане с американцами высадились.

— Германия несокрушима, Митяй, — сказал Гошка. — Сейчас новые танки пошли на фронт, ты не видал? Это ж просто страшно смотреть, какие танки!

— Ну, а если сокрушат твою Германию, что тогда?

— Ну и хер с ней, если сокрушат! Сокрушат, туда ей и дорога, Митяй!

— А нам-то тогда куда деваться, Гошка? Испепеляться, что ли, прахом, что ли, падать на землю?

— Это откуда, Митяй, а? Дай слова списать, а?

Так они болтали и курили, пока вдруг сквозь шелест вольного ветра нс долетел до них гул. Колонна, похоже, приближалась.

— Слушай, Гош, а что это за колонна-то, не знаешь? — спросил Митя.

— А это, наверное, Митяй, жидов ведут в Гарни Яр, — с прежней бодростью ответил Круткин.

— Что-что?! — вскричал пораженный Сапунов. — Что ты несешь?!

Круткин хохотнул:

— А ты разве не знал, Митяй? Это ж дорога на Гарни Яр. А ты разве про Гарни Яр не слышал в Чернигове? Там они жидов, ну, то есть еврейское население, истребляют. Пулеметами — и под откос. А потом бульдозеры землей заваливают, и новый слой кладут. Говорят, что две недели уж операция идет, страшное дело. Да ты что, Митяй? Чего ты затрясся-то, друг?

Сапунов рванул Круткина за грудки:

— Врешь ты все, гад!

Круткин вдруг по-шакальи осклабился:

— Ты целку-то из себя не строй, Митяй! Как будто ты не знал, что немцы с жидами творят! Как будто про Гарни Яр не слышал! Нам еще повезло, если хочешь знать, что на дорогу поставили, а не прямо к оврагу!

Митя все не отпускал, тянул Гошку за мундир, как будто вот этим волоком хотел вытянуть опровержение сказанному. Вдруг Круткин ударил его по уху, да так сильно, что оба изумились. В виске у Мити загудело. В этот как раз момент из-за перелеска выползла голова колонны, она была бронированная.

Впереди шел идеальный вермахтовский бронетранспортер с двумя рядами стальных касок, за ним ехала дюжина мотоциклов с пулеметами. Только после этого неумолимого эпиграфа начиналось шествие нескончаемой колонны людей, не имеющих отношения к войне, если не считать желтых звезд на их одеждах. По бокам редкой цепью двигалась охрана с карабинами наперевес. Очевидно, такие же, как и в команде «Заря», русские, а может быть, и украинские хлопцы. Иногда возникали эсэсовцы с собаками. Они орали, очевидно — «Шнель!»; показывали руками: вперед, к цели! Колонна гудела на одной ноте: шум моторов, шарканье подошв, голоса сливались в ровный шмелиный гул. По мере приближения стали выделяться отдельные звуки, прежде всего, детский визг. Боже мой, там и дети! Маленьких несут, тех, что постарше, тянут за руки. Потом прорезался собачий лай.

Митя уже забыл про Гошку. Колонна приближалась. Материализация чего-то самого страшного, того, что постоянно присутствовало, не названное и не узнанное, в его жизни. Теперь выходит из нашего смежного пространства, материализуется. Все ближе и ближе. Старики в зимних пальто. Акушерские баульчики. Сбившиеся пуховые платки. Узелки с пожитками. Фетровые шляпы. Девушки, много девушек, много хорошеньких лиц. Некоторые даже смеются. Одна подмазывает губы. Еврейские мамаши, некоторые еще все хлопочущие, еще старающиеся не растерять своих, другие как будто уже освободившиеся от ежедневных хлопот, как будто вдруг пробудившиеся для какого-то иного смысла жизни. Мужчин среднего возраста мало, они, кажется, все уже понимают, бессилие и мрак лежат на их лицах. Многие курят. Один замахнулся локтем на украинского парнишку, тыкающего ему в спину прикладом. Солдатик отскочил, защелкал затвором. Мужчина сплюнул, прошел. И снова тянется бесконечная масса, евреи Украины, мастеровой народ, женщины, помешанные на своих детях, дети, еще сохранившие остатки капризов, старики, у которых ничего уже не осталось, кроме библейских очертаний лица, то есть апофеоза трагедии, и девушки, дрожащие за свои тела, боящиеся солдатских наглых хуев, но уж никак не свинца, уж никак не ожидающие массовой вповалку смерти. Нет, что-то тут не то. Не может быть, чтобы все так спокойно шли к общей могиле; Гошка, наверное, просто треплется. Там, в Гарнем Яре, должно быть, станция железнодорожная, оттуда их куда-нибудь депортируют, вот и все дела. На кой черт немцам убивать такую массу штатского народу, что у них, на фронте мало дела? Да и вообще, как это: стрелять вот в этих несчастных, милых, да ведь сердце же разорвется у расстрельщика. В детское личико, в пузик? Между Митей и колонной по обочине, таща хвостище пыли, проехал тяжелый мотоцикл с пулеметом на коляске. Три эсэсовца сидели там и разговаривали друг с другом. Иной раз лица их поворачивались к колонне и тогда чуточку морщились от гадливости. Митя вспомнил: такое же выражение было у чекистов, когда ночью пришли за тетей Вероникой. Ну, значит, ясно: заданье будет выполнено.

— Жидочки пархатые... во, потеха, жидков в баньку ведут! — вдруг прорезался прямо за плечом Гошкин голос.

Митя дико глянул на него. Дружок сужал глаза, пытался цинически улыбаться, однако сигарета, приклеенная у него к губе, дрожала, и ствол карабина ходил ходуном.

Митя рванулся в сторону, отбежал к кустам орешника чуть поодаль дороги. Гошка бросился за ним, догнал, налег на плечо:

— Ты не рехнулся, друг?

— Я не могу этого видеть, Гошка! Не выдерживаю! — С яростью швырнул в траву карабин. — Изверги немецкие!

— Молчи, Митяй, заткнись! Раздавят, как муху! — умоляюще налегал Гошка.

Митя резко сел, рухнул в траву, закрыл голову руками. Пилотка с вермахтовской кокардой упала на колени. Плечи дрожали, как при стрельбе из пулемета.

— Митяй, ну, че ты? Кончай! — увещевал Гошка. — Ну, ты ж сам-то не еврей ведь, Митяй, ну че ты так уж-то, а? Ну, тетя Циля у тебя приемная, ну а сам-то ты русак на все сто. Ну, Митяй, война же ж, да? Такая тут политика, ебать ее за пазуху!

Митя вытер пилоткой мокрое лицо, встал. Гошка удивился, как за несколько минут окаменели его черты, даже, кажется, завитки волос окаменели.

— Ну все, хватит с меня! — спокойно сказал Митя.

Поднял карабин, повесил на плечо, зашагал вдоль дороги в одном направлении с колонной. Гошка догнал его, подпрыгнув пару раз, попал в шаг. Вдвоем они производили издали впечатление деловито шагающего по заданию патруля.

— Ты что решил, Митяй?

— Хватит с меня! — повторил Митя. — Я в русскую армию записался, чтобы большевиков бить, а не помогать немцам убивать евреев! Завтра заставят в детей стрелять! Хер вам, сволочи!

— Да куда ж теперь, Митя? — в отчаянии забормотал Гошка. — Куда ж нам теперь податься? Не в лес же чапать, не к партизанам же?

Митя молча кивнул.

— Да ты рехнулся, друг! — вскричал тут Круткин. — Они же ж все на сто процентов красные! Ребята недавно рассказывали, как один из третьей роты к ним сквозанул. Знаешь, что случилось? Они его к тормозу самоходки привязали и рванули. На клочки разнесло парня!

— Все едино, а с этими больше не могу, — сказал Митя, приостановился и положил Гошке руку на плечо. Впервые как равному и близкому. — Ты, Гоша, сам прими свое решение, а я свое уже принял.

Круткин чуть не задохнулся от любви и благодарности:

— Да я... куда ж я без тебя, Митяй... потеряюсь на хуй...

Они зашагали дальше.

— Куда ж мы идем? — осторожно спросил Гошка. — Если к партизанам, то нам надо влево забирать, Митяй. Вон, перелесками к той роще, и там отлежаться до темноты...

— Так и сделаем, — кивнул Митя, — но только перед этим я хочу своими глазами Гарни Яр увидать. Чтобы уж никогда не забыть.

Все ближе и ближе слышался непрерывный стук множества пулеметов. Потом стали доноситься крики. Митя и Гошка уже сильно забрали в сторону от дороги, однако еще видели, как колонна затормозила, люди, очевидно от ужаса, стали метаться, падать в пыль, кричать. Охрана набрасывалась на них, избивала прикладами. Какой-то офицер из кузова грузовика обращался к мечущимся людям с цивильной речью: дескать, господа что-то неправильно поняли.

Митя и Гоша проползли на животах открытый бугор, потом углубились в заросли орешника. Почти час шли, обдираясь, сквозь кусты, ориентируясь по стуку пулеметов. Наконец с крутого склона перед ними открылась часть гигантского оврага. Вдоль дальнего его откоса тянулась вырезанная бульдозерами земляная площадка, куда из нескольких траншей выталкивали голых людей. Мужчины, почти все, прикрывали руками срам, женщины держали груди, дети цеплялись за ноги взрослых. Это было последнее, что все они делали в жизни. Пули резали их всех, и они падали на дно оврага. Дна Митя и Гоша со своей позиции не видели, но можно было легко представить, что там творится.

Временами пулеметчикам давали команду прерваться, и тогда на террасе появлялся обслуживающий персонал, который лопатами, граблями и баграми стаскивал и сбрасывал вниз застрявшие тела. Пулеметчики в это время перекуривали, болтали, переворачивались на спину лицом в безоблачное небо. Пулеметные команды, по два человека в каждой, располагались вдоль ближнего края оврага. Это были солдаты какого-то вспомогательного подразделения SS Waffen, мужики среднего возраста. Ближайший к Мите и Гоше расчет лежал у своей машины метрах в ста пятидесяти вниз по склону. У обоих были широченные плечи и мощные зады. Во время перекуров можно было видеть, как во рту у одного из них, а именно у стрелка, поблескивает коронка. Вот в этого-то и стал Митя целиться из своего карабина.

Мужик работал не за страх, а за совесть. Поворачивал ствол для большего охвата. От одного поворота до другого не менее полутора дюжин людей падали в ров. Иногда мужик чуть опускал ствол, чтоб не забыть и детей. Плечи мужика тряслись, как у исправного трудящегося с отбойным молотком. Вот именно в него, прямо под край каски, целился Митя Сапунов.

— Ой, Митька, чегой-то мы делаем, чегой-то мы делаем! — слюнявясь от ужаса, бормотал Гошка. Между тем так же, как и Митя, целился под каску напарнику.

Митя спустил курок. Голова пулеметчика упала, очень невыразительно, просто тюкнулась лицом вниз, однако ноги еще секунду или другую держались в полнейшем изумлении. Напарник еще успел повернуться на одну четверть, чтобы выразить изумление, однако Гошкин выстрел прервал это вполне естественное движение. Ребята бросились вверх по склону, стараясь как можно быстрее перевалить через бугор и уже не видя, как напротив, через ров, перед заглохшим пулеметом мгновенно стали накапливаться голые люди. Митин малоосмысленный акт отмщения — позднее ему, правда, казалось, что он бормотал: «За мамку Цилю, за деда Наума», — только усилил мучения нескольких десятков людей, продлил их ужас перед разверзшейся бездной, пока соседняя команда, поняв, что что-то случилось с капралом Бауэром, не расширила радиус работы.

Через несколько часов, перебежками от одной рощицы к другой, ребята добрались до сплошного лесного массива. Измученные, они лежали на опушке в густой траве. Вокруг них, в глубинке травы, шла интенсивная и, пожалуй, интересная жизнь: ползали божьи коровки, копошились муравьи, покачивались на стеблях бархатистые гусеницы.

Что касается человеческой активности, то она ограничивалась лишь медленным в пустом небе пролетом страннейшего летательного аппарата «Фокке-вульф-190» — «рамы». Уже начинало смеркаться. Не видно было ни жилья, ни пожарищ, не тронутая цивилизацией земля. «Рама» исчезла за горизонтом, но вскоре вернулась и пошла над лесом.

— Не нас же, в самом деле, ищет эта блядская «рама», — сказал Гошка.

— Может, и нас, — сказал Митя. — Однако, скорее всего, партизан. Они небось думают, что партизаны двух пулеметчиков застрелили. Пойдем, Гошка, надо быстрей от этих мест уходить...

Гошка заныл:

— Куда ж нам идти? Пиздец нам, мальчикам, полный пиздец!

Митя хоть и торопил, не поднимал лица из травы. Как здесь хорошо, в этой траве, в этот час, и ночью, наверное, тут неплохо. Жить бы в этой траве, сократиться до размеров собственного глаза, чтобы спина и жопа не торчали. Он вспомнил, как дернулся под его пулей немецкий расстрельщик, первый убитый им человек. Первый, собственно говоря, в которого целился. Раньше-то стрелял неизвестно куда, просто в какое-то враждебное пространство, а этому гаду прямо под край каски, в мозжечок. Мрак и тоска, он ударил кулаком по земле перед своим носом. Какой-то муравьишка на переломанных ножках выскочил из-под его кулака, закрутился в бессмысленной жажде спасения. Из миллиардов муравьишек именно на этого низверглось нечто убивающее из мирно вечереющей Вселенной. Митя придавил ногтем дрыгающегося муравьишку. Второе убийство за день.

— Давай, Гошка, раздевайся! Если нас партизаны в этой форме встретят, даже и разговаривать не станут. Сразу к стенке!

Они стащили свои мундиры с нашивками РОА на рукавах, пилотки, сапоги, штаны, все связали в узлы и опустили в болото. Оставшись в исподнем — на нем вроде не было никаких немецких меток, — стали углубляться в лес. Легенду сочинили незамысловатую: целый год, мол, в плену, сбежали из бани перед отправкой в Германию...

Три дня и три ночи, а потом и неделю, если не целый месяц, Митя и Гошка пробирались по лесу, не встретив ни души. Лишь однажды неподалеку, светя фонариками и перекликаясь немецкими ругательствами, прошла облава. Возможно, как раз по их души. Отсиделись тогда в болоте, временами, при приближении фонариков, набирали воздуха и погружались с головой в пахучую жижу. Дальше топали уже в полном болотном камуфляже. «Болотные солдаты», — хихикал Гошка, вспомнив довоенный фильм. Теперь уже пошла одна лишь природа. Шмыгали вокруг какие-то зверьки, ночью казалось, что чьи-то глаза внимательно за тобой наблюдают. Разумеется, волчьи глаза, спокойные волчьи глаза. Гошка пытался поймать какую-то птицу, чтобы сожрать. Ничего не получалось. Херовые мы с тобой плоды эволюции, шутил Митя. Он же шутил по поводу обезьяньего происхождения. Вообще почему-то много шутили. Райская жизнь в принципе, если бы не голод, не распухшие ноги, не расцарапанные бока. Дни стояли жаркие, от прогретых сосен исходили звуки и запахи детства. Как будто в пионерском лагере где-нибудь на Истре, как будто в индейцев играем. И ночи были благостные, свежий бриз волнами, как по заказу, охлаждал тела беглецов. Жрали все, что кое-как хоть можно было сжевать, — ягоды, грибы, траву, зеленые орехи, молодую кору. Мучились поносами. Иной раз, с опушки, пощелкивая зубами, смотрели на отдаленные деревеньки. Жалкие их косые крыши горбились, как свежие краюхи хлеба. В животах начинались конвульсии. Спуститься, милостыню попросить, украсть чего-нибудь, ограбить... А вдруг там полиция стоит или немцы, чего доброго? Призывного возраста парнишек ничего хорошего там не ждет. Поймают, не отбрешешься. Шли дальше. Куда, неизвестно. Может, кружили на одном месте. Гошка однажды прямо-таки возопил: «Митька, ебать мои глаза, мы ж тут точно были! Вишь, вон «рама» летит!»

Они вышли на обширную поляну, и над ней в этот момент и впрямь пролетел зловещий разведчик — «рама». Митя дал другу под зад коленкой, хохотнул: «По «раме» ориентируешься, шибздо?» — однако понял, что у Гошки от голода уже ум за разум заходит. Все меньше их побег стал походить на пионерские приключения. Это же надо какой лес произрастает на земле социализма, что ни конца ему, ни края, и никаких признаков человека. Черт нас водит, Митяй, обратно в болото утянет, только уж головой вниз. Молчи, шибздо, или ты не мужчина? Какой уж я тебе мужчина? Вот такой лес как раз для партизан — хер их тут найдешь! А где они, твои партизаны хвалепыс-ебаные, сучье племя? Кому угодно сейчас в плен бы сдался за миску каши. Пусть расстреливают на хуй, только не натощак...

Вдруг, чудо из чудес, выбрались из кошмарной чащи на какую-то еле заметную тропинку. Куда идти, налево или направо? Давай налево, все равно ж куда, налево или направо, а если упремся, направо пошкандыбаем. А если и там упремся, тогда разойдемся в разные стороны, потому что я морды твоей больше видеть не могу. Взаимно. Тропинка временами совсем исчезала в сучьях и папоротниках, потом все же настойчиво возобновлялась. Вдруг вывела на маленькую проплешину с песчаным метра в три обрывом земли, из которого свисали длинные, как ведьмины косы, корни. Там, под обрывом, етиттвоюмовсестороны, замечались остатки чего-то построенного: раскиданные доски, две-три обгорелые печурки, даже осколки стекла вспыхивали под внимательными солнечными лучами. Из рваной ямы выскочил крупный зверь, то ли волк, то ли росомаха, то ли просто шурале, гневно ощерился на кусты, в которых прятались ребята, махнул в сторону. Яма-то, Митяй, похожа на воронку. Тут, похоже, бомбили недавно, вон еще угли тлеют. Да, тут, возможно, «рама» прогулялась, сбросила пару-другую бомбочек. А может, из минометов обстреляли. А может, и то, и другое. Тут, похоже, живых нет никого. Да и мертвых не видать. Как это не видать, а это кто перед тобой, вон, сапоги торчат и рука обглоданная? Похоже, что базу тут какую-то накрыли, никого в живых не осталось. Мить, да тут наверняка хоть какая-то жратва осталась! Осторожно, Гошка, взорвешься!

Гошка не слушал, уже гнал через кусты к разрушенным землянкам. Митя тоже побежал за ним. Мерещилась пачка гнусных галет, ничего лучшего не мог придумать; хоть бы пачку галет накнокать, размочить, нахлебаться хлебной жижи... Оружия вокруг валялось до фига, советские и немецкие автоматы, гранаты, штыки, а вот галет не замечалось. Даже посуды до хера, плошки, кастрюльки, значит, жрали здесь, гады, вон ложки пораскиданы, а вот жратвы никакой; неужели все схавали перед тем, как погибнуть? Вдруг до Митиных ноздрей долетел умопомрачительный запах жареного мяса. Выскочил из развалин. Перед ним мирная картина: Гошка на угольках жарит кусман, здоровенный, кило на полтора, кусманище, да еще и с жирком. «Лошадь там валялась, Митяй! — радостно хихикал малый, махал руками в лес, в неопределенном направлении. — Совсем не гнилая еще лошадь. Нашел штык, ну, выкроил нам на бифштексы. Эх, Митяй, так жить можно! Соли бы еще, сольцы бы!» Соли в руинах не нашлось, да и не искали, так жрать хотелось. Зато рядом с костерком салфетка лежала, кусок бязевой ткани с рваными краями, с ромбовидным штампом «хозчасть Д-5АХУ-1». Жрали упоенно, рвали зубами это съедобное, заглатывали, давились, молча хохотали. С каждым куском жеребятины вливались силы и оптимизм в жилы молодых москвичей. А это что за тряпка, шибздо? А черт ее знает, какая-то тряпка валялась. Смотри, печать бельевая, советская. А какая же еще может быть, Митя? Ясно, советская! Мы ж тут все советские, ха-ха-ха, ха-ха-ха, все вокруг советское...

Лишь пожрав, ребята стали замечать вокруг себя гадкий запах. Убитые, их оказалось тут не меньше десятка, начали уже подванивать. Это естественно, сказал Митя. Очень естественно, согласился Гошка. Стали рыскать вокруг, чем бы еще поживиться. Нашли, например, обломки рации, немецкий мотоцикл. Оружия не брали. Ну его на хуй! Увидят с оружием, сразу убьют, только потом фамилию будут спрашивать. Взяли пару советских шинелек. Немецкие там тоже валялись, но их не тронули по понятным соображениям. Будет чем теперь укрыться ночью в джунглях. Митя стащил с чьих-то торчащих из-под куста ног кирзовые сапоги себе впору. Пока стаскивал, выпросталась бязевая кальсонная ткань с таким же, как на той тряпке, штампом: «хозчасть Д-5АХУ-1». Старался не заглядывать под куст, однако, как назло, бросился в глаза странный недостаток левой ягодицы. Вдруг с выпученными глазами выскочил из ямы Гошка Круткин. Целый ящик фронтовых галет нашел, дрезденского производства. Если бы он их раньше нашел, почему-то подумал Митя. Распотрошили ящик, стали запихивать в рот галеты. Блаженство все же ж! Доброе хлебное месиво во рту заглушало вкус того съедобного, что пожрали. Пошли дальше, жуя галеты. Ящик несли по очереди. Надо же ж идти, что ж делать, не сидеть же ж там среди покойников, совсем там на хер одичаешь.

В белесоватом знойном небе опять появилась «рама». Летела очень медленно, высматривала, мотора не было слышно, ни дать ни взять одушевленное существо. Митя вдруг вспомнил, как там, по периферии, прополз беленький толстенный червячок. Тут его стало профузно выворачивать. Швырнул картонный ящик Гошке в спину. «Гад, гад, ты чего мне подсунул?! Ты мне какую жопу подсунул, ублюдок метростроевский, шибздо говенное!» Удар по белесой башке, удар по лопаткам, под ребра! Сука позорная, в говно тащишь! Вдруг увидел летящий в лицо булыжничком Гошкин кулак. Как будто под лошадиное копыто челюсть попала, под несуществующее копыто несуществующей лошади. Митя рухнул в сучья, в папоротники. Хоть бы уж конец всему! Однако Круткин подскочил со сжатыми кулаками. «Ты, падло, вместе был, вместе делал, блядь, срака! Зачистился у профессоров, кулацкая шкура! Антиллигенция! Ненавижу тебя, козел вонючий! Сам ты шибздо, сам!» Молотит ногами под бока, а чуть голову поднимешь, сразу в челюсть лошадиным копытом. Собрав все силы, Митя вдруг выплеснулся сапогами вперед. Круткин рухнул и был тут же подмят наступающей массой. Теперь сплелись в грекоримских объятьях, катались до изнеможения, выворачивали друг дружке суставы, ослеплялись бешенством. Круткин блевал прямо в лицо. Вдруг ослабел, захихикал. «Ой, Митька, как мы с тобой «риголетто» сыграли! Во, цирк!..»

В конечном счете, в полной гнуси и изнеможении отвалились друг от друга и захрапели пузырями. И стрекозы детства повисли над ними, неслышно трепеща и поблескивая в проникающих сквозь лесную мешковину солнечных лучах. Иной раз в этих искорках просвечивали миниатюрные спектры, то есть все многообразие земных красок. Через несколько часов двух спящих страшных юнцов обнаружили разведчики из партизанского соединения «Днепр».

Глава тринадцатая
Сентиментальное направление

К осени 1943 года в Москве стали сбивать доски с памятников: линия фронта отдалилась на безопасное расстояние. Печальный гоголевский нос вновь повис над бывшим Пречистенским бульваром. В данный военный момент ему ничего ни с неба, ни с земли не угрожало. Так и простоит монумент в полной безопасности до 1951 года, пока Сталин вдруг не фыркнет с отвращением в его адрес: «Что за противный антисоветский нос у этого писателя!» — после чего его немедленно сволокут с пьедестала и упрячут в кутузку, где его нос пропылится в постоянных мечтах о побеге и в муках раскаяния до пятьдесят девятого, то есть до времени возрождения. Вынутый же из кутузки, реабилитированный памятник с удивлением вдруг обнаружит, что его место занято плечистой, чрезвычайно мужественной фигурой, то есть воплощенной мечтой своей юности, тем самым Носом, что так самоуверенно разгуливал по Невскому проспекту 1839 года в короткие дни своего бегства.

Пока что обыватели Гоголевского бульвара с восторгом увидели вылезшего из досок своего любимого мизантропа и возобновили свои привычные вокруг него прогулки и сидения у пьедестала. С неменьшим удовольствием останавливались здесь и проезжие, в частности, возвращающийся из госпиталя на фронт полковник Вуйнович.

Вадим курил уже третью папиросу, одну за другой, жадно, как все фронтовики, наслаждаясь каждой минутой мира, глядя на барельеф с персонажами, хороводом идущими по цоколю, на всех этих Чичиковых и Коробочек. Осень в Москве всегда была для него картиной какого-то особенно сильного притяжения: памятники, трамваи под облетающими деревьями бульвара, центр российской цивилизации, иллюзия нормальности.

Он был ранен в самом начале Курского сражения. Его артиллерийский дивизион был выдвинут на передовую для отражения атаки «тигров». Им удалось поджечь десяток могучих машин, однако другие, маневрируя на полной скорости и изрыгая страшный огонь, смогли прорвать линию обороны и уйти в наш тыл. Это, впрочем, не особенно волновало Вуйновича: несмотря на большие потери, ему удалось сохранить порядки своего дивизиона, а о прорвавшихся должны были позаботиться танкисты полковника Чердака, о чем свидетельствовала хрипящая под ухом Вадима телефонная трубка. Чердак, его частый и очень «свойский» собутыльник — не далее как третьего дня усидели под преферанс литровку ректификата, — теперь, сидя в командирском танке, выдавал свой излюбленный текст: «Ни хуя, Вадеха, не бздимо! Сейчас я их, блядей сраных, первозданной калошей прихлопну! Пока!» С этими словами он закрыл люк танка и повел бригаду на перехват «тигров».

Между тем на холмы перед позициями Вадима, давя остатки деревушки, выходили шесть чудовищ, многотонные «фердинанды», гигантские самоходные пушки компании «Порше», новая надежда Гитлера. В этот момент Вадим, охваченный возбуждением боя и ободренный залихватской матерщиной Чердака, принял неожиданнос решение. Идем к ним навстречу, выкатывайте все семидесятипятимиллиметровки, потащим их на руках! Расположившиеся на холмах «фердинанды» начали интенсивный обстрел тыла, обеспечивая этим огневой зонт для прорвавшихся «тигров». Пушкари Вадима, то один расчет, то другой, останавливались, вели прицельный огонь, однако снаряды пока что просто разбивались о 200-миллиметровую головную броню.

Ближе! Ближе! Пушки перетаскивались через мелководную речушку. Вадим тем временем внимательно наблюдал в бинокль за работой «фердинандов». Промелькнувшее недавно в разведсводках сообщение подтверждалось: на гигантах не было пулеметов! Итак, переносим огонь на сопровождение, сами продолжаем продвигаться вперед, вплотную к ним! Готовить ручные гранаты, автоматы и пистолеты!

Рота десантников Второго панцерного корпуса, очевидно, эсэсовцы дивизии «Мертвая голова», лежала вокруг «фердинандов». Экипировка у них была превосходная, имелись даже минометы, из которых они обстреливали надвигавшуюся таким необычным способом артиллерию русских. Атака артиллерии, чего только не придумают проклятые «унтерменши»!

Пушки Вуйновича больше уже не стреляли по неуязвимым грудям «фердинандов», зато активно истребляли роту сопровождения. Выхватив пистолет, Вадим махнул своим ребятам и побежал через картофельное поле прямо к приблизившимся желтовато-зеленоватым громадам. Стрелять в смотровые щели, поджигать бензобаки, забрасывать гранатами! В этот момент кто-то, очевидно отставной козы барабанщик, хватил его поперек живота свинцовым шлангом.

Завершение боя прошло в его отсутствие, он не видел, как артиллеристы, тщательно выполняя приказ своего поверженного командира, выводили из строя новое, злополучное чудо-оружие врага. Вадим тем временем — если еще можно было говорить о времени, говоря о Вадиме, — пребывал в смежных пространствах, то барахтаясь, словно утопающая козявка перед гигантскими накатами красного вперемежку с лиловым, то разрастаясь до полного охвата всего красного и лилового, пучась до самой грани окончательного взрыва.

Ни утопления, ни взрыва все-таки не произошло, а вместо этого вдруг в проеме небесного с белым мелькнуло веселое лицо молодого врача — назовем его Давид, — который сказал: «Ну, полковник, пиши жене, чтобы свечку в церкви поставила!» Вадим хотел было возразить, что у него жена мусульманка, но не успел, укатил опять в какие-то смежные, но теперь уже не столь грозные, не столь демонические пространства, в какой-то край, довольно близкий и его собственной пропавшей молодости, где почему-то постоянно звучал голос Александра Блока: «Ветер принес издалека Песни весенней намек... Ветер принес издалека Песни весенней намек... Ветер принес...»

Короче говоря, он был спасен искусством хирургов и чудодейственным заморским лекарством по имени «пенициллин», первая партия которого только что поступила в армейские госпитали. Невероятная атака пушек на броню вызвала много толков. За храбрость и инициативу он был представлен к ордену Ленина. Командующий Резервным фронтом генерал-полковник Н.Б.Градов, проверяя списки, переменил представление с «Ленина» на Героя Советского Союза. Он же предложил присвоить Вуйновичу воинское звание генерал-майора, однако в Москве, где-то в верховных канцеляриях, кто-то сильно тормознул без пяти минут героя и генерала. Так или иначе, он, вчерашний «враг народа», неразличимая частичка «лагерной пыли», все-таки стал кавалером высшего ордена страны.

Фронтовые врачи кроме возможности получить эту награду оказали ему еще одну неоценимую услугу — отправили долечиваться в Самарканд, где жила его жена Гулия с детьми. Два месяца в тыловом госпитале оказались сущим блаженством. Во-первых, вдруг ни с того ни с сего восстановилась семья. Во-вторых, и опять совершенно неожиданно, исчезла постоянная тяжесть, всегда у Вадима связанная с семьей, возникли какие-то новые отношения.

Гулие, когда он женился на ней, было всего восемнадцать лет. Ошеломляющая восточной красотой, девица происходила из семьи местного партработника, феодала советской формации. Была дика, нагла и ленива. Лень роднила ее с покорными женщинами гаремов, сходство, однако, на этом и заканчивалось. Напичканная партийными стереотипами, деваха старалась постоянно доминировать над своим задумчивым мужем, устраивала ему скандалы по дурацким поводам и даже нередко бросалась с пощечинами.

И вдруг является в госпиталь вместо прежней фурии молодая сдержанная женщина с гладкой прической, в скромненьком костюмчике, даже и не такая чудовищно красивая, как прежде, а просто миловидная Гулия. Оказалось, что за эти годы, после ареста мужа, окончила заочно филологический факультет пединститута, учительствует, прочла массу книг. Вдруг — падает всем лицом в госпитальное одеяло, начинает рыдать: прости меня, Вадим, прости! Выясняется, предала мужа публично, выступала на собраниях, сыновьям запретила упоминать отца. «Ах, Гулия, не нужно, дорогая, так убиваться! Не ты первая, не ты последняя!» — «Ах, Вадим, я знаю, что ты меня не любишь, ты любишь другую, но ты хоть прости меня, ведь я мать твоих сыновей!» Занятия литературой явно пошли на пользу, отмечалась склонность к прямому сентиментальному направлению.

Мальчишки были счастливы вдруг заполучить геройского русского папу. Вспоминая раннее детство, они то и дело повисали на его плечах, причиняя боль в сильно порезанном теле. Вадим, однако, наслаждался этой возней. Когда ему разрешили выходить, мальчишки после школы стали прибегать прямо к госпиталю, и он провожал их домой, хромая, как древний властитель этих мест: отставной козы барабанщик на Курской дуге разворотил ему не только живот, но и правую ногу в бедре. Они шли мимо мечети Биби-Ханым, через раскаленную под солнцем площадь Регистана к окраине, где уже виднелись меж крыш щедрые, будто крытые ковром, холмы Зеравшанской долины. Повсюду пирамидами громоздились арбузы и дыни, свисал из-за заборов сладчайший виноград. Мука хоть и нормировалась, но горячие ломкие чуреки роскошью здесь не считались. Восток, хоть и советизированный, присутствовал повсюду, посреди жестокой истории вдруг проявлял чувство какого-то необъяснимого братства, ощущение огромной семьи.

Оставаясь с мужем наедине, Гулия плакала: «Все равно ты меня не любишь. Ты любишь Веронику Александровну Градову!» Вадим молча ее целовал. В темноте уста Гулии раскрывались, как тюльпан.

Что касается Вероники Александровны Градовой, то Гулия, пожалуй, была уже не права. Навязчивый образ этой женщины за годы разлуки был основательно отодвинут более свежими впечатлениями: двадцатью двумя методами активного следствия, прокладкой железной дороги в Норильском крае, железной игрой с «фердинандами» ну и, наконец, увлекательными запредельными путешествиями. Правда, он написал ей письмо, дружеское, энергичное письмо, с хорошим мужским юморком, с непременным, как сейчас вокруг говорили, тонким намеком на толстые обстоятельства: дескать, если в мирное время судьба нас не свела, то во время войны все возможно. К счастью, не отослал пошлейшее письмишко. Да и куда отсылать? Московский адрес неизвестен. Не в штаб же фронта посылать, «командующему для его супруги», в самом деле. Можно было, конечно, послать в Серебряный Бор, однако эту возможность Вадим как-то сразу глубоко задвинул, сделал вид, что она ему в голову никогда не приходила. Короче говоря, самаркандское письмо присоединилось к рассеянной коллекции неотосланных писем, собрав которую какой-нибудь исследователь смог бы написать интересную работу о мечтательности старшего комсостава РККА.

В Самарканде полковник Вуйнович очень быстро пошел на поправку. Даже не понадобилась повторная операция в полости живота. Вскоре и нога полностью восстановилась, хоть опять бросайся с пистолетиком на танки Третьего рейха. Следует сказать, что к сорока трем годам Вадим, как и его высокопоставленный друг, достиг пика мужественности, только, в отличие от Никиты с его сухопаростью и сутулостью, он еще представлял собой и идеал мужской красоты: седые виски, прямые плечи, походка, олицетворявшая все стати российской гвардии. Женщины тыла, едва лишь он оказывался в поле зрения, мгновенно отлетали от своей жалкой реальности, глотали воздух и потом еще долго и нежно вздыхали.

Вот и сейчас, пока он сидел под памятником Гоголю, выставив колено и держа на колене свой планшет, пробегающие по бульвару студентки спотыкались, переходили на шаг, будто ожидая, что красавец полковник их окликнет, и удалялись медленно, перешептываясь, хихикая и оглядываясь. Между тем полковник держал на планшете треугольное письмишко и обводил адрес чернильным карандашом: «Москва, Ордынка, 8, кв. 18, Стрепетовым». Письмо было свернуто в треугольник, поскольку конверты исчезли из природы, и выглядело оно, как заурядное послание, что миллионами летели с фронта и обратно, однако принадлежало оно совсем другой эпохе. Именно это письмо летом 1938 года было брошено к ногам Никиты Градова из проходящего тюремного вагона. Читателю, забывшему те отдаленные обстоятельства, следует взять первый том нашей саги и вернуться к пьяному и мрачному разговору двух командиров, в конце которого Никита попросил Вадима доставить письмо в Москву. Перед Москвой, однако, Вадим еще успел заехать домой, на афганскую границу, где его и взяли прямо в расположении полка. И вот сейчас, в Самарканде, разбирая старые фотографии в альбомах Гулии, натолкнулся на тот тюремный треугольник: Ордынка, 8, кв. 18, Стрепетовым. Письму этому было уже шесть лет. Хоть он и тогда жаждал выполнить поручение незнакомого зека, потому что ненавидел Сталина и «всю эту бражку», только сейчас, после всего, что самому пришлось пережить, он понял уже без всяких боковых, политических эмоций, что значило это письмо для того человека.

В этот осенний день, наедине с самим собой, хоть и в присутствии Гоголя, Вадим наконец решил незамедлительно отправиться в Замоскворечье и доставить весть. Иначе опять затеряется и забудется, и только останется неясное чувство вины, о котором и сам не сможешь сказать — откуда оно?

Он прошел по бульвару до метро «Дворец Советов», перешел на Волхонку и двинулся по ее правой стороне к центру, любуясь крышей и колоннадой Музея изящных искусств. Почти повсюду вдоль тротуаров тянулись очереди за едой по карточкам. Народ стоял плотно, стабильно, бабушки приносили с собой стулья, ящики, устраивались удобно, с вязанием. Присутствовал, разумеется, и неизменный сочлен любой солидной московской очереди, какой-нибудь академический старичок с толстенным томом классического чтения. Проходя мимо очередей, Вадим неизменно думал: сколько же вам еще терпеть, родные? Сколько горя мы вам принесли своими идеями, своим оружием! И вот сейчас приближается победа, мы уцелели как нация, но опять как нация рабов, черт побери! И, как всегда, проклятый «таракан» не оставляет нам ничего, кроме очередного тупика. Ведь не поднимешь же восстание после такой войны! И кто за тобой пойдет, когда все лавры победы будут возложены на самого гнусного, самого преступного! Грязное кощунство внедряется повсеместно: «За Родину, за Сталина!» И теперь он сидит как равный, да что как равный — как главный среди лидеров демократических стран! Это же дьявольское наваждение!

Между тем настроение в московских очередях осенью сорок третьего было совсем не безнадежное, пожалуй, даже несколько приподнятое. Впервые за два года карточки стали всерьез отовариваться: нередко давали крупу, подсолнечное масло, иногда даже американскую свиную тушенку и яичный порошок. По детским талонам иной раз отпускали питательную жидкость «суфле». Вообще стало как-то светлее. Вместо светомаскировки каждую неделю ошеломляюще прекрасные салюты в небе Москвы! В лицах молодых жёнщин прибавилось мечтательности. Мужчины хоть и продолжали калечиться, однако все-таки — или даже благодаря этому — стали чаще появляться в обществе. Вот вам пример: незаменимый инвалид Андрюша из Сивцева Вражка. Незаменимо исполняет на трофейном аккордеоне вальс-бостон «Тучи в голубом». И поет совершенно незаменимым голосом, просто Марк Бернес. Вся очередь заслушалась, а волхонские девчонки уже и танцуют на тротуаре — шерочка с машерочкой. Девочки, гляньте, какой офицер идет! Ой, я умру, просто ведь незаменимый какой-то мужчина!

— Здравия желаем, товарищ полковник!

— Здравствуйте, девушки! — улыбнулся Вадим.

— А как насчет потанцевать с нами по-быстрому? — спросила одна, самая смышленая.

— Да я из госпиталя! — засмеялся он.

— Не тушуйся, полковник! — заорал инвалид Андрюша. — Танцуй, гуляй, война все спишет!

Вадим, ха-ха, вдруг подхватил смышленую и провальсировал. «Тучи в голубом напоминают тот дом и море...» Девчонка, в полном бесстыдстве от такого счастья, склонила ему головенку на орденоносную грудь. Вокруг народ смеялся и аплодировал.

— А ты кому ногу подарил, гармонист? — спросил Вадим. — Гудериану или Манштейну?

— В Керчи высаживался, гвардии полковник, — подмигнул ему как своему Андрюша. — Там и сбросил свою клешню для удобрения отечества.

Не без сожаления Вадим оставил девчонок и направился было дальше, когда вдруг услышал громко произнесенное свое имя: «Вадим Вуйнович?! Неужели? Не может быть!» Еще не успев обернуться на этот голос, он испытал какое-то мгновенное, острейшее чувство полнейшего, до мелочей, осознания этого осеннего дня, как дня своей жизни, где все относится к нему и сам он является частью всего — прохладный, пахнущий уже снежком ветерок с Москвы-реки, томное рявканье аккордеона, девчонки с разлетающимися волосами, высокий полковник, — и понял, что сейчас произойдет событие, более важное, чем вся мировая война, и что треугольное письмо опять не будет доставлено.

Он обернулся. Вдоль противоположного тротуара медленно, словно в замедленном кино, двигался еще один трофейный аккордеон, то бишь легковой лимузин марки «Мерседес». Каменная будка шофера враждебно повернута к нему. Коробится погон младшего лейтенанта. За шофером два темных провала автомобильных окон. «Стой!» — кричит тот же голос. Теперь это уже адресовано не ему, а шоферу. Кадр на мгновение застывает, потом с задних подушек в распахнувшуюся дверь является длинная нога в шелковом чулке, охваченная снизу сложными кожаными переплетениями туфли. Нога чуть-чуть медлительнее, чем весь предложенный ритм исторического события, зато потом темный проем автомобильной двери едва ли не взрывается мгновенным, дерзейшим и ярчайшим выбросом красавицы. Среди московского убожества это и на самом деле выглядит как кинематографический прием: контрастный монтаж. Красавица, в твидовом труакаре, с мехом на плечах, бежит через улицу как воплощение целлулоидной мечты, все лучшие качества Любови Орловой и Дины Дурбин трепещут и увеличиваются по мере приближения. «Вадим!» Еще шаг ближе, еще шаг, теперь уже видно, что девушка немолода. «Вадим!» Но как она прекрасна, моя любовь! Она протягивает руки. Он протягивает руки. Их пальцы соприкасаются. Щека к щеке, дружеский поцелуй. Кино кончается, начинается ошеломляющая жизнь.

— Я знала, что мы еще с тобой встретимся!

— Я был уверен, что встречу тебя сегодня!

— Сегодня?

— Да, сегодня!

— Да как же ты мог быть уверен, что встретишь меня сегодня?!

— Сам не знаю, но был уверен, что встречу тебя сегодня!

Впервые в жизни они говорили на «ты». Она хохотала, в углу рта среди жемчужин крошечным грибком поблескивала золотая шляпка. Она повисла у него на руке. Ну, пойдем же, пойдем! Да куда же? Да куда угодно, черт, пойдем к реке, мне надо отдышаться!

Шофер Шевчук, которому приказано было ждать, вылез из лимузина размять ожесточенные ноги. Мрачно приблизился к очереди. Бабушки заинтересовались — что ж это за краля?

— Маршала Градова законная супруга. Ее превосходительство Вероника, — ответил Шевчук с привычной блатной ухмылочкой и молча показал инвалиду кулак с оттянутыми в стороны мизинцем и большим пальцем, то есть приглашение выпить. На кой хер, спрашивается, надо было перетягивать с Севера в столицу, если всякий полковник для нее уже и «Вадим», и вообще такая, бля, самодеятельность?!

...Ветер, проходя по темной поверхности Москвы-реки, чеканил мгновенные пласты мелких волнишек. Из-за реки смотрел на них с фасада Дом-Правки огромный портрет Сталина. Вероника впервые прикасалась к Вадиму бедрами, губы ее тянулись к его уху, шептали:

— Вы взяты в плен, полковник! Шаг в сторону, расстрел на месте!

Все эти несколько дней в Москве он бродил по Арбату. Ему казалось, что именно в арбатских переулках должна была сейчас жить Вероника. Воображение рисовало ее фигуру с разлетающейся гривой волос где-нибудь возле Вахтанговского театра или на Бульварном кольце. Квартира Градовых должна была помещаться в модерном доме начала века, то есть поближе к истокам всего этого вадимовского, иронически говоря, небольшого, то есть длиною в жизнь, платонического, опять же в ироническом смысле, романа. Оказалось, что Градовы теперь переместились в самый торжественный центр столицы, в торжественный дом с мраморным цоколем и с фигурами трудящихся на крыше. Из окон маршальского кабинета, если подойти вплотную, можно было увидеть кремлевскую стену с двумя Арсенальными башнями. Портрет маршала в шинели внакидку, еще с генеральскими погонами, украшал книжные полки. Снимок, очевидно, был сделан каким-нибудь знаменитым фронтовым фотографом, вроде Бальтерманца, в тот момент, когда военачальник со своего командного пункта наблюдал за перемещением войск. Лицо, с сощуренными глазами, с резкими вертикальными морщинами на щеках, не выражало ничего, кроме боевой сосредоточенности.

Вадим, конечно, давно уже знал, что Никита и Вероника отдалились друг от друга. Еще в самом начале, когда он только прибыл из лагеря в действующую армию, Никита однажды все-таки пригласил его в свой блиндаж на ужин. Они здорово выпили и говорили на разные темы, но всякий раз, как разговор приближался к Веронике, Никита резко, почти демонстративно, менял направление. Некоторое время спустя в штабе появилась славненькая молодуха, Таська Пыжикова. Командующий никогда не делал секрета из своего походно-полевого амура, а напротив, как будто благоволил к тем, кто называл Таську хозяйкой.

Разговорчики обо всех этих делах «наверху», естественно, доходили и до артиллерийского дивизиона. Народ в окопах любил посплетничать о постельных шашнях. Хоть и постельными-то их можно было назвать с большой относительностью — все-таки хоть на короткий срок отвлекали от кошмарного дела «уничтожения живой силы и техники».

Вадима почему-то задевало присутствие в штабе этой «мечты солдата», Таисии Пыжиковой. Со мной такого бы не случилось, думал он. Если бы тогда, еще в двадцатые, я был бы решительнее и увел Веронику от Никитки, она никогда не попала бы в такое двусмысленное положение. Я никогда бы ее не унизил. Что бы ни случилось, я бы все понял и простил. Их романтика расползлась по швам, что и требовалось доказать. У нас это было бы иначе. Пестуя всю жизнь в отдалении свой образ идеальной любви, он уже забыл, какие эмоции когда-то возбуждала в нем живая и горячая Вероника, в каких его онанистических сценах царила эта звезда.

И вот теперь они одни, и Никиты с ней больше нет, а портрет на полке — это всего лишь произведение фотографического искусства. Она наполнила большие фужеры прозаичной и темной, под стать дубовым панелям кабинета, жидкостью. Коньяк. Настоящий коньяк «Ереван»!

— Ну, за встречу! Bottoms up, dear comrade-in-arms!

— Почему же по-английски? — улыбнулся он.

Она пробежала по ковру и повернула ключ в дверях кабинета, хохотнула через плечо:

— А я учу! Для общения с союзниками!

Далее пошло все столь естественно, что даже напрашивалось слово «банально». Оно, впрочем, было отогнано первыми же тактами коньячной увертюры. Он стал расстегивать ее кофточку. Она ему помогала, поднимая руки, поворачивалась спиной.

Бюстгальтерные крючки оказались слишком сложными для него, пальцы благоговейно дрожали. Смешки слетали с ее потрескавшихся губ, когда она высвобождала свои груди. Увидев живыми два розовых этих существа, нежнейших дюгоней, о которых столько мечталось, он упал перед ней на колени и утонул лицом ей в межножье. Она дрожала, путала пальцами его волосы, потом стала поднимать свои юбки, стаскивать вниз нечто фантастически шелковистое, окаймленное кружевной афродитовой пеной. Далее, увы, последовала нелепость. Вадим вдруг сообразил, что и ему следует раздеться: не подступаться же к божеству в суконном мундире, в шевиотовых, основательно залоснившихся уже галифе. Он начал стаскивать сапоги. Проклятые хромы были тесноваты в лодыжках, не поддавались. Яростно дергая сапог за носок и каблук, он прыгал на одной ноге. Она, обнаженная, ждала, сидела в углу, стараясь не смотреть на своего киплинговенского героя, но все-таки иногда бросая на него несколько обескураженные взгляды. Один сапог наконец слетел с ноги, по счастью, вместе с носком. Второй носок удержался, но романтики отнюдь не прибавил, если учитывать, что в багаже полковника было всего две пары носков. Вадим начал стаскивать галифе, но вспомнил, что под ними отнюдь не вдохновляющие и слегка уже зажелтевшие спереди кальсоны с завязками. Похолодев, в отчаянии стал стягивать галифе вместе с кальсонами. Словом, после этих неуклюжих, едва ли не постыдных минут, только лишь коньяк мог бы их вернуть к прежнему волшебному головокружению, однако и подойти к бутылке в таком виде было бы не просто неловко, а постыдно, и, как бы желая показать, что он все так же горяч, все так же пленен страстью, он бросился к ней, начал хватать, закидывать ей голову, впиваться губами в кожу, и все почему-то получалось совсем неестественно.

Как он неправильно себя ведет, думала Вероника. Мог бы просто выебать с ходу, как они говорят, по-офицерски, то есть именно так, как всегда и рисовалось в воображении: я одна в полусумраке, входит Вадим, спокойно расстегивает пояс... Ну, а если уж начинаешь с нежностей, не надо сейчас так бросаться, надо так и продолжать, медленно, до бесконечности тянуть, до полного изнеможения... «О, как мучительно тобою счастлив я...» Кажется, и я себя неправильно веду: не зашторила окна, почему-то не решаюсь взять все в свои руки. В рот, наконец...

Потом они долго лежали молча. На кожаном диване было тесновато, нога Вадима свисала на пол. Вероника тихо провела ладонью по его шрамам на животе.

— У тебя была страшная рана, — проговорила она.

— Вытащили почти из преисподней, — сказал он, начал было рассказывать о своей ране, но осекся: это могло прозвучать, как оправдание его неловкости.

— Милый мой, — прошептала она.

Губы ее стали нежно бродить по его лицу. Глаза у него увлажнились. Она все понимает, настоящая женщина, не девушка. Кажется, что-то снова приближается. «Священный огонь», как выражались беспутные классики романтизма, и тогда это уже будет по-настоящему, но тут она вдруг быстренько перебралась через него и пробежала по ковру, собирая разбросанные вещи. Не успел он и опомниться, как она уже сидела почти одетая на краешке стола рядом с бутылкой коньяку.

— Одевайся, Вадим! Скоро придут дети!

Пока он влезал обратно в свои шевиоты, сукно и хром, она махнула одним глотком — bottoms up! — полфужера коньяку и закурила американскую сигарету «Честерфилд» из щедрого маршальского пайка.

— Между прочим, Вадим, — заговорила она со светской оживленностью, — ты знаешь, мне завтра стукнет сорок. Ты можешь себе представить? Я не могу!

Он поднял свой фужер:

— Ты еще долго будешь молодой, Вероника!

— Ты так думаешь? — с исключительной заинтересованностью спросила она.

Тоска высасывала из него всю душу и тут же занимала ее место. Растерянная душа все-таки пласталась под потолком, будто флаги антигитлеровской коалиции.

— Где сейчас твоя семья? — спросила Вероника. — Что Гулия?

Кажется, я ни разу не называл ей имя моей жены, подумал он и стал рассказывать, как Гулия после его ареста жила в Ташкенте два года с другом ее отца, местным партийным баем, и уже собиралась оформить развод с «врагом народа», а потом вдруг что-то в ней произошло, какой-то, веришь не веришь, нравственный перелом, она бросила бая и переехала в Самарканд на скромную учительскую должность. Вот там они и встретились. Командование известило ее, что муж лежит в местном госпитале.

— Вы хорошо встретились? — спросила Вероника.

Он замялся:

— Да... знаешь ли... я все простил... да, собственно говоря, что прощать? ...У меня сейчас как-то... знаешь ли, Вероника... перевернулась, перепуталась вся шкала ценностей...

Она кивнула:

— Это война. Она нас всех перевернула, даже больше, чем лагеря... Вот. А знаешь ли, Вадим, мы с Никитой нехорошо встретились...

— Я знаю, — сказал он.

— Откуда?! — вскричала она, и по этому вырвавшемуся, будто от ожога, крику он понял, что эта тема для нее сейчас самая главная в жизни, по сути дела, единственная тема ее нынешней жизни, а внутри этой темы есть еще одна подтема или сверхтема, и вот она-то и заключается в крике «Откуда?!»: откуда и кем распространяется информация.

Он пожал плечами:

— Ниоткуда. Просто понял по твоим и его интонациям.

— Ты видишься с Никитой... часто? — Рука ее торопилась опустошить бутылку «Еревана».

Он не успел ответить: в глубине квартиры послышался стук двери и четкие шаги.

— Борис! — воскликнула она и побежала встречать сына.

Вадим медленно последовал за ней. По дороге успел оглядеть себя в зеркале. Кажется, все в порядке, никакие завязочки не высовываются.

Семнадцатилетний Борис IV был одет в новенький флотский бушлат. Коротко остриженные мокрые волосы были разделены на аккуратнейший пробор. Все мышцы лица четко сосредоточены, видимо, для выражения недавно усвоенной мины полнейшей и окончательной серьезности.

— Ну, Борис, посмотри! Узнаешь дядю Вадима? — каким-то откровенно игровым, притворным тоном, как будто ей было просто-напросто противно играть роль мамаши такого взрослого парня, спросила Вероника.

— К сожалению, нет, — очень серьезно ответил Борис IV и очень серьезно и вежливо кивнул боевому полковнику с желтой нашивкой тяжелого ранения.

— А ведь они с твоим папочкой вместе... еще в Гражданскую... вместе кавалерствовали... то есть, я хочу сказать, вместе «на рысях, на большие дела» ходили! — продолжала веселиться Вероника.

Мальчик еле заметно поморщился на пьяноватые интонации в голосе матери. Вадим протянул ему руку:

— Я очень рад тебя видеть, Боря, таким, уже почти взрослым.

Они пожали друг другу руки.

— Я тоже очень рад, — сказал Борис IV. — Теперь я понимаю, вы Вуйнович. Простите, что сразу не узнал, — он открыл дверь своей комнаты, — простите.

— Почему у тебя волосы мокрые?! — крикнула вслед Вероника. — Почему ты не надеваешь шапку?

Ничего не ответив матери, мальчик закрыл за собой дверь.

— Ходит в кружок самбо, — сказала Вероника. — Ты знаешь, я дрожу от страха за него. Видишь, какой серьезный? По-моему, он решил бросить школу и уйти на фронт.

— Нечего ему там делать, — сказал мрачно Вадим. — Таким мальчишкам нечего лезть в эту грязь, если можно без них обойтись.

Они стояли в разных углах большой прихожей и смотрели друг на дружку. Все большая неловкость, смущение сковывали их, как будто то, что сейчас произошло между ними, не только не сблизило их, а, напротив, расшвыряло по уголькам их некий общий воздушный замок.

— Ну, что ж, Вадим, — сказала Вероника. — Ну, что ж...

Читалось это довольно определенно: теперь, мол, уходи, вали отсюда, представление закончено...

— Сегодня ночью я лечу на фронт, — сказал он. Он произнес это предельно бытовым голосом, и все-таки обоих слегка покоробило: сценка начала напоминать советский фильм новой, сентиментальной формации.

Она вздохнула:

— А завтра прилетает Никита.

В том же духе, как ни крути: эвакуированный Мосфильм.

— На день рождения? — спросил он.

Она вызывающе, но явно не в его адрес расхохоталась:

— Событие в сто раз более важное, чем какой-то паршивенький день рождения! Ну, что ж, Вадим, ну, иди... — Она вдруг смущенно перекрестила его издали. — Как говорится, Бог тебя храни. Не забывай...

— Странно как все это получилось, — пробормотал он.

— Война, — печально отозвалась она.

Нежный воздушный поцелуй перелетел через переднюю маршальской квартиры. Дальнейшие прикосновения, стало быть, исключаются.

Выйдя из лифта на первом этаже, он увидел привалившуюся к мраморной стене быковатую фигуру младшего лейтенанта. Блатная морда с прилипшей к нижней губе сигареткой. Ленд-лизовский дымок. Вадим не сразу узнал Вероникиного шофера. Узнав, обернулся. Шофер не отрываясь нагло смотрел на него. Скорее вохровец, чем блатной. Вот именно вохровская, нажратая физиономия. Эти морды, собственно говоря, видишь повсюду. В каком-то смысле важнейший этнический тип. Только среди пленных немцев они не встречаются. Там другой этнический тип гестаповца. Ну, не в ловушке ли мы все, сражающиеся за Родину? Выходишь из боя и сразу же видишь вокруг себя эти морды, видишь тех, кто пытал тебя под картиной «Над вечным покоем», тех, кто гнал тебя в шахту прикладами в спину... Значит, дрался за них?

— Почему не приветствуете? — сдерживая ненависть, сказал Вадим.

С глумливой улыбочкой, не меняя позы, холуй притронулся к лакированному козырьку. Исполненное таким образом воинское приветствие выглядело издевательством. Ну не связываться же с говном для довершения всех нелепостей. Вадим вышел на улицу и вдруг был мгновенно подхвачен сильным западным, то есть фронтовым, ветром. Вот так это иной раз получается. Выходишь из дома, где все застоялось, где и сам ты закис в тоске, и улица вдруг мгновенно меняет твое настроение. Новый воздух приносит необъяснимый подъем. Кажется, что впереди все-таки еще есть какое-то будущее.

И ночью, шагая с вещевым мешком на плече по аэродрому к «дугласу», он все еще испытывал этот необъяснимый подъем, ощущение полноты жизни. Белые облака быстро проходили по темному глубокому небу. Их тени бежали через аэродром, по рядам транспортных «дугласов», поднявших к луне свои дельфиньи морды. Мощная общая лунность. Полковник-артиллерист возвращается на фронт. Контрнаступление продолжается.

В полете, привалившись к вибрирующей стенке, он все время повторял две строчки стихов. Он не помнил их автора, не помнил ни начала, ни окончания. Вспоминалось только лишь, что они, кажется, звучали в романе Алексея Толстого, может быть, в «Хождении по мукам»...

...О любовь моя незавершенная,
В сердце холодеющая нежность...
...О любовь моя незавершенная,
В сердце холодеющая нежность...
...О любовь моя незавершенная,
В сердце холодеющая нежность...

Глава четырнадцатая
Вальсируем в Кремле

В течение следующих суток, пока полковник Вуйнович добирался до расположения своего дивизиона, в крепости Кремль, что на Боровицком холме в центре русской столицы, шли лихорадочные приготовления к важному и торжественному событию. И вот как раз в то время, когда ординарцы в главном блиндаже начали кромсать фрицевскими тесаками американскую ветчину «Спам», а офицеры, собравшиеся приветствовать любимого командира, радостно потирали лапы над галлоном спирта, в Кремле открылись резные двери Георгиевского зала, и толпа гостей вошла под сияющие люстры и стала оживленно распределяться вдоль сверкающих поверхностей огромного П-образного стола. Это и было как раз то самое событие, которое Вероника поставила в сто раз выше своего собственного, черт, не очень-то вдохновляющего юбилея: кремлевский банкет в честь военных делегаций западных союзников.

Делегации США и Сражающейся Франции прибыли в составе самых высших офицеров, среди которых были личные представители генералов Эйзенхауэра и де Голля, во главе же британцев явился сам фельдмаршал Монтгомери, знаменитый Монти, перехитривший в ливийский песках «лиса пустыни» Роммеля. Монти негласно считался на переговорах главой западной стороны.

— Какой интересный! — уголками глаз показывали на него маршальские жены. — Не правда ли, Вероника Александровна, интересный мужчина?

— Ну уж, мужчина, — смешно надула губы маршальша Градова. — Вот уж не чемпионского вида мужчина, девочки!

— А кто же ваш чемпион, Вероника Александровна? — спросила Ватутина.

Вероника хлопнула себя ладонью по бедру:

— Черт, сразу и не разберешься!

Чудо из чудес, новая мода при кремлевском дворе: военачальники были приглашены на банкет с супругами. Генеральши и маршальши переглядывались. Их, казалось, больше интересовала Вероника Градова, чем западные союзники.

Уже два дня шли совместные совещания в Ставке. На них присутствовали командующие фронтов и флотов. Главной темой, естественно, были сроки открытия второго фронта в Европе. Русские давили: как можно скорее, сколько еще нам держать всю тяжесть войны на своих плечах! Западники улыбались: разумеется, господа, подготовка идет самыми ускоренными темпами, однако, по сути дела, второй фронт уже открыт, Италия выведена из строя. Русские вежливо помахивали ладошками: Италию почему-то они не принимали всерьез. Верховный главнокомандующий демонстрировал высший пилотаж дипломатии: «Мы надеемся, что гитлеровская Германия в скором времени разделит судьбу зарвавшегося итальянского фашизма».

— Ну, а все ж таки, Викочка, кто тут тебе больше всех глядится? — шепотком интересовалась Конева.

Никита Борисович подмигивал своей опасно декольтированной супруге: не поддавайся на провокацию.

— Ну, вот этот, например, — Вероника покачивала подбородком в сторону статного генерала в незнакомой форме: ни дать ни взять иностранный Вадим Вуйнович.

— Вот этот? — пальчиками выявляли избранника маршальши и разочаровывались: — Но ведь это же француз!

— По профессии француз, а по призванию настоящий мужчина! — возражала Вероника.

Она, говорят, в Сибири в оперетке плясала! Хороши сибирские оперетки, шептались генеральши и маршальши. В общем, настроение у всех присутствующих было просто великолепное. Должно быть, такое же великолепное настроение царило на берлинских балах осенью 1941 года. Этот банкет как бы отмечал окончание целого ряда успешных баталий: Сталинград, Курская дуга, форсирование Днепра, Эль-Аламейн, высадка в Сицилии, разворачивание необозримого Тихоокеанского театра военных действий. Поговаривали, что в самом близком будущем Большая Тройка соберется подводить итоги и намечать планы завершающего (завершающего, мать вашу так, ликуйте, народы!) этапа войны. Где соберутся, естественно, никто не знал. Называли Каир, Касабланку, Тегеран, но не исключали и Москву, так как было известно, что дядя Джо не любит путешествовать за пределами своей страны. Так что, возможно, прямо в Москву прилетят Рузвельт на своей «священной корове» и Черчилль на гордости Королевской авиации, бомбардировщике «Стерлинг».

Наконец расселись: советские хозяева по внешней стороне буквы «П», гости и дипломаты с женами (при наличии таковых — немало ведь было и холостого народа) — по внутренней. Чтоб чувствовали себя уютнее, то есть чтобы в самой сердцевине русского хлебосольства оказались.

Маршалы сверкали наградами. Сидим, как новогодние елки, злился Никита Градов, а у союзников вместо орденов — крошечные планки. Вот что надо будет ввести в армии, такие планки. Чтобы не таскали на себе офицеры груды дурацкой декорации. Горло ему подпирала новая изумрудная маршальская звезда.

Любопытна была история его совсем недавнего возвышения к окончательному воинскому чину. В Ставке шло обсуждение массированной операции по выходу к Днепру. Участвовали и члены Комитета Обороны СССР, то есть партийно-правительственная верхушка. Решающий удар по обороне немцев должны были нанести войска градовского Резервного фронта. Сталин чубуком трубки указал на карте место, в котором изольется на врага стальная и человеческая масса. Это был узкий коридор между непроходимыми для техники болотами и лесами. Немцы, разумеется, превратят этот коридор в настоящую мясорубку.

— Вы подготовили детальную разработку операции, товарищ Градов? — спросил Сталин. Округлые, завершенные предложения, вызванные, конечно, неидеальной властью над языком идеально подвластного народа, давно уже стали чем-то вроде испепеляющего гипноза.

Никита Борисович развернул свои карты. По его предложению в зловещий коридор устремляется только половина войск Резервного фронта, другая же половина, проделав стокилометровый марш на север, обрушивается на противника через другой топографический коридор.

— Таким образом, товарищ Сталин, мы сможем ввести в действие больше сил, а также лишим противника возможности перебрасывать подкрепления из одного сектора в другой.

Присутствующие молчали. Предложение генерала Градова противоречило основной тактической доктрине о начале любого большого наступления единым, массированным ударом, а главное — оно противоречило уже высказанным соображениям Верховного. «Людишек бережет. Популярности ищет Никита», — с раздражением подумал Жуков, однако ничего не сказал.

Сталин теперь прижал чубук трубки прямо к карте. Капелька никотинного меда оставила на карте непререкаемое пятно.

— Оборона должна быть прорвана в одном месте!

— Мы получим массу преимуществ, если прорвем оборону в двух секторах, — возразил Градов.

Возразил Градов! Возразил — кому? На совещаниях в Ставке давно уже царствовал свой этикет. После того как удалось остановить позорное бегство 1941 года и отстоять Москву, Сталин стал с бульшим уважением относиться к своим военачальникам. Понимал, скотина, что эти люди спасают вместе со своей страной его любимую коммуналию. Обычно он давал всем высказаться, допускал самые яростные споры, внимательно слушал, задавал вопросы, но уж если высказывался, все споры на этом кончались. В данном случае он уже высказался, и градовский план представлял сейчас собой, вернее, неизбежно мог быть истолкован, как подрыв авторитета великого вождя.

— Не вижу никаких преимуществ! — рассерженно фыркнул он.

Никита заметил, как переглянулись Молотов и Маленков и как повернулись к свету слепые стеклышки Берии. Ну все, подумал он, шансов на выход из пике, кажется, мало. Шахта, должно быть, сильно плачет по мне.

— Я думал об этой операции три дня, товарищ Сталин, — сказал он. Всех поразило, что произнесено это было даже с некоторой холодностью.

— Значит, мало думали, Градов! — чуть повысил голос диктатор. — Забирайте свои карты и идите подумайте еще!

Никита с рулонами под мышкой вышел в соседнюю комнату, с потолка которой из-за люстры удивленно смотрел вниз озадаченный купидон. Пробежали по коридору адъютанты. Немедленно явились Никитин начальник штаба, зам по тылу, трое командующих армиями и ненавистный, глубоко презираемый человек, присланный еще летом 1942 года на пост начальника политуправления генерал-майор Семен Савельевич Стройло.

До сих пор, глядя на совершенно облысевшего и какого-то как бы весьма солидного, респектабельного Стройло, Никита не мог забыть презрения, которое он испытывал к нему в годы молодости. Разумеется, он понимал, что в лице этого комиссара он имеет уполномоченного верхами соглядатая, однако больше всего его коробило воспоминание о связи его любимой, вдохновенной и взбалмошной Нинки с этим «представителем пролетариата».

Естественно, все штабные уже знали, что их план не принят, отправлен на доработку, однако еще не знали, что произошло ЧП, что комфронта возразил Верховному главнокомандующему. Узнав, обмякли. Никита внимательно оглядывал боевых сподвижников. Все забздели, кроме, кажется, Пашки Ротмистрова. Что происходит с людьми? На фронте не гнутся под снарядами, а здесь дрожат от тележного скрипа. Перед чужими — орлы, а перед своими — кролики. Что за мрак запятнал сознание русских? Какая-то страшная идея позора, связанного с этим издевательством, может быть, затаенный в каждом ужас перед пытками?

Пятеро мужчин оплывали перед ним, как толстые восковые свечи. Один только Павел Ротмистров, командующий Пятой гвардейской танковой армией, спокойно пощипывал усики, протирал интеллигентские очки и даже, кажется, слегка улыбался. Он первый поддержал идею Никиты о рассредоточении удара и отступать вроде бы не собирался.

Стройло вдруг отошел к окну, вынул портсигар:

— Никита, давай чуток подымим?

Болван, несмотря ни на что, все-таки старался подчеркнуть, что между ним и комфронта существуют какие-то особые отношения. Как будто не знает, что я не перестаю требовать, чтобы его от нас отозвали. Не за соглядатайство, конечно, а за бездарность. Соглядатаи у нас, как всегда, в почете, только вот бездарности пока что — очевидно, на время войны — не совсем в ходу. Стройло дубовое, подумал вдруг генерал-полковник совсем по-школярски, воображает, видать, что мы сейчас с ним отойдем к окну, как два самых близких в этой компании человека, облеченных доверием партии, командующий и начальник политуправления.

— С какой это стати я с вами пойду дымить? — спросил он с нескрываемой враждебностью и высокомерием. — Подымите там один, Семен Савельевич.

И он развернул перед своим штабом карты и закрыл ладонью проклятый коридор, в котором должны были сложить головы его солдаты, примерно тридцать процентов личного состава.

Когда его снова пригласили в святая святых, Сталин грубовато спросил:

— Ну что, подумал, генерал?

— Так точно, товарищ Сталин, — весело и четко отрапортовал Никита.

Все вокруг заулыбались, особенно члены Политбюро. Ну вот, поупрямился немного парень, а теперь понял, что был не прав. Логика партии и ее вождя непобедима. Даже Жуков размочил малость свой тонкий губешник, подумав: «Струхнул, говнюк».

— Значит, наносим один сокрушительный удар? — Сталин повел через коридор чубуком трубки. Интонация была все-таки вопросительная.

— Два удара все-таки предпочтительнее, товарищ Сталин, — тем же веселым тоном любимого ученика ответил Градов; вроде как бы к стратегическому фехтованию приглашал любимого учителя.

Ошеломленное собрание опять замкнулось в непроницаемых минах. Сталин две-три минуты стоял в задумчивости над полевой картой. Никита не был вполне уверен, что вождь там видел все, что надо было увидеть.

— Уходите, Градов, — замогильным страшным голосом вдруг сказал Сталин. Потом, словно опомнившись, поднял голову, посмотрел на побледневшего молодого генерала и, уже с простым раздражением, отослал его жестом здоровой руки: — Идите, еще подумайте! Не надо упорствовать!

Никита опять скатал свое имущество и отправился в комнату под купидоном, которую он уже окрестил в уме предбанником. За ним вышли Молотов и Маленков. Последний, евнуховидный молодой мужик, тут же насел на него:

— Вы что, с ума сошли, Градов? С кем вы спорите, отдаете себе отчет? Товарищу Сталину перечите?

Молотов взял Никиту под руку и отвел к окну. Лицо его, кучка булыжников, некоторое время молча маячило перед ним. За окном тем временем на фоне закатной акварели беспечно порхала компания пернатых. Булыжники наконец разомкнулись:

— Как здоровье вашего отца, Никита Борисович?

Странный поворот, подумал Никита, как будто он хочет показать, что он не только Молотов, но и Скрябин.

— Благодарю, Вячеслав Михайлович. Отец здоров, работает в Медсанупре армии.

— Да-да, я знаю. Очень уважаю вашего отца как врача и как советского человека, настоящего патриота. — На той же ноте Молотов мирно добавил: — Вам придется согласиться с мнением товарища Сталина, Никита Борисович. Другого пути нет.

Переведя глаза с дружелюбных булыжников Молотова на мрачно подрагивающее желе Маленкова, Никита подумал, что даже и здесь, в высшем органе страны, невольно возникла все та же излюбленная схема: злой следователь — добрый следователь. И все мы по-прежнему зеки, какая бы власть у нас ни была над другими зеками.

Через пятнадцать минут опять призвали в «парилку».

— Ну что ж, генерал Градов, теперь вы поняли, что один сильный удар лучше, чем два слабых? — спросил Сталин. Он снова был как бы в неплохом расположении духа, лучился непонятным юморком.

— Два сильных удара лучше, чем один сильный удар, товарищ Сталин, — развел руками Градов, как бы давая понять, что ничто его не убедит в противном. Рад бы, мол, сделать вам, джентльмены, удовольствие, да не могу.

— Ну, и какой же из этих ваших двух, — голос Сталина тут вдруг взметнулся под потолок, как у спорщика в кавказском духане, — из этих ваших двух сильных ударов будет главнейшим?

— Оба будут главнейшими, товарищ Сталин. — Никита накрыл ладонями те места на карте, где пройдут эти его два «главнейших» удара.

Сталин отошел от стола и начал прогуливаться в отдалении, попыхивая трубкой и как бы забыв о собравшихся. Никита опустился на стул. Люди вокруг не без любопытства ждали, как разрешится драма, в том смысле, при каких обстоятельствах полетит с плеч голова генерал-полковника и как он проковыляет к выходу, таща под мышкой свою неразумную голову.

Сталин зашел Градову в тыл и некоторое время бродил там. У Зиновьева в свое время при появлении Кобы возникло ощущение проходящего мимо кота-камышатника. Никите же казалось, что сзади к нему приближается настоящий зловонный тигр. Рука Сталина внезапно легла на его золотой погон с тремя звездами.

— Ну что ж, поверим Градову, товарищи. Товарищ Градов — опытный военачальник. Практика показала, что он досконально знает боеспособность своих войск, а также возможности противника. Пусть теперь докажет свою правоту на поле боя. А вообще-то мне нравятся такие командиры, которые умеют отстаивать свою точку зрения...

Неожиданный конец еще одного кремлевского спектакля вызвал состояние катарсиса, едва ли не счастья у присутствующих. Как опытный вершитель драмы, Сталин, очевидно, понял, что уступка в этот момент не только не покачнет его тамерлановский авторитет, а, напротив, прибавит нечто важное к его ореолу мастера ошеломляющих финалов. Не исключено, впрочем, что он на самом деле признал правоту опытнейшего военспеца, поверил в его теорию развития операции «Кутузов». Также не исключено, что он питал к этому генералу некоторую слабость. Возможно, он уже и забыл, что перед ним бывший «враг народа», участник хоть и не существовавшего, но вовремя разоблаченного военного заговора, а просто в самом имени «Градов» звучало для него что-то приятное, надежное, освобождающее гуманитарную энергию, как и в имени его отца, выдающегося советского — подчеркиваю, товарищи, нашего советского — профессора.

Так или иначе, после того как Резервный фронт, неожиданно двумя потоками войдя в стык между Вторым и Третьим Белорусскими фронтами, разъединил и разметал части генерал-фельдмаршала Буша и генерал-полковника Рейнхардта и открыл огромную территорию для почти беспрепятственного наступления, Никита был вознагражден неслыханным до сей поры образом: скакнул сразу через генерала армии к высшему званию — маршала Советского Союза.

Сидя сейчас на кремлевском банкете, Никита постоянно ощущал эту драгоценную маршальскую звезду у себя под кадыком. Похоже, что она привлекает всеобщее внимание. Не слишком ли резво я вскарабкался наверх? Как некогда наша Агафья проявляла народную мудрость? «Выше залезешь, Никитушка, больнее будет падать»...

Через стол от Градовых сидело несколько союзнических офицеров. Они явно на Градовых посматривали и переговаривались, очевидно, на их счет.

Банкет открыл, естественно, Верховный главнокомандующий, человек одного с Никитой звания, маршал Иосиф Сталин. Едва прорезался сквозь банкетный говор этот гипнотический голос, как все замолчали.

— Дамы и господа! Дорогие товарищи! Позвольте мне провозгласить тост за наших доблестных союзников, за вооруженные силы Великобритании, Соединенных Штатов Америки и сражающейся Франции!

Все с шумом встали. Офицеры, пробряцав орденами, дамы, прошелестев шелками и панбархатами. Прозвенели сдвинутые над столом бокалы. «Тот профессор-«сменовеховец», Устрялов, был бы сейчас счастлив», — подумал журналист Таунсенд Рестон. Он только сегодня утром снова добрался до Москвы, на этот раз через Мурманск, и попал в буквальном смысле с корабля на бал. Теперь, сидя рядом со старым buddy Кевином Тэлавером на дальнем конце стола, он усмехался с присущей ему капиталистической язвительностью. Экая трогательная воцарилась в этой крепости имперская блистательность! Даже красавицы с почти оголенными плечами! А как же диктатура пролетариата? Какой это все-таки вздор, демократия и тирания в одном строю!

Кевин Тэлавер склонился к своему соседу справа, майору Жан-Полю Дюмону, деголлевскому летчику, а теперь офицеру французской миссии связи и всезнающему москвичу. Это был — для сведения читателей, — между прочим, тот самый, в котором Вероника определила «мужчину по призванию».

— Кто это, Жан-Поль? — спросил Тэлавер, глазами показывая на Градовых.

— О, это самая яркая звезда красного генералитета! — с готовностью стал проявлять свои познания Дюмон. — Командующий Резервным фронтом, маршал Градов...

— Послушайте, она прекрасна! — воскликнул Тэлавер.

— Мадам? Ха-ха! Вы знаете, в городе говорят, что она — сущая львица!

— Перестаньте, она выглядит, как романтическая русская аристократка!

— Особенно на фоне других дам, — не удержался ввернуть Рестон.

В соседнем зале биг-бэнд Леонида Утесова грянул в честь фельдмаршала Монтгомери «Путь далек до Типперери». Все зааплодировали, захохотали: русский оркестр играет марш английских стрелков! Потом полились томные звуки популярного русского медленного вальса «Тучи в голубом».

— Gosh, будь что будет, но я приглашу мадам маршал Градов на танец! — полковник Тэлавер одернул свой длинный мундир с большими карманами и поправил галстук.

— Кевин, Кевин, — сказал ему вслед Рестон.

Вероника давно уже видела, что привлекает всеобщее внимание. Иностранцы глазели напропалую, переговаривались на ее счет и вообще как бы не верили своим глазам. Может быть, думают, что чекисты меня приготовили для соблазна, как Олю Лепешинскую? Временами из-за Сталина, склоняясь к столу и поворачивая преступную плешь, смотрел на нее стеклами и сам министр тайного ведомства. С советской дальней части стола частенько долетали экзотические взгляды молодого генерала грузинской наружности. Что-то в нем было неуловимо знакомое. Смотрели, разумеется, вовсю подруги, генеральши и маршальши. Наверное, болтают, сколько человек из присутствующих меня ебли. Хотела бы я заполучить этот список!

Вдруг из-за спины послышалось:

— Простите, маршал Градов. Не позволите ли вы мне пригласить на танец вашу очаровательную жену?

Произнесено это было идеально по-русски, однако первые же звуки очевидно отрепетированной фразы выдавали американца. Она посмотрела через плечо. За спинками их стульев стоял высокий и узкий полковник. Немолодой. С высоким лбом. Разумеется, что-то детское в лице. У всех американцев что-то мальчишеское в лице, как будто только за пятьдесят они начинают жить.

Вероника встала. Прошелестела юбкой. Ну, черт, шикарно! Пока, маршал, уплываю за океан!

Никита смотрел вслед удаляющейся, удлиненной паре. Грустно. Почему так все получилось? Почему я не могу ее больше любить? Знает ли она о Тасе?

Третий день подряд
Сквозь тучи от горизонта
«Юнкерсы» летят
К твердыням фронта...

Сама Клавдия Шульженко на сцене! Впрочем, кому же здесь еще быть, если не «самой»? Здесь все — самые, самые! Самые кровавые и самые славные. Ну и самая красивая женщина Москвы. Это, конечно, я! Самая красивая женщина, с которой ее муж не хочет спать.

Третий день подряд
Глядя через прицел зенитки,
Вижу небесный ряд,
Как на открытке...

Э, да это же та самая, Нинкина песенка! Нинка злится, когда с ней заговаривают о «Тучах», а между тем вся страна поет, весь фронт поет, как обалделый. Черт, вот уже и союзники мычат. What a great tune!*

Этот полковник из посольства... как он представился, Тэлавер? ...минуточку, минуточку, да он смотрит на меня, как влюбленный пацан... черт, он на меня смотрит, как Вадим Вуйнович еще до вчерашнего дня смотрел, то же самое обожание. Поздравляю вас, зека Ю-5698791-014!

— Вы часто здесь бываете? — от растерянности спросил Тэлавер. Он держал в руках воплощенную прелесть и мягко с ней скользил по навощенным паркетам. Прелесть иногда касалась его мосластых ног своим прелестным коленом, иногда, при пово-

---

* Какая чудная мелодия *(англ.)*!

ротной фигуре танца, прелестное бедро целиком ложилось вдоль его жилистого бедра. Он старался не смотреть на прелестное декольте, но все равно голова у него основательно туманилась, и он катастрофически не знал, что говорить.

— Где бываю? — изумилась Вероника.

— В Кремле, — пробормотал он.

Прелесть вдруг неудержимо и с некоторой прелестной вульгаринкой расхохоталась:

— Oh, yes! We're quite frequent here! The Kremlin dancing hall! Oh, no, my colonel, I'm joking! This is my first visit here, very first! First Kremlin ball, haha!*

— Первый бал Наташи Ростовой? — сострил Тэлавер и очень обрадовался, что так удачно и находчиво сострил по-русски.

Вероника еще пуще расхохоталась:

— Скорее уж Катюши Масловой!

Тэлавер пришел в полнейший восторг: великолепный обмен литературными, «толстовскими» шутками с романтической русской аристократкой!

— Вам, кажется, нравится Толстой, мадам Градова?

Прелестница совсем уже развеселилась:

— Мне нравятся толстые намеки на тонкие обстоятельства!

Этот «изыск» даже и до Кевина Тэлавера с его русской Пи-эйч-Ди** не совсем дошел, однако он просиял, поняв, что его партнерша — а почему бы

---

* О да! Мы здесь завсегдатаи! В кремлевском дансинге! О нет, полковник, я шучу! Я здесь впервые, совершенно впервые. Первый кремлевский бал, ха-ха *(англ.)*!

** От *англ.* Philosophy Doctor. Здесь: докторская диссертация.

так прямо с ходу не сказать «избранница»? — обладает сильным чувством юмора и легким, жизнелюбивым характером.

Вокруг самозабвенно плясало атлантическое камарадарство по оружию. Оказалось, что в смежном зале накрыты были столы для артистов, а среди них немало оказалось и премиленьких партнерш.

— Видите, какие балы умеет закатывать дядя Джо, — сказал Рестону Жан-Поль Дюмон.

— С таким умением ему место в «Уолдорф-Астории», — проскрипел неисправимый антисоветчик. — Мажордомом в бальном зале, не находите?

Француз в ужасе отшатнулся.

На эстраде в это время феерически гулял по клавишам советский еврей Саша Цфасман. Рядом с ним свистел, заливался виртуозный кларнетист. Пьеса в ритме джиттербага называлась «Концерт для Бенни» и посвящалась американскому еврею Бенни Гудману.

— Геббельс тут бы сдох на месте! — предположил полковник Тэлавер.

В паузе вокруг запыхавшейся Вероники собралось блестящее разноплеменное общество, один был даже в чалме, генерал из жемчужины Британской империи, Индии. Вот уж, насамделе, звездный час! Воображала ли она когда-нибудь в бараке, особенно однажды, когда три курвы таскали ее за волосы — я ей сикель выжру, суке! Спас Шевчук. Ногами расшвырял вцепившихся оторв. Повел в медчасть. На обратном пути трахнул в снегу за кипятилкой. Воображала ли она тогда, что будет вот так сыпать направо и налево английскими фразами, и даже свой школьный французский припомнит, а все вокруг, настоящие джентльмены, будут ловить эти фразы и восхищенно им внимать? Беспокоило немного присутствие на периферии молодого советского генерала с загадочно знакомой, кавказской внешностью. Он, кажется, мало понимал по-английски, но зато был весьма чуток к русскому. А впрочем, пошли бы они подальше, все эти «чуткие»: все изменилось, война все старое переломала, Россия теперь двинется к демократии! Вот как странно может переломаться народное горькое выражение «кому война, а кому мать родна!».

— Скажите, джентльмены, — по-светски обратилась Вероника к присутствующим, — это правда, что в Германии запретили перманентную завивку?

Присутствующие переглянулись и засмеялись.

— Откуда вы это взяли, Вероника? — спросил Тэлавер.

Вероника пожала плечами:

— Мне муж сказал. Он где-то вычитал.

— Значит, маршал Градов интересуется не только танками? — ловко тут вставил какой-то англичанин.

Тэлавер положил ему руку на плечо:

— Между прочим, друзья, вопрос вполне серьезный. Я недавно был в Стокгольме и читал нацистские газеты. Вот как обстоит дело. После поражения под Курском и высадки наших войск в Сицилии в Германии, как известно, была объявлена «тотальная война». В рамках этой кампании по всему рейху на самом деле — Вероника права — были запрещены приборы для завивки. Все для фронта, так сказать, все для победы, экономия электричества! Тут, однако, вмешались некоторые романтические обстоятельства. Киноактриса Ева Браун, по слухам, близкий друг фюрера, обратилась к нему с просьбой не лишать арийских женщин их излюбленных машин, из-под которых они выходят еще большими патриотками. Фюрер как романтический мужчина — вспомните эти снимки в пальто с поднятым воротником, — конечно, не устоял перед этой просьбой. Перманенты были возвращены с одной оговоркой: категорически запрещалась починка завивочных машин!

— Какая грустная история, — неожиданно сказал индус.

— А как в России делают перманент? — спросил Жан-Поль у Вероники.

— Вопрос не ко мне, мон шер, — бойко ответила она. — Мои сами вьются. Волны Амура. Не знаю, почему они не вьются у порядочных людей?

Я погибаю, подумал Тэлавер, я просто погибаю в ее присутствии.

— Ну что ж, — вздохнула она. — Пора возвращаться в расположение Резервного фронта.

Тэлавер повел ее обратно к маршальской части стола.

— Вы мне дадите, Вероника, хотя бы один, хотя бы самый маленький шанс вас снова увидеть? — тихо и серьезно спросил он.

Она посмотрела на него уже без светского лукавства и тоже понизила голос:

— Я живу на улице Горького наискосок от Центрального телеграфа, но... но в гости вас, как вы, надеюсь, понимаете, не приглашаю.

Ему захотелось тут же нырнуть в словари, чтобы отыскать там слово «наискосок».

После окончания банкета уже на лестнице маршала Градова с супругой догнал стройный генерал-майор кавказской наружности.

— Никита Борисович! Вероника Александровна! Я весь вечер верчусь перед вами, надеюсь, что узнаете, а вы не узнаёте!

— Кто же вы, генерал? — холодно спросил Никита. Вероника мельком глянула на него, сообразив, что маршал крайне удивлен колоссальным нарушением неписаной субординации: какой-то генерал-майоришка напрямую, да еще по имени-отчеству, обращается к нему, человеку из первой дюжины.

— Да я же Нугзар Ламадзе, а моя мама Ламара и ваша мама Мэри — родные сестры!

Никита сразу переменился.

— Кузен! — вскричал он, охватил Нугзара за плечи, потряс. Глянул на погонные значки. — Ты, значит, в танковых войсках?

Нугзар хохотал, счастливый:

— Да нет, Никита, это просто небольшая маскировка, ну, понимаешь, для союзников! Я вообще-то в органах, но... — он добавил гордо: — Но в том же чине.

Никита снова переменился, сощурился презрительно:

— Ага, вот по какому пути ты пошел...

Нугзар замахал руками:

— Нет, нет, Никита, не думай, я не из этих... — понизил голос, сыграл глазами, — не из ежовцев... Просто, ну ты ж понимаешь, так жизнь сложилась...

— Какого же черта, Нугзар, ты в органах гниешь, когда такие события происходят? — строго сказал Никита, как будто он только и делал, что думал о судьбе Нугзара, который «в органах гниет». — Твое место на фронте! Ну, иди хотя бы ко мне, на Резервный! Хоть бы даже и по вашей части, а все-таки на фронте! Захочешь, танки дам, поведешь в атаку! Ну, хочешь ко мне начполитом?

— Позволь, позволь, Никита, да ведь у тебя там, кажется, в комиссарах Стройло Семен?

— А на кой мне хер это говно?! — вскричал Никита. — Кого вы мне посылаете, в действующую армию?! Я такие мешки с говном еще в тридцатом году от себя откидывал!

— А мы тут при чем, Никита-батоно? Это его ПУР к тебе направил, а не мы, — мягко, улыбчиво, почти открыто предлагая не верить его словам, заговорил Нугзар.

— Ладно, ладно, — прервал его Никита. — Знаю я, кто такой Стройло. Я не против органов, а против отдельных «органистов». Тех, что хуево играют!

— Когда это вы стали таким матерщинником, маршал? — улыбнулась Вероника.

Нугзар сиял, доверительно пожимал кузену локоть. Ему явно понравилось политически правильное замечание маршала об органах.

— Подумай над моим предложением, Нугзар, — сказал на прощанье Никита и повел жену дальше, вниз по исторической лестнице. Нугзар сопровождал их до исторических дверей.

— Ну, вы вообще заходите, Нугзар, — сказала Вероника. — Пока на Резервный фронт не уехали, забегайте по дороге из органов. Мы живем...

— Я знаю, — скромно сказал Нугзар.

— Откуда?! — вскричала Вероника с совершенно театральным изумлением.

— Иногда знаешь больше, чем хочешь знать, — развел руками Нугзар.

— Ты слышишь, Никита? Он знает больше, чем хочет знать! — восклицала Вероника. Странное чувство превосходства над этими проклятыми, вездесущими, всю жизнь испоганившими органами кружило ей голову больше, чем выпитое шампанское.

Никита грубовато, уверенно хохотнул, хлопнул кузена по плечу:

— У меня, на Резервном фронте, Нугзар, ты будешь знать ровно столько, сколько захочешь.

Дверь за ними закрылась. Минуту или две Нугзар стоял в оцепенении. Ошеломляющие мысли — о смене хозяина, о переходе под защиту миллионной массы войск — проносились в его голове.

Был третий час ночи, когда Никита и Вероника вышли из Спасских ворот Кремля и пошли по диагонали через Красную площадь. В небе двигались тучи, мелькали звезды, иногда являлась луна, размаскировывая затемненный город. Воздушными путями летели не только бомбардировщики, подступала еще и зима. Пока еще сухой морозной осенью цокали по каменной мостовой бальные туфли, стучали маршальские каблуки.

«Наверное, воображает, как будет здесь на ворошиловском коне принимать парад, — с неожиданной злостью подумала Вероника о муже. — Победитель Никита! Все в порядке, все подчиняются, ничего не боюсь, наступаю! Две ППЖ исправно исполняют свои функции, одна полевая-походная, другая паркетно-парадная! Сейчас вот скажу тебе, Александр Македонский, что подаю на развод!»

В огромном пространстве вокруг было пустынно, не спали только стража вокруг Кремля и зенитчики, да иногда проезжали машины с разъезжающимися гостями. За стеклами поворачивались к маршальской чете удивленные лица.

— Знаешь, Ника, со мной что-то неладное происходит, — вдруг произнес Никита.

— С тобой, по-моему, все только очень ладное в последнее время происходит, — холодно откликнулась Вероника.

Он доверчиво и как-то очень по-юношески взял ее под руку:

— Нет, в человеческом смысле неладное. Я превратился в какую-то командную машину. Бросаю в прорыв дивизии, выдвигаю на заслон корпуса и так далее. Люди для меня стали просто гигантским набором пешек. Проценты потерь, проценты пополнений. Недавно в Ставке я отстоял свой план наступления и спас тем самым не менее тридцати тысяч жизней... Это хорошо, ты хочешь сказать? Да, но ты пойми, что я уж только задним числом, мимолетно, подумал об этих жизнях, а главное-то для меня было — подтвердить эффективность моего плана наступления! Конечно, я понимаю, что другим командующий группы армий и быть не может на этой войне, но я иногда хватаюсь за голову — да почему я должен быть таким, почему такое выпало на мою долю? Во мне всегда все человеческое было живо, даже в лагере. Теперь — засыхает...

Вероника, не отрываясь, смотрела сбоку на маршала, а тот выговаривал все это, ни разу на нее не взглянув, как будто все это выговаривалось и вслух, и в уме впервые, как будто он лихорадочно старается не упустить этой возможности выговориться, то есть возможности побыть наедине с единственным мыслимым собеседником при таких откровениях. Ну и, конечно, кому же ему еще все это выговаривать, не пропиздюхе же Таське! Бедный мой мальчик, вдруг подумала она о нем. Сволочи, грязные красные, что вы с нами сделали?

— Сердце, понимаешь, Ника, как будто покрывается мозолями, — продолжал он.

Бедный мой мальчик, которому я когда-то сумками таскала пузырьки с бромом из аптеки Ферейна. Говорили, что бром снижает потенцию, но за ним этого не замечалось. Наоборот, после брома он меня мучил без конца. Бедный мой мальчик, помнит ли он свои кронштадтские кошмары?

Никита продолжал, будто отвечая впрямую на ее мысли:

— Это ужасное чувство, Ника, когда все рубцуется. Я потерял свои старые страхи, угрызения совести... помнишь мои кронштадтские кошмары?.. Они больше не посещают меня...

— Бедный мой мальчик, — проговорила она.

Он, потрясенный, остановился. Луна в это время вышла из-за туч и освещала шишастую темную глыбу Исторического музея, делая его похожим на отрог Карадага в восточном Крыму, где когда-то они познакомились с Вероникой. Ее отец, шумный московский литературствующий адвокат, с альпенштоком, возглавлял горные экспедиции с плетеными корзинками для пикников. В горах засиживались до темноты, до луны. Там он и загляделся в ее юное лицо, освещенное луной. Вот и сейчас перед ним ее лицо, освещенное луной... и она называет его «мой мальчик»... «Мой бедный мальчик», — говорит она человеку, которому подчиняется миллион вооруженных мужиков, планы которого пытаются разгадать в Oberkommando des Heeres* в ставках «Вервольф» и

---

* Верховное главнокомандование *(нем.)*.

«Волчье логово»... Моя бедная девочка, мать моих детей... Ничто не оторвет меня от тебя...

Он не сказал ни слова, но она поняла, что с ним произошло в этот момент что-то очень значительное, размыв какой-то ком слежавшейся грязи. Они пошли дальше еще медленнее, взявшись за руки, как дети. Спустились к Манежной, миновали гостиницу «Москва» и собирались уже пересечь Охотный ряд, когда вдруг, неизвестно откуда, явился перед ними вытянувшийся в струнку адъютант Стрсльцов.

— Разрешите обратиться, товарищ маршал? Какие будут распоряжения до утра? Самолет прикажете отменить?

Вероника оглянулась и увидела медленно приближающуюся группу офицеров. Очевидно, они следовали за командующим от самых ворот Кремля. Подъехали и остановились «виллис» и два «доджа», заполненные градовскими «волкодавами». Словом, группа сопровождения не дремала во время лунной прогулки.

— Какая у вас деликатная свита, Никита Борисович! — засмеялась маршальша.

Офицеры заколыхались в ответных улыбках. Ба, да тут знакомые все лица: и зам по тылу Шершавый, и личный шофер, дослужившийся уже до третьей офицерской звездочки Васьков, и две-три персоны из Особой Дальневосточной, кажется, Бахмет, кажется, Шпритцер, а самое замечательное состоит в том, что в группе шествует, успешно соревнуясь в росте, в округлости груди и в значительности лица с генералом Шершавым, не кто иной, как бывший серебряноборский участковый, ныне капитан Слабопетуховский. Никита явно окружает себя своими собственными «органами».

— Слабопетуховский, и вы здесь?!

— Так точно, Вероника Александровна! Обрел смысл жизни под флагами Резервного фронта и лично маршала Градова, а точнее, в АХУ штаба; к вашим услугам!

Никита выглядел немного смущенным, и понятно почему: кого теперь этим людям называть хозяйкой? Быть может, впервые они видели его в состоянии нерешительности: отменять ли ночной полет к фронту?

Она положила ему ладонь на щеку:

— Не верь своим мозолям, Китушка, ты все такой же. Когда тебя теперь ждать?

Он облегченно вздохнул и поцеловал ее. В щеку. Во вторую. В нос. Губы — на замке, иначе придется отменять полет. И вообще, надо сначала сделать ремонт в квартире, вот именно сделать ремонт, побелить потолки, натереть полы, вычистить ковры, ну и... ну и отослать Шевчука, черт... отослать его, конечно, не на фронт, куда-нибудь в теплое место, но покончить с этим...

— Теперь уже, очевидно, не раньше чем через месяц, — сказал Никита.

— Ну, вот и хорошо, — вздохнула она. — Жду тебя через месяц еще с одной маршальской звездой, чтобы ты уже стал дважды маршалом. Дважды маршал Советского Союза, неплохо, а? А что с Борькой делать?

— Борьке скажи, что я категорически против его военных планов. Пусть окончит школу, тогда посмотрим. Верульку поцелуй сто тридцать три раза. Ну, пока!

Он прыгнул в «виллис». Кавалькада тронулась. Вероника в своей короткой лисьей шубке и длинном шелковом платье пересекла Охотный ряд. До дома было два шага. Вот и кончился «первый бал Катюши Масловой», теперь я опять одна. А он даже и не вспомнил про мое сорокалетие.

Глава пятнадцатая
Офицерское многоборье

Эту главу нам приходится начать маленькой сценкой, которая никак не хотела повисать на хвосте главы предыдущей, хотя и имела к ней прямое отношение. Дело в том, что, простившись с женой в Охотном ряду ноябрьской ночью 1943 года, маршал Градов не сразу отправился к ожидавшему его во Внуково бомбардировщику Ил-4, а сделал предварительно большой круг по спящей столице. В глухой час, когда московская флора, устав трепетать под западным ветром, поникла ветвями в извечном русском крепостническом стиле, а фауна только чирикала спросонья, отгоняя суматошные сны, все его машины подъехали к старому градовскому дому в Серебряном Бору. Оставив всех людей за забором, маршал открыл калитку все тем же старым приемом, известным ему с детства, а именно путем оттягиванья одной из планок забора и просовывания внутрь неестественно изогнутой руки. Этот способ почему-то считался недоступным воображению грабителя. Довольно часто, впрочем, калитка вообще не запиралась на засов, и вот эта уж картина с виду запертой, а на самом деле совершенно незапертой калитки действительно не поддавалась преступному воображению, если не считать чекистов, явившихся сюда за Вероникой осенью 1938 года.

Никита Борисович надеялся увидеть свет в кабинете отца или лампочку у постели матери, тогда бы он зашел в дом, однако ни Борис Никитич, ни Мэри Вахтанговна в ту ночь бессонницей не страдали. Отец, впрочем, мог быть в эту ночь где угодно, кроме дома. Замначмедсанупра Красной Армии, он не столько сидел в своем московском кабинете, сколько перемещался по всей огромной линии фронта от Баренцева моря до Кавказа. Прошлым летом, в конце июля, Никита случайно натолкнулся на отца в самом пекле, на плацдарме Лютеж.

Только что закончилась знаменитая танковая «битва в подсолнухах». Семечки, надо сказать, поджарились там на славу! Десятки, если не сотни «тигров», «пантер», «тридцатьчетверок», «шерманов», «грантов» и «черчиллей» горели и дымили на полнеба, стоя почти вплотную. Огромные клубы дыма поднимались из-за бугра, закрывая вторую половину небесного свода: там кто-то только что взорвал чье-то бензохранилище. Вот он — типичный пейзаж тотальной войны: черное бесконечное вознесение, языки огня, мелькающие остатки живой природы.

Между тем на бугре вокруг дымящихся развалин разворачивался полевой госпиталь. Солдаты еще натягивали палатки, а под одной из них уже шли операции. Никита, проезжая мимо в своем броневике, бросил взгляд на госпиталь, отметил оперативность разворачивания — представить к наградам! — и уже проехал было дальше, как вдруг увидел выходящего из палатки отца.

Борис Никитич был в заляпанном кровавыми пятнами хирургическом халате. С горделивым видом, всегда появлявшимся у него после удачной операции, он стаскивал с рук асептические перчатки. Кто-то, очевидно, по его просьбе уже всовывал ему в рот дымящуюся папиросу.

Никита хотел было броситься и заорать: «Какого черта ты здесь делаешь, в самом пекле? Тебе шестьдесят восемь лет, Борис Третий! Ты генерал, ты должен руководить по радио, по телефону, какого дьявола ты лезешь под снаряды?!» К счастью, он вовремя сообразил, что этого делать не следует. Он спокойно вышел из броневика, подошел к отцу и обнял его. Два фронтовых фотографа немедленно запечатлели трогательную сцену.

— Только что оперировал сержанта Нефедова, — сказал отец. — Просто мифическая какая-то личность. Откуда только у людей такое бесстрашие берется?

Никита уже слышал о взводе Нефедова, который в течение суток умудрился отразить все атаки на высоком берегу Десны и продержался до подхода 18-й дивизии.

— Знаешь, во время боя возникает какое-то особое возбуждение, заглушающее страх, — сказал он. — Вот танкисты, видишь, наши и фрицы, лупили друг друга в упор, никто не ушел. Что это такое? Они же все были как пьяные. Это нас и спасает, и это же нас всех и губит, если хочешь знать.

— Может быть, ты прав, — задумчиво сказал отец. — Скорее всего, ты прав... ты это лучше понимаешь как профессионал...

В этот момент через бугор стали перелетать и падать в подсолнухи реактивные снаряды немецких шестиствольных минометов, так называемых «ванюш». Ни отец, ни сын не обратили на это ни малейшего внимания.

— Мы все под этим газом войны, — сказал Никита. — И ты, и я...

Отец кивнул. Он, видимо, был чертовски благодарен сыну за этот разговор, за эту встречу на равных посреди побоища.

— Ну, а как вообще-то? — спросил он, обводя рукой черный горизонт.

— Давим! — шепнул ему Никита.

По его душу уже бежали связисты и адъютанты. Они еще раз обнялись и расстались, даже не поговорив о матери.

Сейчас, глухой ночью, сидя на пеньке сосны напротив градовского старого гнезда, Никита лишь мимолетно вспомнил эту сцену и тут же постарался от нее отделаться. Его уже тошнило от войны. Он жаждал невойны. Он и в Серебряный Бор завернул не из сентиментальных, если разобраться, соображений, а оттого, что ему хотелось прикоснуться к чему-то своему, исконному, невоенному, неисторическому, к чему-то гораздо более важному, к тому, что излучает и поглощает любовь. Даже не к матери и отцу лично, а к материнству и отцовству.

Он вспомнил тех, кто построил этот дом, — своего деда Никиту и бабушку Марью Николаевну, урожденную Якубович; из тех Якубовичей.

Он помнил тут себя лет с семи. Они приезжали с родителями по праздникам. Дед встречал их, трубя в большие усы, профессура восьмидесятых, эдакий российский путешественник и исследователь. Он, между прочим, одно время и был таковым, они и с

Машей Якубович познакомились в Абиссинии, где работали в миссии Красного Креста.

Дед обожал Никитку, мечтал, чтобы тот жил с ними в Серебряном Бору. Пробы показывали серьезную загрязненность воздуха Москвы. Здесь же был чистейший кислород и первородная мечниковская простокваша. Он даже завел для прельщения пони. Сажал мальчика верхом на маленького коня, торжественно провозглашал: «Грузинский царь!» — намекая, стало быть, на происхождение по материнской линии. Впрочем, и без пони Никитка только и мечтал перебраться сюда, на сосновый берег изгибающейся реки, к таинственным оврагам и к озеру с холодящим названием Бездонка.

Сидя сейчас в тиши и стыни перед все еще надежным, крепким, хоть и осевшим кое-где по углам террасы домом, Никита пытался вызвать в памяти не просто далекие, но космически недостижимые воспоминания детства и всеобщей любви. Мелькали лишь блики, потом все заволакивалось словесным дымом, рассказанной и зажеванной историей семьи. Вернутся ли ко мне эти блики, соединятся ли они в картины, хотя бы в мой смертный час?

«Волкодавы» из своих «доджей» смотрели через забор на сгорбленную спину командующего. Они были вооружены автоматами, немецкими пистолетами «вальтер», наборами ручных гранат и тесаками. Никто из спящих в доме так никогда и не узнал, что ночью к ним приближалось такое воинство. Иначе двое из спящих никогда бы себе не простили своего молодого сна. Этими двоими были Борис IV и его верный друг и единомышленник, чемпион Москвы по боксу в среднем весе среди юношей Александр Шереметьев.

Утро Борис и Александр начали, естественно, пятикилометровым кроссом. Для того, собственно говоря, и приезжали на дачу с ночевкой, чтобы утром в парке поработать над одной из программ офицерского многоборья. Даже фехтованием вообще-то приятнее заниматься на дорожке под соснами, ну, а для бега и плавания в ледяной воде лучшего места не найдешь.

Во время бега немного поговорили о фехтовании. Казалось бы, чистейший атавизм в условиях современной механизированной войны, а все-таки необходимый элемент в воспитании молодого офицера. Очень много дает — гибкость, координированность, способность принимать мгновенные решения.

За завтраком — по твердому настоянию Бориса IV варилась только крепкая овсяная каша, предлагались также два мощных источника белка — крутые яйца, больше никаких разносолов — обсуждалась ситуация на фронтах. При всех колоссальных успехах радоваться было еще рано. Враг по-прежнему силен. Вот, например, Третья гвардейская танковая армия, только что взявшая Житомир, была вынуждена вновь отдать город «панцерным» гренадерам генерал-полковника Германа Хофа и отойти, как сообщило Совинформбюро, «на заранее подготовленные позиции». А посмотрите на атлантический театр военных действий, Александр: фашистская Италия разваливается, однако нацисты перебрасывают все больше войск через Альпы и явно намерены ударом бронированного кулака сбросить союзников в море. Ударом бронированного кулака, вот так! Добавьте сюда бесчинства подводных лодок, все более наглые перехваты северных конвоев! Иными словами, «злейший враг свободолюбивых народов мира» совершенно не собирается сдаваться.

— В общем, Борис, на нашу долю хватит, — понизив голос и с подмигом произнес Александр Шереметьев.

— Ну, а как тебе нравятся японцы, дед? — громко, чтобы заглушить намек Шереметьева, сказал Борис IV. — Первейшие оказались нарушители Женевского соглашения по военнопленным! — Под столом он сильно пихнул ногу боксера.

Борис Никитич за своим неизменным «мечниковским» кефиром — в доме все-таки удавалось поддерживать почти довоенный уровень питания — шелестел газетами.

— Фокус событий, мальчики, сейчас перемещается в сферу дипломатии, — сказал он, подчеркивая ногтем невзрачное коммюнике о встрече Молотова с Корделлом Хэллом и Энтони Иденом. — Вот это самое главное на сегодня. Это говорит о приближающейся встрече в верхах. Надо уметь читать газеты!

Две старые женщины любовно смотрели на завтракающих мужчин, то есть на старика и двух мальчишек. Если бы вот каждое утро за кухонным столом собиралась такая компания! Увы, все чаще Мэри и Агаша оставались в скрипучем, а иногда почему-то как-то странно ухающем доме вдвоем и вспоминали о пропавших: о Кирилле, о Мите, о Савве, о бурнокипящем Галактионе, чье сердце не вынесло предательства и ареста в родном его Тифлисе, которому он принес столько добра. Вспоминали, и очень часто, своего домашнего ангела в виде остроухого пса с вечно лукавой улыбкой зубастой пасти, Пифочку, Пифагора. Пес прожил с ними все свои шестнадцать лет, и его кончина четыре года назад оставила их опустошенными и недоумевающими: как этот мир, особенно Серебряный Бор этого мира, может существовать без Пифагора? Мэри долго не могла играть Шопена. Пес вообще любил ее фортепиано, но звуки Шопена тянули его в кабинет, как магнит. Обычно он ложился у нее за спиной и клал морду на вытянутые лапы. Немножко похрапывал и явно наслаждался.

Мэри начинала «Импровизацию» и всегда оглядывалась, ожидая увидеть своего любимца. Вместо него представала перед ее взором полнейшая пустота, «Импровизация» захлебывалась.

Приезжавшая иногда мрачная и резкая Нинка просила мать не играть Шопена. Нет, пожалуйста, что угодно другое, Рахманинов, Моцарт, но Шопена почему-то не могу. Стыдно было признаться, что это из-за Пифочки.

Приезжала и Циля, как всегда, расхристанная, юбки сваливаются, носки отцовских штиблет загибаются вверх, всегда пахло от нее каким-то прокисшим супом. Она продолжала поиски Кирилла, но уже без прежнего жара: война задвинула тюрьму в глубину, как ненужную до поры декорацию. На письма «в инстанции» она теперь уже не получала даже формального ответа, а однажды, когда ей удалось пробиться в комиссию партконтроля, ей там сказали: «Все-таки непонятно, товарищ, страна истекает кровью, борется за свое существование, а вас, коммуниста, волнует судьба какого-то бухаринца! Подождите до конца войны, тогда во всем разберемся...» Иногда, в моменты раздражения и, как казалось Мэри, даже некоторого подпития, Цецилия начинала метаться в кругу градовской семьи, бросала какие-то как бы абстрактные обвинения в адрес тех, кто не дает себе даже труда подумать о судьбе своих самых близких, для кого нет ничего важнее собственного комфорта. Есть, конечно, и другие люди, кричала она, есть люди, которые жертвуют всем для любимого человека, есть женщины, которые могли бы устроить свою судьбу, которым делают мужчины прямые предложения сожительства и даже брака, но они, эти женщины, отвергают все ради одной лишь идеи; ради фикции, мифа верности тратят свои лучшие годы...

Мэри терпела эти дурацкие намеки, старалась не развивать тему. Однажды, когда она попыталась сказать, что на все запросы Бо и даже на требования самого маршала Градова неизменно приходят ответы, что Градов Кирилл Борисович в списках живых не числится, и что надо, родная, примириться с ужасной мыслью, Цецилия впала в сущую истерику. Она носилась по даче, срывала почему-то шторы с окон, кричала: «Не верю! Не верю! Он жив! Кончится война, и во всем разберутся, мне обещали!»

«Правильно, правильно, детка, — увещевала ее Мэри. — Может быть, после войны вдруг откроются какие-то тайны. Может быть, и Митенька вернется. Ведь вот после Первой мировой множество возвращалось из тех, что числились пропавшими без вести». — «Ну, Митька-то, конечно, вернется, — успокаиваясь, говорила тогда Цецилия. — Это вне сомнений, он вернется с орденом, искупит свое кулацкое происхождение...»

«Искупит?! — взрывалась тут Нинка, если, конечно, присутствовала. — Что ты несешь, Циля, марксистка дубовая! Может быть, всем нам придется перед этим происхождением вину искупать, ты никогда об этом не думала?» — «А ты — декадентка! Играешь на мещанских настроениях своими песенками! — тут же снова вскипала Цецилия и передразнивала: — «Ту-учи в голубо-ом...» И тут же бывшие подружки-синеблузницы разлетались в разные углы.

Настоящее блаженство испытывала Мэри Вахтанговна, когда под серебряноборской крышей встречались две ее внучки, Ёлка Китайгородская и Веруля Градова. Обе хорошенькие блондиночки — Ёлка в папу, Веруля в маму, — девчонки могли часами шептаться друг с другом, вместе смотрели альбомы по искусству, вместе приставали к бабушке — сыграй нам, пожалуйста, фокстрот «Джордж из Динки-джаза»!

А вот с Вероникой прежняя доверительность опять пропала. Мэри женским чутьем догадывалась о разладе и, конечно, инстинктивно становилась на сторону сына, хотя никогда, Боже упаси, не касалась этой темы. Ну а Вероника, естественно, как человек достаточно тонкой душевной организации улавливала этот Мэричкин совсем незаметный антагонизм и каждым словом, каждым жестом как бы бросала в ответ совсем незаметный вызов. Страшные передряги жизни, все эти взлеты, падения и новые взлеты, все-таки здорово изменили Веронику, думала Мэри. Вся ее жизнь сейчас — это какой-то вызов. Всем окружающим, нищей Москве, войне, прошлому. Бросает вызов, идет, шикарная, в мехах, в серьгах, дерзейшая, если не сказать наглая. И потом, этот постоянный шофер, что это за личность, страшно даже подумать, что это за личность постоянно сопровождает генеральшу — а теперь уже маршальшу — Градову!

Мэри Вахтанговна, хотя могла бы еще с двадцатых годов привыкнуть к постоянным продвижениям Никиты вверх по военной лестнице, все-таки еще не могла до конца взять в толк, что ее сын — один из ведущих полководцев этой невероятной войны. Однажды в трамвае произошел любопытный эпизод. Раз в месяц она ездила в консерваторию на абонементные концерты. Садилась в трамвай на кольце и потому занимала сиденье у окна. Народу по дороге набивалось, конечно, битком, но она все-таки сидела у окна и всю дорогу до центра смотрела на печальные виды Москвы. К концу концерта обычно за ней приезжал автомобиль Главмедсанупра, и она не видела причин его отвергать: все-таки уже сильно за шестьдесят. Так вот однажды, по дороге туда, то есть в трамвае, кто-то из пассажиров произнес громким шепотом: «А вы знаете, братцы, кто там сидит у окна? Мать маршала Градова!»

Мэри сделала вид, что не замечает любопытных и восхищенных взглядов, не слышит бормотания: «Мать маршала Градова, подумать только, в трамвае, мать маршала Градова, какая дама, какая скромность, нет, это насамделе мать маршала Градова с нами в трамвае?» Новость передавалась без конца от выходящих к вновь поступающим, а Мэри Вахтанговна сидела, умирая от гордости, но ничем не показывая, что эти разговоры относятся к ней, прямая и строгая, скромнейшая русская интеллигентка, мать защитника отечества, маршала Градова. «Ой, граждане, ну куда ж вы давите-то, тут же мать маршала едет!»

Никита, мой мальчишечка, помню, будто было вчера, как он тут галопировал в матросском костюмчике на пони, а дед кричал ему, раздувая усы: «Грузинский царь! Ираклий! Багратион!»

Цилины истерики, между прочим, имели некоторую семейную подоплеку: Кирюша никогда не был любимцем. По совершенно никому не понятным причинам он был чуть-чуть — ну, действительно самую малость, почти незаметную толику — обделен родительской любовью: львиные доли доставались старшему Никитке и младшей Нинке. Впрочем, может быть, это сущая чепуха, может быть, это только сейчас кажется, после гибели Кирюшки. Сколько мук они пережили с Бо, и, конечно, оба казнились из-за Кирюши, хотя никогда и не говорили об этом вслух.

Все это ведь так относительно, зыбко. Ну вот, например, разве означает, что я люблю Ёлку и Верульку меньше Борьки IV, даже если он и мой любимчик? Даже Митю, неродного, я любила ничуть не меньше, и он меня любил как свою настоящую бабушку. И все же нельзя не признать, что никто из других внуков не обладает такими совершенными качествами, как Борька IV. Подумать только, какой в высшей степени положительный вырос юнец! Какие исключительные серьезность, ясность взгляда, четкость, спортивность, целеустремленность, самостоятельность мышления, физическая подготовка! И товарищей себе выбирает под стать: чего стоит один лишь Саша Шереметьев! Исключительная сила воли, очевидная, несмотря на этот его жуткий вид спорта, интеллигентность, безукоризненные манеры; ну просто что-то юнкерское, кадетское, из прежних времен. Удивительна манера двух юнцов обращаться друг к другу на «вы». Мальчики явно оказывают друг на друга замечательное влияние. Чего стоит, например, их решение не получать в школе ни по одному предмету оценки ниже «отлично». Школа — это такая чепуха, такой вздор, говорят они, получать в ней что-то кроме высшей оценки просто ниже человеческого достоинства. Собранная концентрированная личность все школьные премудрости должна усваивать быстро, четко, без малейшей зацепки.

Есть в этом стремлении к совершенству один пугающий элемент, эдакая современная «рахметовщина». Мальчишки помешаны на закалке, на самоограничении. Грубейшие свитеры, например, носят на голое тело, спят зимой в тридцатиградусный мороз с открытыми окнами, растираются снегом, едят только самую простую пищу, а однажды, прошлым летом, на неделю вообще отказались от еды, с утра уходили в лес и возвращались в темноте, самым вежливым тоном заявляя: «Спасибо, мы не голодны». Потом со смехом признались, что проводили эксперимент на выживание в обстановке «разрозненного десантирования».

Какое, право, странное свойство обнаружилось у меня к старости, думала Мэри. Наслаждаюсь, глядя на то, как мои внуки поглощают пищу. Ловлю себя на том, что вместе с ними приоткрываю рот, словно бессмысленная гусыня, как будто происхожу не из Гудиашвили, а из каких-нибудь Ламадзе...

Вот так и в то утро она наслаждалась, глядя, как уплетают овсянку Борис IV и его друг Александр Шереметьев, не зная, что это в последний раз разворачивается перед ней столь волшебное зрелище.

Агаша, естественно, тоже обожала наблюдать семейные трапезы, однако с Борисом IV у нее были в последнее время большие огорчения. Отворачивается от своих любимейших пирожков со смешанной начинкой, да и товарищу не дает попробовать. Истинное получается кощунство, прости меня, Господи! Не в силах совладать со своими руками, она то и дело подталкивала к мальчикам блюдо с пирожками и тоже, конечно, не подозревала, что последний раз вот так подталкивает к любимому Бабочке (так она называла IV в отличие от Борюшки III) румяный, с мясом и грибами, соблазн.

Между тем «идеальные мальчики» собирались сегодня оставить школу и родительские дома и перебраться в казармы сверхсекретного училища Главразведуправления Красной Армии, где их уже ждали. Все приготовления держались, конечно, в тайне, иначе домочадцы поднимут такой хай, что дойдет и до самого маршала, и тот тогда мгновенно все предприятие поломает.

— Вот так, мальчики, надо уметь читать газеты, — повторил дед Бо, свернул свою «Правду» и встал из-за стола. — Увидите, не далее как через месяц Сталин встретится с Черчиллем и Рузвельтом, и тогда окончательно определится дата открытия второго фронта!

Дед уехал, а вскоре стали собираться и ребята. На прощанье Борис поцеловал бабушку и няню. Обе просияли — нечастый подарок!

Ребята прошли с полкилометра по дороге к трамваю, а потом свернули и вернулись к забору дачи со стороны леса. Здесь под стеной сарая припрятан был гибкий спортивный шест. Бросили жребий — кому прыгать? Выпало Борьке. Он разбежался и махнул через забор. Прыжок оказался эффективным, но технически далеким от совершенства. Надо еще много работать. Борька открыл двери сарая и вытащил изнутри два заранее подготовленных рюкзака с личными вещами добровольцев. Перебросил их через забор. Потом перелез сам. С внутренней стороны можно было обойтись без шеста. С внешней, впрочем, тоже.

В трамвае они обсуждали перспективы открытия второго фронта.

— Если бы вы были Эйзенхауэром, где бы предпочли высаживаться? — спросил Борис IV Александра Шереметьева.

— Конечно, в Нормандии, — ответил Александр. — Силам вторжения там придется пересечь всего лишь узкий пролив Ла-Манш, и все базы в Англии будут под рукой.

— Да, но там их встретят мощные укрепления Атлантического вала, — возразил Борис. — Немцы уже два года готовятся к отражению именно там, в Нормандии. На месте Эйзенхауэра я выбрал бы неожиданный вариант и высадился бы в Дании. Побережье практически не защищено, земля плоская, население дружественное, прямой путь для марша на Берлин!

— Это интересно! — с жаром, с нажимом воскликнул Александр, так что пассажиры в трамвае обернулись. — Дайте подумать!

Он думал весь остаток пути до центра и потом, уже на подходах к школе, что располагалась в районе площади Маяковского, все продолжал думать. Только уже у ворот вдруг бурно атаковал друга фиктивными боксерскими приемами, восклицая:

— Нет, вы не правы, вы не правы, Борис Четвертый Градов!

Их 175-я школа была, очевидно, самой уникальной в Москве: здесь учились дети высших членов правительства и генералитета. Учителя тут были предельно запуганы, перед учениками робели, однако во время перемены в коридорах можно было услышать шепотки: «Микоян сбежал с урока! Прямо не знаю, что делать с Буденной. Ну, знаете ли, вчера Молотова отличилась...» Кроме такой вот «аристократии» были тут, конечно, и простые ученики. К ним-то как раз и относился Александр Шереметьев.

Ребята вошли в школьный двор, когда там мельтешила малышовка, начальные классы. Не разбирая происхождений, мелюзга носилась друг за другом, наслаждаясь первой переменкой. Среди этого кишения прогуливались также несколько старшеклассников, в том числе сумрачная сутуловатая девочка в клетчатом пальто. Она ни с кем не разговаривала и только похлопывала себя по толстым коленкам вполне простецким ученическим портфелем. Это была не кто иная, как Светка, дочь Верховного главнокомандующего, как называли Сталина Борис и Александр. В отдалении, не спуская со Светки глаз, пнем стоял ее сопровождающий, лейтенант из кремлевской охраны.

Оставив свои рюкзаки в раздевалке спортзала, друзья направились к завучу. Предстояла самая серьезная часть операции — извлечение школьных табелей для представления в тайное училище. Заведению этому, похоже, было плевать на излишние формальности, требовались просто молодые здоровые парни для обучения диверсионной работе в тылу врага, однако даже и там надо было представить школьные табели с отметками по всем предметам.

Борис и Александр загодя уже говорили с завучем, старым почтенным лосем, обычно проходившим через школьные помещения медлительно и осторожно, так, как его сородичи передвигаются по лесу. Ребята навели тень на плетень, запутали все направления, сказав, что собираются после получения аттестатов зрелости поступать в сверхсекретную школу ВМС во Владивостоке, а туда нужно уже сейчас послать заявление и табель в придачу. Мой отец, добавил Борис IV, все это держит под контролем. Скорее всего, этого достаточно, думали ребята, но если вдруг возникнут подозрения, что ж, ничего не останется, как запугать лесного великана жестким физическим воздействием.

К счастью, антигуманные действия не понадобились: табели уже были приготовлены и выданы без лишних расспросов. То ли авторитет маршала Градова подавил все подозрения, то ли старый лось полностью доверял своим круглым отличникам.

Счастливые, ребята выскочили из школы и вдруг сразу же приуныли. «Самая серьезная часть операции» показалась им сущим пустяком перед тем, что еще предстояло. Они шли по улице Горького, смотрели на женщин, стоящих в очередях, выходящих из магазинов со своими жалкими покупками, на теток, подметающих мостовые, на теток-милиционеров и думали о том, что через несколько часов они окончательно уйдут из этого женского мира в мир мужчин, но прежде им надо попрощаться (по телефону, конечно, чтобы не сорвалась вся операция) со своими главными женщинами: маршальшей Градовой и бухгалтершей Шереметьевой.

В зале Центрального телеграфа, отстояв очередь, ребята влезли в соседние телефонные будки.

— Что случилось?! — услышав голос Бориса, тут же закричала Вероника неприятным, «утренним» голосом.

Борис мгновенно покрылся горячим потом. Ему захотелось тут же бросить трубку, пустить все на самотек, только лишь не вести этот невыносимый разговор, однако усвоенные им в ходе самоподготовки принципы говорили, что он не может увиливать и что как «человек прямого действия» он должен преодолевать все встречающиеся на пути преграды.

— Ничего особенного не случилось, — твердо сказал он. — Пожалуйста, не беспокойся, мама. Просто я уезжаю. Ненадолго.

— Куда уезжаешь?! — еще пуще завопила Вероника.

— В действующую армию, — сказал он и закрыл глаза.

Разговор шел практически через улицу. Борису, пока он стоял с закрытыми глазами, вообще казалось, что они находятся в одной комнате. Разговором это, впрочем, вряд ли можно было назвать, потому что мать просто кричала как оглашенная:

— Негодяй, ты что, меня убить решил?! Что ты задумал, паршивец?! Ты несовершеннолетний, тебя отправят домой с позором! Я немедленно соединяюсь с отцом! Тебя поймают, подлец! — Вдруг голос ее упал, и она зашептала явно на грани рыданий: — Боренька, Боренька, да как же ты так...

Он открыл глаза:

— Мамочка, пожалуйста, не нужно... Ты, кажется, забыла, что я давно ужс не ребенок. Я говорил с тобой не раз о своем отношении к данному историческому моменту. Я не могу себе позволить остаться в стороне от того, что сейчас переживает моя страна, все человечество. Я не допускаю мысли, что война закончится без моего участия, и, как человек прямого действия, я тебе об этом впрямую говорю.

— Какая жестокость, — еле слышно прошептала Вероника, но потом голос ее снова окреп: — Куда ты собрался?

— Я же сказал, мама, в действующую армию.

— Надеюсь, к отцу? Надеюсь, на Резервный?

— Да, да, — поспешно сказал он. — Я еду на Резервный.

Она поняла, что он врет, и снова сорвалась на крик:

— Где ты сейчас находишься? Откуда звонишь?

— Мамочка, не нужно меня искать, не нужно поднимать паники! Миллионы парней вроде меня едут на фронт. Я не хочу быть маменькиным, а тем более папенькиным сынком, не хочу позорить отца! Я тебе сразу же напишу и все объясню. Все будет хорошо. Я люблю тебя.

Он повесил трубку и вышел из будки в собравшуюся вокруг телефонов шинельно-вещмешочную толпу. Страшная тяжесть, ощущение какого-то неизбывного горя сковали молодого человека. Он вдруг почувствовал, что это ему не внове, что он уже испытывал это горе, горе вечной разлуки. Когда? Он не мог сразу вспомнить.

Сквозь стекло соседней будки он видел лицо Александра Шереметьева. По железной щеке чемпиона, кажется, текла слеза. Он умоляюще что-то шептал в трубку своей «матери-одиночке». Александр никогда не говорил об отце. Неизвестно было, есть ли у него отец, а если есть, где он воюет. Борису иногда казалось, что он понимает причину этого молчания. Может быть, его отец и не воюет вовсе? Однажды Саша спросил Бориса: «Это правда, что ваш отец сидел?» Борис, как человек прямого действия, немедленно ответил: «Да, сидел. И мать тоже сидела. Их оклеветали». Боксер мотнул головой, будто пропустил удар: «Как, и мать тоже? Невероятно!»

Наконец все было кончено. Закинув рюкзаки на плечи, они вышли на улицу Горького. За то время, что они толкались на телеграфе, небо над Москвой потемнело. Косо, будто по линейке, летел в лица колючий снег прямого действия.

Антракт VII. Пресса

«Нью-Йорк Таймс»

Конгрессмен Гамильтон Фиш, республиканец от Нью-Йорка, сказал: «Сталин окружен той же группой людей, что пришла к власти вместе с ним, и их цель по-прежнему распространение коммунизма».

«Нью Рипаблик», апрель 1943 г.

По всей Северной Америке, в Канаде и США, сейчас можно слышать предположения, что победа России может приблизить опасность мировой революции... Между тем это предположение является главным оружием гитлеровской пропаганды.

«Крисчен Сайенс Монитор»

Существование в Москве Коминтерна долгие годы было серьезным препятствием для более доверительного сотрудничества между СССР и другими странами... Теперь Коминтерн распущен...

«Известия», ноябрь 1943 г.

Гвардейцы Красной Армии и Флота! С честью несите ваши знамена! Будьте примером доблести и отваги, дисциплины и упорства в борьбе с врагом! Да здравствует Советская Гвардия!

«Нью Рипаблик», ноябрь 1943 г.
СОВЕТСКАЯ ЛИТЕРАТУРА В ДНИ ВОЙНЫ

Николай Тихонов: «Целься лучше, солдат Красной Армии! Помни, что, уничтожая еще одного Ганса, ты спасаешь жизни советских людей, освобождаешь родную землю!»

Лев Славин: «Ни в чем не верь гитлеровцу! Бей его без жалости и промедления, до конца! Бей его в голову, в бок, в спину, но только бей его!»

Пьеса «Фронт» Корнейчука идет в переполненных театрах по всей стране.

Талантливый молодой поэт Твардовский написал слегка киплинговскую окопную балладу о хорошем солдате, который не теряет способности шутить ни при каких обстоятельствах.

Неистощимый стихоплет Демьян Бедный выступает со скромным в своей невинности произведением, которое заканчивается словами: «Смерть кровопийцам и людоедам!»

В целом советские писатели вдохновляются выражением И.Сталина: «Нельзя победить врага, не научившись его ненавидеть!»

«Рашен Ревью»

Среди переводчиков, работающих с советскими летчиками в Элизабет-Сити, выделяется высокий, красивый лейтенант Грегори Г.Гагарин. Русские летчики поначалу относились к нему с подозрением, поскольку его мать была графиней, а отец кавалергардом. Обнаружив, однако, что они получают от переводчика больше сведений о радио и радарах, чем из любых советских книг, они переменили к нему отношение.

«Новое Русское Слово», 1944 г.

До 1 января этого года в Россию отправлено 780 самолетов, 4700 танков, 170000 грузовиков, 33000 армейских автомобилей «джип» и 25000 иных автомобилей.

Красная Армия получила 6000000 пар американских сапог. Послано 2250000 тонн продовольствия...

Уильям Рандольф Херст отвечает «Правде»

«Маршал Сталин называет меня гангстером и другом Гитлера. Такие обвинения имеют и свою смешную сторону, ибо исходят от человека, возглавляющего самую гангстерскую печать в мире.

А кто был ближайшим и лучшим другом Гитлера до того, как?..»

«Радио Берлин», 28 февраля 1944 г.

Выступление Геббельса: «Наши враги втянули нас в эту войну, потому что образец нашего социалистического строя стал угрожать их отсталым политическим системам.

...Если мы проиграем войну, для Германии будет потерян и социализм. Как только успех войны будет обеспечен, мы снова начнем проводить в жизнь наши главные социалистические планы...»

«Ууси Суоми»

Русские части, подчиняющиеся генералу Андрею Власову, на Эстонском фронте перешли на сторону Красной Армии и помогли ей при захвате Нарвы.

Антракт VIII. Бал светляков

Июнь, месяц балов: выпускных церемоний, всевозможных commencements с вручением почетных степеней выдающимся гостям и ораторам, с подбрасыванием в воздух шапочек, с юношескими лавинами, низвергающимися по мраморным лестницам, с захватывающим ожиданием чуда, счастья, любви, с торжеством светляков в темных деревьях, в светлых ночах, с перекличкой, пересвистом пересмешников, с руладами соловьев.

Так когда-то и выпускницы Смольного института благородных девиц кружились белой ночью, глядя на парящих в парке светляков, спрашивая друг друга, что такое эти светляки, что в них, какая тайна кроме вечной поэзии, не догадываясь или, может быть, смутно догадываясь, что в этих множественных вспышечках по всему парку, над мрамором скульптур, над куполами деревьев перед ними мелькают восторги предыдущих выпускниц всего человеческого рода. Кто-нибудь в разгромленной, частично сожженной Германии, в лагере для перемещенных лиц, в американской зоне оккупации, лежа на траве, руки под голову, смотрит на возникающие над ним медлительно парящие бесшумные крошечные геликоптеры, думает о том, почему вдруг в них происходит вспышка, в чем смысл этой реакции, в чем состав этой реакции, имеет ли это какое-нибудь отношение к процессу фотосинтеза?

В чем смысл этих крошечных вспышек, этой весенней феерии, почему в ней такая грусть? Это уже думает поэтесса в Серебряном Бору. Весь дом спит, а она сидит, обхватив колени, на крыльце террасы. Что это за сигналы? Крошечный воздушный кораблик с огромным по его-то размерам прожектором снижается к ней на ладонь и вдруг гаснет, сливается с темнотой. Выпускной бал института благородных девиц, с усмешкой думает она. Мимолетности, похороны нежности, возрождение и угасание, июнь сорок пятого года...

Глава шестнадцатая
Концерт фронту

Американские грузовики, поступающие сейчас неудержимым, каким-то неправдоподобным потоком во все доступные советские порты, а также через иранскую границу, годились, как оказалось, не только для монтажа гвардейских минометов, для перевозки войск и амуниции, но также и для установки на них больших концертных роялей. Вот так однажды под вечер в конце марта 1944 года, на стыке Первого Белорусского и Первого Украинского фронтов, где-то на лесной поляне к западу от Овруча, «студебеккер» с откинутыми бортами превосходно выполнял функции эстрады. На нем стоял рояль, и вдохновенный Эмиль Гилельс оглашал рощу вариациями Листа, а потом аккомпанировал вдохновенному Давиду Ойстраху, что «Кампанеллой» добавлял огня к бледному свечению занимающегося за голыми ветвями заката.

Совсем неподалеку, впрочем, бухал и другой аккомпанемент, артиллерийская перестрелка через линию фронта, да с небес то и дело слетали отголоски пулеметных очередей — там беспрерывно занимались своей небезопасной игрой немецкие «мессеры» и советские Як-3, Ла-5 и «Аэрокобра», но на эти бытовые мелочи никто не обращал внимания. Над «студом» висел транспарант: «Артисты тыла — героям фронта», и герои сидели вокруг на склонах холмиков, образуя естественный амфитеатр.

Народу собралось на концерт не менее шести-семи тысяч. Стволы танковых пушек и самоходок торчали из толпы в сторону эстрады, сообщая происходящему нечто античное, как будто армия Ганнибала со своими слонами сделала привал для забавы. В передних рядах на деревянных скамьях, а то и на настоящих стульях сидели офицеры из расположенных неподалеку частей, и среди них даже сам прославленный генерал Ротмистров. Артистов сейчас по фронту шаталось великое множество, немало было и простой, как мычание, халтуры, бригады сколачивались наобум, богема охотно валила развлекать «бесстрашных воинов», а в основном подкормиться у полевых кухонь, разжиться тушенкой. «Красотки кабаре» к тому же всегда были не прочь прокрутить в блиндаже блицроманчик. Этот концерт, однако, представлял собой редкое исключение. Участвовали звезды первой величины: Эмиль Гилельс, Давид Ойстрах, Любовь Орлова, Нина Градова, а вел программу знаменитый московский толстяк, кумир сада «Эрмитаж», конферансье Гаркави. Потому-то и аудитория собралась в первых рядах солидная, потому-то в задних рядах, то есть на башнях танков, царило особое возбуждение, жажда восторга.

После музыкантов Гаркави, облаченный во фрак с пожелтевшей со времен нэпа манишкой, читал какой-то свой бесконечный фельетон. Он то впадал в стекленеющий патриотический транс на тему «Не смеют крылья черные над Родиной летать» и тогда застывал время от времени в монументальном величии с отвалившейся чуть в сторону челюстью, то вдруг весь поджимался, позорно юлил и суетился, изображая презренных врагов. «Бом-биль-били-били во вторник и четверг! Бом-биль-били-били Берлин и Кенигсберг! — пел он, подрыгивая канканной ляжкой на мотив из американской кинокомедии «Три мушкетера». — Бом-биль-били-били за каждых полчаса. А Гитлер в это время рвал в Европе волоса!»

«Ух ты!» — рявкали восторженно солдаты и без удержу хохотали, то ли от полупохабного изображения Гитлера, под бомбами рвущего, известно где, свои волоса, то ли от самого препохабнейшего кривляния знаменитого сатирика.

Закончив свой фельетон, Гаркави принял привычный барственный вид и с благороднейшими модуляциями объявил:

— А теперь, дорогие друзья, я счастлив воспользоваться редчайшей возможностью и представить вам нашу замечательную советскую поэтессу Нину Борисовну Градову!

Кто-то из офицериков предложил Нине помощь, но она сама ловко вскарабкалась по дощатой лесенке в кузов «студебеккера» и остановилась возле рояля. «У-у-у», — загудели ощетинившиеся пушками холмы и долины. Издали Нина в синем лендлизовском пальто и в сапожках со своей короткой гривкой выглядела как девчонка. «Люди, видимо, что-то иное имеют в виду, когда слышат «советская поэтесса», — саркастически подумала она. Она уже не раз бывала с артистическими бригадами на фронте и всякий раз испытывала какую-то удручающую неловкость. Оказавшись внезапно в корпусе советских знаменитостей, она не знала, как себя вести. Всю жизнь она принадлежала к узкому кругу, сейчас «широкие массы» заявляли на нее свое право. Эстетка, модернистка, формалистка, она вдруг оказалась выразителем какой-то сильной патриотической идеи, соединенной к тому же с неизбывной фронтовой ностальгией и мечтой о любви. Почему-то только ее имя соединилось с этой дурацкой песенкой «Тучи в голубом», Сашку Полкера, композитора, никто и не вспоминает. «Тучи в голубом», Нина Градова, они просто рехнулись! Люди ее круга поздравляли ее со всенародной популярностью, пряча, как ей казалось, иронические улыбки. А что прикажете мне делать на концертах в частях? Солдаты, кажется, ждут от меня песен, но уж никак не заумной поэзии.

Ниночка, деточка, утешали ее доки, эстрадные администраторы, вам совершенно нечего волноваться. Можете делать что угодно, хоть Пушкина по книжке читать. Народ просто счастлив вас видеть, особенно когда вы такая молоденькая и хорошенькая.

Ну, если они действительно хотят меня видеть, значит, они должны меня видеть, думала Нина. Они заслужили, в конце концов, хоть изредка видеть то, что они хотят, а не то, что им предлагает проклятая война. Она начала читать сначала из цикла «Довоенное». Несколько стихов, посвященных О.М., Т.Т., П.Я. Строчки об ослепительности вина и поэзии, о сменяющих друг друга стихиях страха и любви, о трепещущих под луной оливковых рощах и о черных подвалах, в которых один за другим пропадают артисты бродячего балагана. Прочти она эти посвящения в Доме литераторов, уже несколько стукачей пробирались бы к выходу, соревнуясь, кто быстрей настрочит донос о том, что Градова прославляет врагов народа О.Мандельштама, Т.Табидзе и П.Яшвили. Здесь к выходу пробирались только те, кому пора было на позиции или в самолет влезать. Остальные каждый стих сопровождали заглушающими канонаду аплодисментами.

Ободренная, она прочла несколько сложных, зашифрованных четверостиший из новой поэмы, построенной на эротических воспоминаниях о ночах с Саввой и об исчезновении «вечного любовника». Снова бурный восторг. Особенно стараются те, на танках. С улыбкой она кланялась, вспоминая, что Бенедикт Лившиц в окопах Первой мировой войны читал заумные футуристические стихи к полному восторгу псковских и воронежских мужиков.

Наконец послышалось неизбежное: «Тучи в голубом»! Спойте «Тучи в голубом»!»

— Товарищи! — взмолилась Нина. — «Тучи в голубом» это не характерная для меня вещь! И потом, я же не композитор, вообще не музыкант! А главное, я не умею петь!

Вооруженный амфитеатр возмущенно зашумел. «Даешь «Тучи в голубом»!» Прорезался голос какого-то армянина, сидевшего верхом на пушечном стволе: «Пой, сестра, это твоя песня!» Тысяча лыбящихся ряшек. Ванек с аккордеоном вдруг вскарабкался на «студебеккер», потащил Нину к микрофону. Аккордеон зарявкал вступительные аккорды. У Нины на глаза навернулась дурацкая слеза. Скольких из них завтра убьют, а скольких сегодня ночью? Она запела дурацким, забитым дурацкой слезой голосом, совершенно по-дурацки: «Тучи в голубом напоминают тот дом и море, чайку за окном, тот вальс в миноре»... Весь амфитеатр подхватил, и она тогда перешла на речитатив: все-таки не так глупо, как петь без голоса и без слуха. Так и «пропела» до конца, а когда песня кончилась, солдаты завопили: «Еще! Бис! Пой еще, Нина!» Все были счастливы, хохотали, у нее кружилась голова. Мелькнуло в поле зрения бледное лицо Любови Орловой. Она, звезда «Веселых ребят», «Цирка», «Волги-Волги», была гвоздем этой программы и должна была привести весь концерт к триумфальному завершению, и вдруг такой фурор вокруг какой-то поэтессы. Не хватает только испортить отношения с Любой! Нина взмолилась:

— Товарищи, я не умею петь, у меня нет слуха! Я уже охрипла!

Армянин с пушки крикнул:

— А ты не пой, сестра! Просто стой!

Бешеный хохот потряс амфитеатр, и Нину после этого наконец отпустили.

Она спрыгнула с «эстрады», и кто-то тут же предложил ей стул рядом с самим Ротмистровым. Очкастый, симпатичный, похожий на чеховского интеллигента генерал поцеловал ей руку, начал что-то говорить о том, как ему нравятся ее стихи, а также о том, какие они большие друзья с Никитой. Она удивилась: оказывается, и здесь известно, что она — родная сестра маршала. Она начала что-то говорить в ответ, но тут возник такой шум, который заглушил бы, наверное, гром Везувия. Поляна извергалась восторгом. На площадке грузовика появилась под джазовый аккомпанемент мечта Советского Союза, сама Любовь Орлова! В лучших голливудских традициях она приподнимала над головой цилиндр, крутила тросточку и отщелкивала высокими каблуками чечетку.

«Хау ду ю ду! Хау ду ю ду! Я из пушки в небо уйду! В небо уйду!..» — бессмертная песенка из всеми обожаемой кинокартины «Цирк». Чтобы забить успех Нины, опытная Любовь начала со своего коронного номера, и битва была сразу выиграна. Нина со своего места помахала ей рукой и показала большой палец: никаких, мол, претензий не имею.

Вдруг она заметила стоящий неподалеку открытый «виллис» и в нем трех молодых офицеров, явно не окопных, а штабных, если можно было судить по щегольской подгонке всего их обмундирования и по свободным позам, с которыми они расположились в заокеанской военной машине. Все трое по какой-то причине смотрели не на сцену, а на нее и о чем-то переговаривались, усмехаясь. По какой причине? Разве ты не понимаешь, по какой причине могут так смотреть на женщину три офицера, три наглых и избалованных бабами «ходока»? Можно без труда представить, что они говорят. Вот этот, например, с усиками, кажется, наиболее заинтересованный: «А она еще ничего, ребята! Вполне годится на пистон». Второй, с чубчиком из-под пилотки: «Может, хочешь попробовать?» Первый: «А почему бы нет?» Третий, мордатый: «Ну ты, трепач! Кто она и кто ты? Знаменитая поэтесса, сестра маршала, а ты обыкновенный армейский хмырь!» «Чубчик» хохочет: «Война все спишет!» «Усики»: «Хотите заложимся? Я ее сегодня приспособлю по-офицерски!» Ну, вот они и закладываются на пари, «усики», «чубчик» и «морда»...

Когда концерт окончился, в неразберихе трое молодчиков выпрыгнули из «виллиса» и стали приближаться. Нина видела это краем глаза и не спешила уходить, отвечала на бесчисленные вопросы солдат, а сама краем глаза наблюдала, как приближаются эти трое.

Из вопросов самый основной, конечно, был: «А вы замужем?» Многие солдатики, впрочем, не вдаваясь в подробности русского языка, спрашивали: «А вы женаты?» — «Мой муж — военврач», — привычно отвечала Нина. «А детки есть?» — «Дочка, Леночка, ей десять лет». — «Ух ты! — восхищались солдаты. — А вам-то самой сколько лет?» — «Тридцать шесть».

В этом месте неизменно слышались крики недоверия. Один, мальчишка-пехотинец, даже рот раскрыл от изумления: «Да как же это может быть, да ведь моей мамке, вон, тридцать шесть!»

Трое офицеров отодвинули солдат — «давай-давай, ребята, разберись!» — и приблизились. Один, «усики», приблизился даже почти вплотную, так что посматривал на знаменитую поэтессу как бы свысока.

— А не хотите ли, Нина Борисовна, покататься на нашем «козлике» до банкета?

Откровенными модуляциями голоса парень, разумеется, задавал другой, более существенный вопрос. Противная кожа, вся в буграх, ему бы лучше бородку запустить, чем франтоватые усики. Ну да черт с ним.

— До банкета? — удивилась она. — А мне ничего не сказали о банкете.

Гадина, подумала она о себе, ты говоришь с ним так, что он понимает. Понимает, что не исключен положительный ответ на его «существенный вопрос».

— Как же, как же! — подрабатывает сбоку «чубчик». — Командование дает банкет выдающимся артистам. А пока что можно покататься часика два-три. Воздухом подышать!

— Мы вам покажем недавно захваченный командный бункер люфтваффе, — сказали «усики». Будто лейб-гусар, он предложил Нине руку.

Руку она не взяла, но прошла вперед к «виллису» и по дороге с улыбкой обернулась на офицеров. Заметила, что мордатый восхищенно хлопнул себя по ягодице.

Уже начинались сумерки, хотя в небе над лесом все еще блестели в лучах солнца петляющие и кувыркающиеся истребители. Начавшие шевелиться танки бередили и разбрызгивали весеннюю грязь, подминали пласты слежавшегося снега. «Студебеккеры» зажигали фары, в их свете шевелились сотни голов, постепенно выравниваясь в маршевые колонны. Светляками роились в складках оврага огоньки сигарет. Фронт, надвигаясь на пустынную местность, заселял ее своей хлопотливой жизнью, а потом уходил дальше, оставляя за собой несметные груды мусора и дерьма.

— Вот это машина! — сказал усатенький ухажер, хлопнув по плоскому капоту «виллиса», которого уже повсеместно в советской армии величали «козлом». — Знаете, мы их таскали по дну во время переправы через Днепр. Вытащишь на другом берегу, садись за руль, повернешь ключ — мотор немедленно заводится!

— Не преувеличиваете, капитан? — улыбнулась Нина.

И опять все, что они говорили друг другу, означало совсем другое. Нине уже становилось невмоготу от этой шифровки. Между тем все не ехали, ждали «чубчика», который куда-то побежал за чем-то существенно важным, скорее всего, за «горючим», и, уж конечно, не для «виллиса».

— Нина, — вдруг негромко позвал кто-то из толпы. Она прижала ладонь ко лбу, ей показалось, что голос пришел из прошлого. Или из будущего. Или еще откуда-нибудь сбоку. Но уж только не из этой толпы солдат. Не из артистической бригады. Не от какого-нибудь «просто знакомого». В сумерках уже нельзя было различить лиц.

— Кто зовет? — с вызовом крикнула она и отмахнула волосы со лба. Готова ко всему, даже к разочарованию!

Танковый прожектор на несколько мгновений осветил «виллис» и солдат вокруг, и в этом свете она увидела товарища своей тифлисской юности Сандро Певзнера. Боже, он и тогда-то был каким-то щемяще трогательным, а теперь, в мешковатой шинелишке с загнувшимися лейтенантскими погонами, стал истинным Чарли Чаплиным!

— Это я. Не узнаешь, Нина? — Этот его дивный, грузинско-еврейский акцент!

Забыв мгновенно о своих ухажерах, Нина обогнула «виллис» и направилась к нему, вглядываясь из-под руки, как будто в несусветное далёко.

— Имя! Фамилия! — крикнула она.

— Александр Певзнер, — пробормотал дурачок как будто бы в священном ужасе.

— Год рождения! Номер паспорта! — еще громче крикнула она и тут уже, не выдержав, завизжав от неслыханной радости, бросилась ему на шею.

— Певзнер! — хохотали сзади офицеры. — Ой, сдохнуть можно — Певзнер!

— Пойдем, пойдем, Сандро! — Она потянула его за отворот шинели, резко врезалась в толпу, полезла по какому-то откосу, по раскисшей глине. Хохоча, будто в юности, будто в те блаженные тифлисские дни, она тащила его куда-то, сама не знала куда, лишь бы подальше от тех офицериков с их «козлом». Фары разъезжающихся машин иногда ослепляли их, она оглядывалась и видела его ослепленное то ли фарами, то ли счастьем, вот именно, сомнамбулически счастливое, болтающееся, как у марионетки, лицо.

Через несколько минут они выбрались на посыпанную щебенкой дорогу и, успокоившись, пошли по ней, держась за руки, словно дети. Время от времени мимо проходили колонны грузовиков или танки, и тогда они отшатывались на обочину, и Нина прижималась к Сандро. Он рассказал ей, что работает (язык его, видно, не выговаривал слова «служу») в агитбригаде Первого Украинского фронта, то есть по специальности, художником, рисует вдохновляющие плакаты и карикатуры на врага, сотрудничает во фронтовой газете «Прямой наводкой!». Он слышал о ее несчастье и очень горевал:

— Поверь, Нина, я мало знал Савву, но он был для меня каким-то эталоном мужества, чести, понимаешь, каким-то был в моем воображении просто рыцарем.

— Почему «был»? — сказала Нина. — Совсем необязательно, что он мертв. А вдруг жив? Я, во всяком случае, жду.

— Правильно делаешь, что ждешь, — горько сказал Сандро, — но... — и замолчал.

— Что «но»? — Она нажала ему на локоть, заглянула в глаза. — Говори!

— Ну, я просто слышал, что тот госпиталь, где он был, просто сровняли с землей... — пробормотал он.

Топот сотен шагов приближался к ним из темноты, вскоре под светом Плеяд обозначились очертания пешей колонны. По бокам колонны вдоль обочин шли солдаты с ружьями наперевес. Время от времени они светили ручными фонариками по головам колонны.

— Пленных ведут, — сказал Сандро.

Они отстранились от приблизившейся колонны, а потом перепрыгнули через кювет и прислонились к стволу тополя.

Лучи фонариков иной раз выхватывали из темноты впалые небритые щеки, безжизненные, почти рыбьи глаза пленных, разрозненное обмундирование, немецкие пилотки, советские шинели, незнакомые оборванные погоны... В глухом говоре колонны стали различаться русские слова.

— Эге, да это похуже, чем пленные! — цокнул языком Сандро. — Это предателей ведут!

— Каких предателей? — У Нины дыхание перехватило. — Куда их ведут?

Сандро схватил ее руку, зашептал прямо в ухо:

— Их ведут за Харитоновку, в дубовую рощу, и там их всех кончают. Всех расстреливают и сваливают в овраг. Их очень много, Нина, вот что ужасно. Говорят, что там одни полицаи, нацистские прислужники, власовцы, но мне кажется, там есть и просто те, кто был в немецком плену. Ты же знаешь, у нас не признают своих пленных, всех считают предателями Родины... а мне кажется, я, должно быть, плохой офицер, да и вообще, какой я офицер, ты же знаешь, я художник, и больше никто, только художник... так вот, мне кажется иной раз, что это просто часть нации ведут мимо нас, за Харитоновку...

— Ты хочешь сказать, что они продолжают свое дело и во время войны, палачи проклятые? — шепотом спросила она.

— А куда же они делись, Нина, как ты думаешь? В каждом соединении разбухшие отделы СМЕРШ, повсюду шныряют особисты...

Колонна продолжала тянуться мимо них, и вдруг Нину охватило ощущение, что кто-то знакомый только что посмотрел на нее из плотных рядов обреченных предателей. Просто мелькнуло какое-то знакомое лицо. Мгновенная вспышка. Все пропало. В ужасе она едва не задохнулась: это мог быть Савва! Так стекаются иногда невероятные совпадения, черти хлопотливо ткут сеть кошмара, и наконец выскакивает результат — комок ужаса! Отказываясь верить в смерть Саввы, Нина иногда представляла его военнопленным, а стало быть, по сталинской доктрине, предателем Родины. Нет, это не мог быть он. Лицо, мелькнувшее сейчас под пятном конвойного фонарика, было совсем юным, не Саввино лицо, да и вообще незнакомое лицо, просто лицо юнца, которого сейчас за Харитоновкой сбросят в овраг с дыркой в затылке.

Колонна прошла, слилась с темными буграми леса, вдруг возникла тишина и пустота, только Стожары продолжали гордо стоять над презренной землей. Они вернулись на дорогу и вдруг заметили, что к звездам присоединился тонюсенький, будто нитка в лампочке, серп луны.

— И все-таки я надеюсь, что мы вздохнем свободнее после войны, — сказала Нина. — Не может быть, чтобы все осталось по-прежнему после такой войны!

— Сомневаюсь, — пробормотал Сандро. — Вряд ли что-нибудь изменится. Гитлер и Сталин своей ссорой загнали нас всех в ловушку...

Он вдруг, кажется, испугался, что высказал свои тайные мысли вслух. Протянул руку, сжал Нинино запястье, как будто хотел убедиться, что это именно она и ему ничего не угрожает.

— Ты знаешь, Сандро, — проговорила Нина, — после отъезда Саввы на фронт у меня не было ни одного мужчины.

Она шла, опустив голову, повисшие волосы скрывали от Сандро ее лицо.

— Не знаю, что случилось со мной, — глухо продолжала она. — Никому не позволяла до себя дотронуться. Бесилась. А сегодня это дошло уже до точки. Ты знаешь, я едва не уехала с теми, на «виллисе»...

Он отвел рукой ее любимые волосы, робко заглянул в любимое, отяжелевшее в этот момент, но все равно любимое лицо.

— Нет, это ужасно, Нина, с этими козлами, нет!

— У тебя тут есть что-нибудь? — Она подняла лицо так резко, что в глазах ее мгновенно промчались все Стожары и серп луны.

— Что? — со страхом спросил влюбленный в нее уже шестнадцать лет и никогда даже не мечтавший о таком моменте художник Певзнер.

— Комнатенка, шкаф, сарай, где мы можем уединиться? — высокомерно спрашивала она.

Он потащил ее за руку, больше уже не в силах вымолвить ни слова. Они быстро, деловито пошли по дороге, больше уже не перепрыгивая за кювет, а только лишь чуть-чуть отклоняясь от проходящих машин. В конце концов минут через двадцать быстрого хода Нина увидела походный лагерь штаба фронта, с большими американскими палатками, наспех сколоченными вышками, фонарями, отцепленными от тягачей фургончиками. В одном из этих фургончиков у Сандро была мастерская. Трясущимися руками он стащил амбарный замок, пропустил любимую в пропахшую красками, сырую, холодную темноту. Дверь закрылась, они остались одни.

— Подожди, подожди, — зашептала Нина. — Я хочу, чтобы мы оба разделись догола, как будто мы на ночном пляже возле Гюльрипша...

...В крошечное забрызганное глиной окошечко сонм небесных светил смотрел, как два обнаженных человека, сидя на табуретке и стоя, любили друг друга. Прилечь было негде.

— Какое счастье, что я тебя встретила, — шептала Нина. — Какое счастье, что не уехала с теми...

Между тем мелькнувшее перед Ниной в луче конвойного фонарика лицо приближалось к цели своего назначения, оврагу за сгоревшей деревней Харитоновкой. В лесу перед оврагом блуждало множество огней, передвигались сотни теней человеческой расы. Из оврага доносились то мерное тюканье выстрелов, то лихорадочно галопный темп пальбы, как будто мерное тюканье вдруг истерически обижалось на непонимание и старалось во что бы то ни стало и как можно скорее объяснить свои намерения. Интенсивно и не без энтузиазма работала ночная смена экзекуторов военной контрразведки СМЕРШ.

Вновь прибывшая колонна втянулась в лес. Любопытно, что все двигались с относительной бодростью, как будто еще не поняли, что их здесь ждет. Весенний морозец, звезды над соснами, блуждающие за стволами огни, возможно, вызывали у каждого в душе нечто сродни вдохновению Владимира Набокова, написавшего в одном стихотворении: «...Россия, звезды, ночь расстрела, И весь в черемухе овраг!» Впрочем, скорее всего, мы преувеличиваем, и все просто устали от ненависти, страха, боли, надежды смыться и хотели, чтобы все это кончилось. Такие чувства, быть может, владели юным лицом, мелькнувшим перед Ниной Градовой в луче конвойного фонарика.

Колонну загнали на вырубленную в лесу поляну, и сразу смершевцы, от которых разило спиртом, побежали со списками по рядам, выкликая фамилии, выдергивая людей одного за другим, подгоняя их прикладами в спину, пинками в зад. Лицо, мелькнувшее перед Ниной, вдруг покрылось страшным смертным потом. Ему вдруг страстно захотелось оттянуть конец, не попасть в первые очереди, еще и еще раз надышаться ночным воздухом, на прощание пропитаться до последней клетки этой странной комбинацией химических элементов.

Другим хотелось надышаться никотином. Сосед, высокий тридцатилетний парень в обрывках вермахтовского офицерского мундира с уцелевшим на рукаве значком РОА, жадно вытягивал заначенную напоследок сигаретку.

— Вот, значит, где нас будет кончать красная сволочь, — говорил он между затяжками. — Вот, значит, где... в лесу... на воздухе... а я-то все подвал чекистский во сне видел... Хочешь затянуться? — И, получив отрицательный ответ, продолжал жадно, взахлеб втягивать сигарету, с каждой затяжкой приближая ее огонек к пальцам, пока прямо меж пальцев этот огонек и не погас.

— Гитлер во всем виноват, грязная обезьяна! — с силой сказал курильщик. Он был, по слухам, парижанином, отпрыском белогвардейского дома. — Если бы не эта грязная обезьяна, le merd, у нас бы была уже миллионная русская армия, и мы бы сами кончали красную сволочь...

И тут как раз его выкрикнули:

— Чардынцев! — И потащили волоком, потому что у парижанина вдруг ноги отказали. — Вставай, сука! Вставай, блядь! Сейчас за хуй повесим, срака фашистская!

Оказалось, что первых вызванных не под пули волокли, а в петлю. Неподалеку от распределительной площадки в свете фар стояла длинная поперечная виселица. К ней медленно задом подъезжали с откинутыми бортами грузовики-«студебеккеры». Там, в кузовах, держали жертву смершевцы. Каждой жертве зачитывали персональный приговор трибунала: «Именем Союза Советских Социалистических Республик... за совершенные против советского народа преступления... к смертной казни через повешенье... обжалованию не подлежит...» Один из смершевцев надевал жертве на шею петлю, после чего грузовик — многоцелевая, в самом деле, машина — двигался вперед, и жертва обрывалась вниз, чтобы совершить свой последний танец, сопровождаемый, как утверждают знатоки, сладчайшими эротическими видениями.

В промежутках между экзекуциями баба-подсобница наливала палачам спирту из четвертной бутыли. Можно было его развести водой по вкусу или так жахнуть, прямиком. Все оставшиеся на площадке, и в том числе и тот, мелькнувший перед Ниной под лучом конвойного фонарика, совсем потеряли самообладание. Кто-то выл низким голосом, кто-то блевал, валились на колени, молили палачей: «Пощадите, братцы!»

Вдруг, словно выстрел прямо в ухо, он услышал свое имя: «Сапунов Дмитрий!» Голова провернулась в бешеной спирали, он зацепился носком сапога за недовыкорчеванный пенек, упал, обмочился и пролился чудовищным поносом, однако встал и шагнул навстречу группе деловито шагающих вдоль площадки палачей. Долетел чей-то начальственный голос, сверяющий список: «...Решетов, Ровня, Сапунов, Сверчков... Давай, тащи этих, что на ногах, к оврагу, а тех, что лежат, кончай на месте, блядей! Давай, ребята, шевелитесь, а то так до утра не управимся!»

И вот его тащат, обмотав веревкой вместе с другими, а если он падает, по спине или по голове тут же огревают дубовой палкой, и он снова встает. Он все еще думает, что его тащат к виселице, и хрипит: «Вешайте, красная сволочь!» — однако его тащат мимо грузовиков, мимо виселиц, в темную прорву леса, откуда доносится то мерное тюканье, то лихорадочный галоп пальбы. На его долю не выпало чести специального приговора трибунала, он подпадает под массовое постановление.

Как же случилось, что Митя Сапунов, присоединившийся в июле 1943 года к советским партизанам соединения «Днепр», вновь оказался в группе «предателей Родины», на этот раз разоруженной и приговоренной к смерти? В тот знойный месяц в белорусско-украинских дубравах ему вдруг впервые с начала войны показалось, что он попал по-настоящему к своим. Нашедшие их ребята больше походили на казачью вольницу времен гражданки, чем на советскую воинскую часть, скованную армейской, а также партийно-комсомольской дисциплиной. Картузики набекрень, расстегнутые до пуза гимнастерочки или пилотские куртки, а главное, кожаные фрицевские пояса, увешанные подсумками, гранатами, ножами. Шик состоял в том, чтобы носить пистолеты не сзади, по-советски, на ягодице, а спереди или на бедре — удобней, дескать, немедленно обнажить огнестрельное оружие. Соответственно и манеры: никакого чинопочитания, командиров величают Лукич, Фомич, движения свободные, ловкие, общее настроение разбойничье — «ну, давай, хуе-мое, воткнем им шершавого и рвать когти!».

Обессилевших Митю и Гошку Круткина в виде двух слабо мычащих мешков поперек лошадиных спин привезли на главную базу, разбросавшую свои блиндажи в оврагах посреди непроходимой чащобы. Разведчикам с «фокке-вульфа» нелегко заметить признаки цивилизации среди густо-зеленых крон, внизу одна лишь царственная природа, а между тем там, внизу, вослед пролетающей докучливой «раме», молча до поры, поворачиваются зенитные пулеметы.

Ну, а под кронами дубов и вязов, под тяжелыми юбками вековых елей сосредоточилось все партизанское хозяйство: и конюшни, и гаражи, и мастерские, и склады, и землянки с нарами для ребят, и штаб с радиостанцией, и «хавалка», то есть большая столовая, где «хавали» все от пуза, без всяких норм, хотя, конечно, иной раз и на зубариках приходилось поиграть, особенно во время фрицевских карательных операций, когда склады запечатывались, а штаб и все службы сворачивались и по-быстрому перемещались. Кашеварили, конечно, по ночам, чтобы не демаскировать себя дымом, значит, и горячую пищу хлопцы по ночам лопали, ну, что ж, дело привычки. По ночам топили и баню, вот там-то, в парной, крутым кипятком и прошли санобработку Митя с Гошей. Там-то им и дикие башки под ноль окатал базовый парикмахер. Лазарь, сокращенно Лазик.

Интересно, что никто в отряде их ни о чем особенно не спрашивал. Пленные так пленные, чего ж ясней, тиканули от фрицев, и порядок, влиться хотите в ряды народных мстителей, добро пожаловать! В штабе записали ф.и.о., год рождения, место постоянного жительства, номер части, из которой в плен попали, и кранты: никакие их сказки до поры не понадобились. А как оклемались ребята, их приписали к той самой группе разведки, что их обнаружила. Выдали с полным доверием по комплекту оружия, в том числе автоматы ППШ с круглым диском, отечественные. Основной костяк группы был, конечно, экипирован «шмайссерами», однако командир Гриша Первоглазов сказал, что теперь от них самих зависит, если хотят фартовенько вооружиться.

Гриша Первоглазов был ростовский, и похоже было на то, что в городе своем, Ростове-папе, он не принадлежал к самым почтенным семействам. Во всяком случае, всю свою партизанскую деятельность он, кажется, рассматривал как одну массированную гоп-стоп забаву.

И в самом деле было весело с Гришей Первоглазовым. Лежишь в кустах, ждешь; или байки слушаешь про половое прошлое, или кемаришь. Вдруг Гриша Первоглазов — ох, чутье у парня! — объявляет: «Едут! Внимание! Кто шмальнет без команды, будет иметь дело со мной!» Появляется конвой: броник со скорострельной-безоткатной, грузовики с добром, «хорьхи» с охраной. Каски у фрицев раскалились под августовским солнцем, клюют арийскими носами, не знают, что «капут» сидит за кустами; в такой идиллии «Огонь!» — кричит Гриша Первоглазов и для пущего форса подвешивает сигнальную ракету. Дальше — все как по нотам: броневик натыкается на мину и под жопу получает хлыста из противотанкового оружия; по «хорьхам», по каскам, по спинам и в грудь немецко-фашистским захватчикам кинжальным огнем во имя нашей советской родины! Грузовики врезаются друг в дружку и в придорожные деревья, взрываются гранаты. Те, кто уцелели из охраны, бегут в кювет, на них из кустов прыгают народные мстители. Весело! Но вот конвой разгромлен, развеялся дым короткого боя. Пленных, какие есть, допрашиваем на месте действия. Тут большую помощь оказывают новички-москвичи, Митя и Гоша. Очень успешно учились в средней школе ребята, могут по-немецки вопросы задавать.

Дальше самая веселая часть операции — интересуемся содержимым транспортных средств. Иногда попадаются любопытные предметы. Например, однажды вытащили из-под фельдфебеля три ящика датской водки «Аквавит». Во завелись хлопцы! Раскочегарили пару машин, надели фрицевские мундиры и в Овруч, к блядям, закатились. Любо, братцы, любо! Любо, братцы, жить! С нашим атаманом (Гришей Первоглазовым!) не приходится тужить!

При всей этой вольнице в группе сохранялись отличные товарищеские отношения и авторитет командира. Такая вообще образовалась капелла — ну просто как в детстве мечталось: вот бы подобрать таких ребят, один за всех, все за одного, «мы спина к спине у мачты, против тысячи вдвоем!..».

«Я тебя, Сапунов Митя, представил к медали «За боевые заслуги», — как-то сказал Первоглазов после успешного завершения спланированной в Москве операции по одномоментному взрыву двух мостов через Припять. Похохотали, ну, похохотали, как вдруг в декабре сорок третьего, в пургу, прилетает с Большой земли на тайный аэродром «дуглас» и из него выбрасывают мешок с медалями, а среди них и Митины «Заслуги».

К концу сорок третьего, надо сказать, связь с Большой землей стала почти регулярной, и однажды прибыл широкоскулый и злобный генерал с целым штабом прихлебателей. «Лукичей» и «Фомичей» мигом раскассировали по вновь организованным ротам и взводам. Весь отряд стал именоваться Шестой партизанской бригадой имени Щорса. Построили специальный блиндаж для особого отдела. Мутноглазые, криворотые особисты начали «просеивать кадры». Митю и Гошку несколько раз уже вызывали «для уточнений», всякий раз по отдельности. За прошедшие месяцы оба основательно подзабыли свою первоначальную легенду и на первоначальных беседах с майором Лапшовым многое напутали. Оказалось, например, что из санпропускника они сбежали хоть и вместе, но на расстоянии ста километров друг от друга, да и по времени вроде бы показания на пару недель разошлись. Лапшов, как ни странно, к этому не придрался, может, других дел у него было много о ту пору. Исчез, например, из бригады бравый разведчик Гриша Первоглазов. Народ интересовался: куда наш герой делся? Отвечали: отозван! Куда же его отозвали, интересовались отвыкшие от порядка партизаны. Куда надо, туда и отозвали, был кривогубый ответ. А за тем еще следовал встречный вопрос от кривогубых: «А вы почему так Первоглазовым интересуетесь?» И тогда уже все вопросы прекращались.

В январе сорок четвертого фронт по всем признакам приблизился к партизанской зоне. Восточная часть небосвода стала постоянно озаряться зимними сполохами. Оттуда слышался все нарастающий гул. Поступил приказ о передислокации к западу, чтобы продолжать работу в тылу врага, прерывать его коммуникации, выводить из строя живую силу и технику.

Две недели с тяжелыми боями шли через густо забитую отступающими немецкими частями местность. Фронт, однако, приближался быстрее, чем они уходили на запад.

— Похоже, Митяй, что Германия дала трещину, — говорил, озираясь, Гошка. — Что делать-то будем?

— Как что делать будем? — притворялся непонимающим Митя. — Воевать будем вместе с нашими.

— «С на-а-шими», — передразнивал Гошка. — Ты что, не понимаешь, что дело пахнет керосином? Надо когти рвать из отряда!

— Да куда же когти-то рвать? — цепенея от дурного керосинового запаха, бормотал Митя.

— Черт его знает, — шептал, шныряя глазами, друг ситный.

За одно только это шныряние глазами его могли поволочь в СМЕРШ.

— Может, к украинцам подадимся?

Ходили слухи, что в западных областях формируются украинские силы, которые собираются биться на два фронта: и с немцами, и с русскими.

— Только на хуя мы им нужны, украинцам?

В один прекрасный вечер на построении запах керосина смешался с густым кремовым ароматом духов «Красная Москва». Перед строем партизан вместе с генералом Рудняком и его особистами появилась статная девка в капитанских погонах, не кто иная, как библиотекарша Лариса, ну, та. Ну, вот именно та, с которой Митя Сапунов воспарял в аргентинской страсти и которую потом шакалы из команды «Заря» «под хор» пропускали.

Увидев ее, Митя и Гошка стали сползать. Значит, верно тогда болтали, что большевистская шпионка. В общем, вот что оказалось: та, первая, Лариса еще под доваторскими казачками погибла, а на ее место прислали вот эту Ларису, далеко не девушку, а опытную чекистку. Явившись же в партизанский отряд, выявилась она совсем и не Ларисой, а капитаном Ватниковой Эльзой Федоровной и, что интересно, значительно старше своего летнего возраста.

Сначала она не замечала ни Митю, ни Гошку, видно, дел было слишком много. Партизан, теперь по алфавиту, продолжали вызывать к особистам, и не все возвращались в строй. До Круткина и Сапунова еще очередь не дошла, и они старались скрыться от глаз капитана Ватниковой среди трехтысячной массы. Начали даже бороды запускать, одновременно отчаянно думали, куда тикать, что делать. Возникла даже идея пригласить капитана Ватникову на свиданку в лес, и вдруг однажды на построении она этак запросто приблизилась к ним и, даже не вглядываясь, сказала с отвращением:

— Ну, хватит ваньку валять, власовская сволочь! Оружие положить! Следовать за мной!

И тут же обоих взяли под микитки, поволокли в страшную часть оврага. Чека и в лесу умудрилась устроить свою Лубянку. Здесь их разъединили и начали поодиночке лупить, выколачивать чекистскую правду. Потом бросили в яму, где еще дюжины две подследственных ворочались.

На следующий день Митю приволокли в избу лесника на допрос лично к капитану Ватниковой Эльзе Федоровне. Когда они остались одни, бывшая библиотекарша Лариса вытащила из кобуры пистолет и засунула его себе за пояс. Вот последний шанс, подумал Митя. Оглушить оторву, забрать пистолет, попробовать к украинцам прорваться. Сил, однако, после вчерашней разминки не было даже поднять башку, не то что руки.

Эльза, глядя на него в упор, вдруг вынула помаду и густо, по-цирковому, намазала себе губы. Потом подошла, прижала грудями и животом к бревенчатой стенке, руку запустила в штаны, свирепо ухватила главную жилу. Митя затуманился, поехал вбок. Она расхохоталась, вытерла руку о подол.

— Встать, говно! Встать не можешь?! Небось на чувства рассчитывал, ублюдок? Ха-ха, у меня тут ебарей хватает! — Открыла дверь, позвала вежливым, партийным голосом: — Заходите, товарищи!

Вошли два заплечных дел мастера. Опять начался «разговор по существу». Митя признался, что был во вспомогательных русских частях вермахта. Насильно забрали. Всегда ненавидел захватчиков. Мечтал о побеге. Убежали вместе с Круткиным, как только случай представился. «Врешь, скотина! — кричали особисты. — Давай, все рассказывай, а то мы сейчас из тебя ремней нарежем!» Они явно не знали, какие еще можно получить сведения от юнца Сапунова, просто хотели чего-нибудь еще. Митя, хоть и едва уже шевелил мозгами после бесконечных ударов по голове, все-таки умудрялся хитрить, рассказывал только то, что могло быть известно библиотекарше Ларисе, об остальном же давал смутную картину.

Так продолжалось несколько дней. К избиениям прибавилась еще одна пытка, именуемая «инкубатор». Засовывали с завязанными руками и с кляпом во рту в клетку с курами. Лишенные трех четвертей жизненного пространства, куры гадили на непрошеного гостя, а потом начинали остервенело расклевывать ему все обнаженные участки тела.

В одну из ночей, после целого дня «разговоров» и «инкубатора», Митя полубредил в общей яме под густо падавшей с небес белой благодатью, тети Агашиной сладчайшей и теплейшей, единственно любимой, сопровождаемой мэричкиным Шопеном, манной кашей. Подполз еле живой Круткин, уткнул голову ему в колени, трясясь от рыданий, пробудил к реальности.

— Митька, прости, не выдержал я, раскололся, заложил я тебя, родной мальчик, единственный мой друг, сказал, что ты добровольцем к немцам пошел и меня увлек...

— Ну что ж, спасибо, Гоша, — усмехнулся Митя. — Другого я от тебя и не ожидал. Будь здоров и выживай, а с меня этого всего уже хватит...

Он был уверен, что его теперь немедленно шмальнут там, где они всех шмаляют, за мусоркой, однако сразу же после Гошкиного предательства все как-то странно переменилось. Во-первых, их обоих перевели из ямы в сарай, где даже крыша была, хоть и худая. Во-вторых, стали малость подкармливать: то баланды скотской дадут, то даже солдатской каши, не то что в яме, куда раз в три дня одну лишь бадью гнилой картошки сбрасывали. Допросы пошли более по-деловому, меньше стало мата, слюноизвержения, истерик, хотя, конечно, засаживали порой по-прежнему очень крепко.

Потом двое совсем уже серьезных появились, по всей вероятности, прилетели с Большой земли. Эти уже совсем никаким хулиганством не занимались, и даже спиртягой от них не пахло. Больше всего их интересовал тренировочный центр Дабендорф, где ребята провели четыре месяца перед отправкой на Украину. Кого там видели и что можете сказать о Боярском, Малышкине, Благовещенском, Жиленкове и особенно о Зыкове? Появлялся ли перед вами сам Андрей Андреич? Какой, простите, Андрей Андреевич, расторопно переспросил Гошка. «Что же, вы своего вождя, Власова, по имени-отчеству не знаете?» — усмехнулись серьезные товарищи. Ну, а немцы, какие с вами работу проводили? Вот, например, некий Вильфрид Карлович появлялся? А вот такой, фон Тресков? Тут уж Гошка просиял: «Помнишь, Мить, мы его Треской прозвали? Мы его, товарищи, Треской дразнили». А ну-ка, перестань веселиться, предатель Родины, нахмурились вдруг серьезные товарищи, и Гошка тут же скис, поняв, что от расстрела все же совсем не гарантирован.

Далее еще более странный какой-то поворот произошел с Митей. В ходе допроса пришлось ему рассказать свою биографию и, естественно, упомянуть о том, что воспитывался с восьми лет в семье профессора Градова. Авось не вспомнят про сыновей — «врагов народа», надеялся он, не зная, что его приемный дядя Никита давно уже не враг, а великий герой народной войны, командующий легендарным Резервным фронтом, маршал СССР. Серьезные товарищи молча переглянулись, получив эти сведения, после чего Митя был переведен в теплую землянку, возле которой был поставлен отдельный солдат.

Фронт уже прошел через их края, и теперь партизанская база оказалась в близком тылу сражающихся войск. И однажды на эту базу прибыл по Митькину душу странный гость. Он пролез большой лысой морщинистой башкой в землянку, а за ним сам командир бригады внес керосиновый фонарь. Поверх формы на госте был овчинный тулуп, так что чина не различишь, однако ясно, что чин большой. Больше часа сидел гость в вонючей землянке и задавал страшному от исхудалости и побоев юнцу вопросы о его жизни в семействе Градовых. Проявлял удивительную осведомленность.

Вот когда вашего приемного отца Кирилла Борисовича арестовали? А когда Вероника Александровна из Хабаровска приехала? А что вы вообще можете сказать о Веронике Александровне? Получали ли старшие Градовы письма от арестованных детей и как на них реагировали? Не замечалось ли... хм... предвзятого отношения по национальному вопросу к вашей приемной матери Цецилии Наумовне Розенблюм? А вот насчет Нины Борисовны, как она? Ну, в том смысле, как проживала, часто ли бывала у родителей, не ссорилась ли с мужем, как к дочери относилась, вообще как высказывалась? Как, интересно, изменилась жизнь семьи после ареста старшего сына, Никиты Борисовича? Заезжали ли его старые друзья или полностью все отвернулись? А как вот к вам, приемышу из крестьян, все эти Градовы относились? Не унижали вашего человеческого достоинства?

Последний вопрос показался Мите таким диким, что он даже как-то захаркался, сглатывая мокроту, что, возможно, было задумано, как изумленный смех. После этого странный гость, не прощаясь, выбрался из землянки.

Еще несколько дней прошло в неопределенности. В кашу стали совать кусочки мясных консервов. Митя подумал, что шмальнут теперь не сразу: он кому-то там для чего-то нужен, странный гость посетил его явно неспроста.

Вдруг опять все перевернулось и покатилось, теперь уже прямо в волчью пасть. Вдруг вытащили из землянки, накидали ни за что ни про что пиздюлей, погнали прикладами на дорогу, прибили к колонне предателей Родины, и вот оттуда уже начался его окончательный марш на ликвидацию, за Харитоновку, в тот овраг. Откуда было знать Мите, что с каких-то высот поступил приказ немедленно ликвидировать всех предателей и сотрудничавших с оккупационными властями лиц в том секторе, где он имел несчастье находиться. Операция проводилась, во-первых, в порядке «справедливой мести» за недавнее убийство украинскими партизанами-бандеровцами генерала Ватутина, а во-вторых, в превентивном порядке, поскольку генерал Хюбе с тремя танковыми дивизиями начал развивать в этом секторе успешное контрнаступление.

И вот его подтаскивают к освещенному прожекторами краю оврага, из которого ошеломляюще разит смертью. Стоят, покачиваясь, тени людей, похожие на мишени в форме людей. Другие тени быстро проходят от одной тени к другой — стреляют из пистолетов в голову, в затылок. Тени-мишени пропадают, тени-стрелки утирают ряшки: кое-что, очевидно, на них попадает при выстреле в упор.

Подтаскивают одну за другой шатающиеся кучки людей, связанных вместе веревкой. При развязывании веревки в ответ на приказ «разобраться!» иногда случается «непорядок»: какой-нибудь псих начинает ваньку валять, падает на колени, театр тут всякий устраивает: «Братцы, пожалейте! Братцы, пощадите!» Один так просто всех насмешил. «Я сам шел! — кричит. — Я же шел, как положено!» Как будто если сам шел на расстрел, так его расстреливать не надо. Ну, если сам шел, так теперь сам и вставай, падло, как положено! Давай, ребята, живей! Кончайте этот театр, так до утра не управимся! Иной раз галопом-галопом, как конница-буденница, по кучам предателей начинали работать «максимы», и тогда дело шло веселее, хотя точность, конечно, снижалась. Ну, ничего, в яме все сойдется.

Митя еще хотел распрямиться во весь рост, еще надеялся успеть выкрикнуть в слепящие фары красной, жадной до трупов электрификации, выкрикнуть что-то, пролаять все-таки с ощетинившейся холкой, показать зубы трупа, чтобы запомнили, когда отпущенная без предосторожностей кривая всеобщей диаграммы коммунизма саданула его по боку и пошла дальше, срезая целый пласт земли и обнажая слежавшиеся эпохи, кости и окаменевшие печени.

На обратном пути в Москву Нина делила купе с Любовью Орловой. Она была очень весела, хохотала, рассказывала кинозвезде какие-то фронтовые курьезы, и Люба подхохатывала, прекрасно понимая, что у Градовой завязался роман. Наверное, уж какой-нибудь летчик-истребитель, воздушный ас, вся грудь в орденах, кто-нибудь вроде знаменитого Покрышкина. Меньше всего, конечно, походил на героя фронтового романа некто сутулый и тощий, в жеваной-пережеваной шинелишке, который толкался вокруг автобуса с артистической бригадой до самого отъезда на железнодорожную станцию.

Когда погасили свет, Нина долго лежала в счастливой дреме. Все тело ее вспоминало прикосновения Сандро, и в глазах стояли его обожающие, какие-то ритуальные глаза. Язычник, смеялась она в полусне, из драной кошки сотворил себе кумира. Она знала, что он может быть красивым. Когда расстанется с этой гнусной формой, ничто не помешает ему стать красивым, даже маленькая плешь.

Она попыталась представить себе их будущую жизнь, закатное, хорошей старой меди небо над вечным Тбилиси, но вместо этого вдруг увидела головы шагающей в темноте колонны, мертвую зыбь голов, и вдруг совершенно отчетливо поняла, чье лицо мелькнуло перед ней в луче конвойного фонарика. Контрактура всей кожи, мгновенный и незабываемый спазм.

Все, что выливалось из сверху лежащих, стекало на Дмитрия Сапунова в его последний час. Когда этот час прошел, он начал выкарабкиваться. Отодвигая отяжелевшие конечности беспардонно сверху лежащих. «Одной-то пули нам мало, — бессмысленно бормотал он. — Одной-то пульки-шмульки-фитюльки нам маловато...» Пролезал из черного мрака в серый мрак. Предрассветный туман прикрыл толстыми слоями все ночное дело. Стали вырисовываться стволы невинных животных земли — деревьев. Перекликались часовые, навьюченные пульками упыри. Сверху с небес гудела боевая слава — авиация. Все дальше он уходил, зажимая локтем располосованный рикошетной пулей правый бок. Почти не скрываясь, проковылял мимо обгорелых печей Харитоновки. С другой ее стороны, с полевой, видны были привольные, лежащие в талых лужах луга. Первые лучи из-за бугра осветили водяные пятна и заставили их, как в старину, отразить облака. Тогда он упал в кусты, на прошлогодние листья, вдохнул весеннюю гнильцу и заснул, вызывая серьезный интерес у двух сидящих поблизости ворон. Тление невинное и тление греховное, казалось, думали вороны, что разлучает вас в космических полях?

Проснулся он от посвистывания. Незнакомая ему мелодия «Тучи в голубом». По вьющейся поперек поля и уходящей к горизонту грунтовой дорожке шел, удаляясь, одинокий солдатик. Он весело перепрыгивал через лужи и удалялся, на плече вещмешочек. Никакого оружия, вот что интересно, подсказала Сапунову одна из ворон. Солдатик, похоже, возвращался из госпиталя в свою часть.

Сапунов, подавляя стон, поднялся и тяжело побежал за ним. Рухнул на маленькую спинку, железными, может, еще трупными пальцами сжал горло, бесповоротно круша хрящи. За шиворот потянул приконченное так легко тело к себе в кусты. Синь удушья отлилась от солдатика, он лежал с румянцем на щеках, будто кемарил. Сапунов залез в нагрудный карман, вытащил пачку помятых папирос «Норд», штук десять в ней было, точнее, одиннадцать; там же была и зажигалка, сделанная вручную из гильзы бронебойного патрона.

Сапунов начал курить и не остановился, пока не выкурил все одиннадцать штучек. Хорошо было, лежишь рядом с каким-то военнослужащим, будто с корешем, дымишь, в небе над тобой на большой высоте пролетает международная авиация. Потом вспомнил, что не для курева же душил. Полез в другой нагрудный карман, вытащил красноармейскую книжку. Вот ради этого душил. Документика. Ксивка-бурка вещая каурка.

Глава семнадцатая
Virtuti militari*

Девятка больших перелетных гусей стройным клином заходила на посадку. Балтийский высокий закат отражался по всей поверхности городского пруда. Эта поверхность и была посадочной площадкой для гусиной эскадрильи. Вожак аккуратно снижал скорость, громко требовал синхронности: «Делай, как я! Делай, как я! Делай, как я!» Для него, видимо, важна была не просто посадка, а посадка, выполненная в идеальном стиле, в полном синхроне. Все остальные гуси молчали, стараясь точно и ритмично повторять взмахи его крыльев. Сели все одновременно, с минимальным количеством брызг. Сели и только тогда ужс загоготали, вознося хвалу своему вожаку. И он теперь гоготал наобум, счастливый и гордый, встряхивался, нырял большой головой в немецкое озеро, выныривал весь в брызгах, в лучах заката. Долетели! Привел свою семью без потерь и в лучшем стиле!

Маршал Градов, прогуливаясь вдоль пруда, с интересом смотрел на гусиные радости. Прилетели,

---

* Воинская почесть *(лат.)*.

должно быть, из Северной Африки, от Тобрука и Эль-Аламейна; не из долины ли Нила? Напрямик, как требует тысячелетняя традиция, невзирая на зенитный огонь и воздушные бои, в точности следуя своему навигатору и садясь на поверхность озера в Данцигском коридоре, не зная, впрочем, ничего про этот так называемый коридор; однако весьма довольные тем, что очертанья городка не изменились.

А могли бы ведь измениться, и очень сильно, как, например, изменились очертания Кенигсберга. Если бы фон дем Боде не капитулировал, вряд ли удалось бы городскому замку сохранить свои башни. Волны «летающих танков» Ил-2 вкупе с гвардейскими минометами и с артиллерией всех трех основных калибров превратили бы всю эту готику в «плюсквамперфект». Увы, таковы обстоятельства конца игры, ваше превосходительство «сумрачный германский гений».

Так элегически размышлял командующий Резервным фронтом, прогуливаясь, как всегда, под бдительным оком своей охраны по берегу городского пруда в маленьком и вылизанном, несмотря на войну, до последнего булыжничка прусском городе на спорной германо-польской территории в апреле 1945 года.

Интересно превращение абстрактного, исчисляемого количеством дивизий генерал-полковника фон дем Боде в конкретного военнопленного человека. Не первый раз наблюдает Никита этот феномен в ходе войны. Прошлым летом при завершении операции «Багратион»... Сначала ты смотришь на карту, на огромный «котел», в котором «варятся» 60 000 окруженных гренадеров Хиттера. Этот «котел» скорее похож на амебу, он то расширяется на севере, то сужается на юге. Вокруг амебы день за днем сжимаются стальные пальцы трех фронтов, трех отвлеченных стратегических понятий под именами «Мерецков», «Градов», «Рокоссовский». Идет тактическая игра, перемещения колонн, пересечение коммуникаций, подсчет процентов потерь... У Хиттера только одно преимущество — огромное болото под брюхом амебы. Если у него есть еще надежда, он надеется отсидеться за этим болотом до подхода каких-то гипотетических подкреплений. Однако раньше подходит «Захаров», и дальше стратегия начинает стремительно превращаться в кровь, пот и слезы, в бешеное сопротивление других. Тысячи солдат плетут себе из ивняка эскимосские сетчатые лыжи и на них форсируют болотную топь. Хиттер приказывает своим гренадерам примкнуть штыки и контратаковать. Проходит два дня, и все кончено, амеба расплющена, непобедимая еще два года назад армия превращена в мечущийся по лесу панический сброд. Победители хлебают суп из брошенных на дороге еще теплых вермахтовских полевых кухонь, берут из ящиков запасенные впрок «железные кресты», ставшие среди солдат своего рода валютой. Стратегическое понятие «Бобруйский котел» в конце концов превращается в сомнамбулическую фигуру немецкого генерала, одиноко бредущего вдоль дороги и что-то бормочущего себе под нос.

У меня в «виллисе» были тогда Илья Эренбург и американский журналист Рестон. Мы остановились и пошли навстречу потерявшемуся генералу. Ни русского, ни английского он не знал, а я забыл свой школьный немецкий. Эренбург кое-как слепил фразу: «Кто вы такой» — и расхохотался, получив ответ: «Я немец, а не блоха!» Почти по Зощенко. Впрочем, остается на совести у Эренбурга, поскольку перевод некому было проверить.

Позднее, когда ужинали в Бобруйске, то есть когда стратегические понятия «Рокоссовский», «Мерецков», «Захаров» превратились в собутыльников Костю, Кирилла, Жору, начали говорить на эту тему, то есть о превращении военных, стратегических, исторических понятий в судьбу отдельного маленького человека, и тут же осеклись, потому что все сообразили, что приблизились к опасному пределу. Могучие маршалы побаивались касаться острых тем.

Никита вспоминал выходящего из бункера, продрогшего, измученного, явно очень грязного, в нарушение всех имперских традиций, генерал-фельдмаршала фон Паулюса. Клубок распутан, выдергивается последняя ниточка, на грязном снегу Сталинграда остается человечек, мечтающий о горячей бане и смене чистого белья.

То же самое могло случиться и со мной при другом повороте событий, как это случилось с Андреем Власовым, когда он потерял свою армию и был загнан со своей Марией Игнатьевной в последний сарай. С каждым историческим деятелем это может случиться. Вообрази себе Сталина, изгнанного из Кремля и бредущего пешком в Гори. А что произойдет в ближайшем будущем с историческим понятием, именуемым «Гитлер»? Немецкие генералы, вроде этого фон дем Боде, из заштрихованных участков карты превращаются в военнопленных, ну, а я из лагерного доходяги с его мучительным «ну-если-еще-значит-еще» превратился в грозное для немецкого генштаба понятие «Градов». Не следует забывать и обратного движения, я никогда не должен забывать трагикомической подоплеки человеческих судеб.

Акт капитуляции соединения фон дем Боде происходил в городском замке Шлоссбурга. Никита обменялся с пленным генералом рукопожатием и даже пригласил его на чай в кабинет бургомистра. Немец не выказывал никакого прусского несгибаемого величия, наоборот, был явно благодарен за прием, словоохотлив, как будто напрашивался на дружбу.

— Вы разбили нас с помощью нашей собственной стратегии глубоких танковых клиньев, концентрации огня и пехотной массы. Оставьте нам хоть это утешение, маршал Градов!

Никита благосклонно кивал, оставлял разбитому врагу хоть это малое утешение, подмечал, с каким явным наслаждением пленный генерал-полковник обсасывает ломтик лимона.

— Маршал Градов, вы не прикажете меня расстрелять, если я задам вам один личный вопрос? — спросил фон дем Боде.

Никита тут же понял, что это будет вопрос о лагере. Разумеется, немцы знали, что я провел четыре года в заключении. Интересный типус этот фон дем Боде, по его вопросу можно уже судить, как он сам будет себя вести в лагере.

В этот как раз момент доложили, что за генералом прибыли представители военной разведки, и двум джентльменам, советскому и нацистскому, пришлось распрощаться. Перед уходом фон дем Боде обвел ясным взглядом стены: прощайте, мол, тевтонские скрижали. На прощанье Никита отдал ему честь и с удовольствием увидел, что, пока немец шел по анфиладам, все его ребята брали под козырек.

Вооруженные силы должны держать свое достоинство не только при поражении, но и в разгуле победы. То, что сейчас происходит, это чудовищная деградация армии. И нации! Позор нам всем, русским! Позор нашей цивилизации! За танками мчится толпа мародеров с мешками! И это мы, которые так классно защищались! Агиттреп опять нравственно разлагает народ! Сначала была бдительность и всеобщий донос, сегодня — эта грязная идея неудержимого мщения! Отовсюду, из всех щелей, из газет, из радио, от политруков, лезет на обалдевшего от четырехлетнего грохота бомб солдата эта подлость, и все мы, включая и меня самого, отвечаем за это. Не я ли орал: «Не давать передышки гадам»? Да ведь и нельзя было давать передышку. Однако именно из этой неудержимости и для поддержания оной это и возникло: мстить! Ярость и жажда — жажда! — мщения! Разотрем их всех в пыль! Бей, насилуй, бери трофеи, то есть грабь! И совершенно понятен циничный «социальный заказ». Разнуздать в солдате мародера — значит сделать его бесстрашным, свирепым варваром, значит такой ценой приблизить цель — окончательный разгром дезорганизованного врага. Ну, а если глубже копнуть, то можно увидеть нечто еще более подлое и зловещее, осуществляемое, возможно, бессознательно, но с присущим этой банде точным инстинктом. Впервые за столько лет, после униженной рептильной жизни, наш народ совершил колоссальный нравственный подвиг, обрел новое достоинство. Надо снова превратить его в свиней, замазать всех одним говном; иначе — несдобровать! Ну а если еще глубже, то сколько же еще кругов этого ада нам надлежит пройти, чтобы... Но тут мысли Никиты Градова прерывались коротким приказом маршала Никиты Градова: «Не впадать в метафизику!»

Так или иначе, они несутся за танками и хватают все, что попадется под руку: швейные машинки, радиолы, велосипеды, лампы, шторы, белье, подушки, фарфоровые сервизы, кучи часов, тащат охапками одежду из шкафов, срывают шторы, волокут мебель... Обозы пухнут от этих так называемых «трофеев». Самое же ужасное состоит в том, что они сделали своей дичью женщин и маленьких девочек. «Они наших баб ебли, а теперь мы ихних всех переебем!» Все женщины, не успевшие убежать из Пруссии, теперь передвигаются с растопыренными ногами. Да откуда же у наших славных «васей теркиных» появляется страсть раздирать ноги и старухам, и крошкам школьницам?

Третьего дня Никита не выдержал и лично вмешался в этот содом. Случайно до него долетел разговор среди его штабных о том, что некий капитан захватил неподалеку немецкий хутор и творит там такое, что не снилось и Чингисхану. Дикий переполох в штабе: командующий опоясывается ремнем с личным оружием, берет взвод своих «волкодавов» и отправляется на хутор.

На хуторе они застали самый разгар «священной мести». Пьяные вдребезину, капитан и дюжина его прихлебателей, натянув на голые тела женское розовое и голубое белье, скакали по комнатам, как сущие обезьяны. Хозяин и два работника-югослава были убиты, когда пытались остановить изнасилование трех малолетних дочерей. Стреляли мужчинам преимущественно в пах, стараясь расквасить половые органы. Девочки, самой старшей было одиннадцать, ползали наверху в лужах крови. Их мать повесилась — или была повешена — в кладовке.

Подтянутый к ногам командующего капитан бессмысленно улыбался и бормотал: «Шмерце, говоришь? Врешь, сучка! Нихт шмерце!»

На следующий день вся теплая компания по приговору полевого суда, то есть просто по приказу маршала, была расстреляна. Приказ о немедленном расстреле за мародерство, связанное с человеческими жертвами, был зачитан во всех частях, батареях и эскадрильях Резервного фронта.

Бесчинства почти немедленно прекратились, и это еще раз показало, с тоской и прискорбием подумал Никита, что не некий мистический огонь мщения жжет солдатские души, а преступное попустительство и даже науськиванье сверху.

— На самом высоком уровне — вы понимаете, что я хочу сказать, Никита Борисович? — проявлено понимание справедливой мести, пылающей в груди советского солдата! — почти кричал на маршала начальник политуправления, дослужившийся уже до генерал-лейтенантского чина Стройло.

Узнав о казни мародеров, он вкатился в штаб фронта, пылая не менее справедливым, чем солдатская месть, негодованием. Большая, со слоновыми складками кожи лысая голова, тонкие губы, вечно кривящиеся в улыбке, которая как бы на последнем уже пределе скрывает накопившуюся обиду, — посмотрела бы сейчас Нинка на того, кто был когда-то ее любимым «героем-пролетарием»!

— Не слишком ли много на себя берете, товарищ маршал?! — кричал он. — Боюсь, что в Ставке Верховного главнокомандующего вас теперь не поймут!

Мужланский рык то и дело срывался в бабью, коммунальную визгливость.

— Пока что прекратите визжать! — со своим коронным леденящим спокойствием произнес маршал. — Иначе я прикажу вас немедленно выставить из штаба!

Стройло тут же сник, снизил сразу на пол-оборота:

— Никита, прости, нервы... я как представил, что парней за каких-то немцев... ведь чуть не до Берлина дошагали...

— Таким скотам нет места среди человеческого рода, — сказал маршал. — Вот моя докладная в Ставку! Попустительствуя разбою, мы увеличиваем количество собственных жертв! Немцы теперь уже дерутся не за Гитлера, а за свои собственные жизни, им некуда деваться, они защищают своих женщин и детей от прямого уничтожения! Идет массовый откат населения на запад. Вы подумали о послевоенной картине? Вот, ознакомьтесь!

Он протянул Стройло несколько листков машинописи. Еще не ознакомившись, тот уже понял, что Никита опять выиграл. Буржуазная, псевдогуманистическая мораль, весьма странный, согласитесь, атавизм у советского военачальника, завалена здесь массивными булыгами «наших интересов», демонстрируется также зоркий прицел на будущее, а Сталин это любит. Морща лоб и изображая усиленную работу мысли, он начал читать докладную. Он ненавидел Никиту Градова.

Маршал сел за огромный дубовый с резьбой стол шлоссбургского бургомистра. Он не сводил взгляда с фигуры своего главного политического надзирателя. Воплощение всей нынешней высокопоставленной вульгарности. Так и не удалось от него избавиться, несмотря на все усилия. Ясно, что Сам дал добро на его назначение. В принципе, вреда принес не так уж много по причине исключительной тупости. Смешно, но продолжает претендовать на какие-то доверительные отношения, впрочем, все эти комиссаришки нынче лезут к командующим с личной дружбой. Одновременно собирает на меня материал, старается гадить на каждом шагу. Догадывается ли он, что мне все известно, что у меня тут своя «чека» работает? А что, если я его недооцениваю и далеко не все знаю о его деятельности? От этой мысли маршал поежился.

Несколько месяцев назад в Вильнюсе со Стройло произошел курьезный случай. Какой-то полковник артиллерии вдруг дал ему на ступеньках штаба оглушительную пощечину. Ничего не сказав, за здорово живешь, вдруг оглушил артиллерийской рукой политического генерала. Сцена получилась комической, ординарцы, стоявшие на ступенях, покатились от хохота, однако полковник был все-таки задержан.

— Ты рехнулся, Вадим, — сказал полковнику маршал, зайдя в кутузку. — Не понимаешь, чем тебе это грозит? За что ты так его?

— Он знает, — ответил Вуйнович, спокойно покуривая у окна.

Экая все-таки романтическая фигура, и отвечает в духе «героя ее романа». Никита знал, что может спасти Вадима, и потому позволял себе немного поехидничать. Он отправил его с личным письмом к командующему Четвертым Украинским фронтом Толбухину, так что сейчас Вадим землю своих предков освобождает, Югославию. Что касается пострадавшего начальника политуправления, то он, разумеется, не знал причины неожиданного оскорбления. Вадим преувеличивал, не мог же столь заслуженный чекист запомнить всех, кого допрашивали в его присутствии. И на наказании бешеного полковника не настаивал. При всей профессиональной низости мужик он был, что называется, не злой.

— Я понимаю твои доводы, Никита, — сказал Стройло, возвращая докладную, — однако и наших солдат можно понять, согласись! Подумай только, что натворили эти немцы на нашей земле, да и везде. Ты же сам — помнишь? — места не мог найти, зубами, помню, скрежетал, когда мы увидели все это дело в Майданеке. Миллион пар обуви задушенных газом, сожженных людей...

— Конечно, нацистская сволочь заслуживает мщения, — сказал Никита. У него возникло ощущение, что внутри начинают подрагивать трахея, бронхи, диафрагма... — Всех преступников надо судить, казнить, однако гражданское население-то тут при чем? Большинство из них вообще не знало о лагерях смерти. Наши люди ведь тоже далеко не все знают...

Проговорился. Почти проговорился. Стройло, как бы давая ему время зажевать почти сказанное, отошел к окну.

Ну, ясно. Хорошее, очень хорошее дополнение к накопленному материалу, думал Никита, вышагивая взад-вперед по дорожке красного утрамбованного песка вдоль берега муниципального пруда брошенного жителями городка Шлоссбург, вышагивая что твой Фридрих Прусский, и даже два пальца за отворотом мундира, на фоне башен городского замка, то есть, с точки зрения недавно приводнившихся заморских гусей, и на фоне пламенеющей готики собора, если смотреть из замка, то есть из стрельчатого окна, в котором, чуть отодвинув штору, стоит начальник политуправления Стройло, и на фоне большого среднеевропейского заката, если смотреть со всех сторон, и даже с запада, потому что закатные лучи зажгли кресты и купола на востоке. Стоит великим другом и вождем, с точки зрения совершенно уже обалдевшего от преданности пса по имени Полк.

Маршал был в очень дурном, взвинченном по кривой резьбе состоянии духа. Казалось бы, конец войне, ликуй, готовься к окончательному ликованию победы, однако все вызывает беспокойство и раздражение: положение в войсках, настроение в верхах, личные дела. Наметившиеся было новые, гармоничные, по-настоящему дружеские отношения с Вероникой пошли наперекос сразу же после бегства Бориса IV. Законная супруга бомбит его письмами, радиограммами, при встречах закатывает отвратительные истерики, припоминает все грехи, обвиняет в черствости, равнодушии к сыну, врывается вдруг с выкатившимися глазами, с устремленным прямо в лицо, в межглазье карающим пальцем: «Ты страшный человек!»

Чего она хочет? Чтобы я поднял на ноги всю разведку и госбезопасность для поисков восемнадцатилетнего пацана? Да я ведь и сам в его возрасте, никого не предупредив, ушел из дома, прибился к Фрунзе. Ясно, что он на фронте, но где его найдешь среди двадцатимиллионной массы? Я уже обращался ко всем командующим фронтов, и все обещали искать, а значит, поиски идут — к просьбе Градова не могут отнестись несерьезно, — однако пока безрезультатно. Она воображает, что он мне меньше дорог, чем ей, мой мальчик, мой Борька Четвертый, о котором я думаю всегда с такой щемящей нежностью и жалостью и чувством вины, которое он бы мне никогда не простил. Что же поделаешь, если он захотел вписать эту войну в свою биографию? Она ничего не слышит, ходит на всеобщее посмешище по инстанциям, обращается к этому кузену, подозрительному Ламадзе, даже к Стройло. А этот гад приходит и предъявляет: твоя жена, Никита, встречается с американцем из посольства.

Как она переменилась за время нашего обоюдного отсутствия! Лагерь уже не отмывается от нее. Должно быть, там научилась накачивать себя, выдавать «психовку». Однажды провизжала: «Ты только о ней сейчас думаешь, о пизде!» Вика, нежная девушка из волошинского Крыма, из модерновых домов Москвы! На этом все коммуникации были прерваны.

И та, кого она так называла, столь однозначно, так по-блатному, Таська, верная спутница, которая до сих пор даже в постели называет меня на «вы», тоже стала мрачнеть, грузнеть: «Вы меня ни капельки не цените, Никита Борисович! Ни разу не взяли с собой на самолете в Москву!» В довершение ко всем этим прелестям, невзирая на все меры предосторожности, она забеременела.

Стройло в щелку шторы смотрел, как командующий отламывает от аккуратной яблони прутик, как машинально посвистывает этим прутиком вокруг себя, будто чертей отгоняет, как садится на камень у самой воды и сечет прутиком эту ни в чем не повинную воду. Градовы, тонкая кость, наглая аристократия, почему это вы всегда чувствуете себя героями романа, а нас, Стройло, всю мою семью, отодвигают на периферию? Теперь, кажется, приближается новая переоценка ценностей. Он думает, что я не знаю, кто был тот обидчик с пощечиной, и где он сейчас, и какая во всем этом лежит ползучая антисоветчина. Жалко, на Украине идиоты расстреляли того пацана: он мог быть полезен.

Стемнело. На мальчишеской спине маршала перестали выпирать лопатки. Сидевший рядом Полк потрогал лапой его плечо: пора! Сзади приблизились три массивных фигуры в плащ-палатках, личная охрана. Стройло собирает на меня информацию, думал маршал. Он готовит докладную записку, это ясно. Также очевидно, что кто-то его подталкивает на это дело в Москве, возможно, сам Берия. Легко себе представить пункты повестки дня: Градов противопоставляет себя линии партии, ищет дешевой популярности в войсках, превратил Резервный фронт в свою личную вотчину, окружил себя своими людьми и подхалимами, содержит гарем, обогащается (гарем, может быть, докажут, обогащение вряд ли, но это не важно: будет решение сожрать, сожрут в один миг, пуговиц не выплюнут); ну, что еще, если этого недостаточно, ну, вот — постоянно высказывает сомнительные мысли, проводя параллели между германским фашизмом и советским коммунизмом, применяет политику террора по отношению к заслуженным военнослужащим... Ну и, наконец, польский вопрос...

Ну и, наконец, самое главное — «польский вопрос», завершил свою собственную затянувшуюся мысль генерал-лейтенант Стройло. В итоге, товарищи, можно сделать вывод, что маршал Градов ищет личной популярности на Западе и имеет бонапартистские тенденции. Ему конец. Или мне конец.

Стройло отошел от окна, не зная, что кто-то через парк из маленького окошечка собора держал его все это время под прицелом бинокля.

Ну и, наконец, этот проклятый «польский вопрос». Этот проклятый вопрос, вообще тема Польши стали для Никиты едва ли не кошмаром сродни тем его, юношеским, кронштадтским снам. Еще в Белоруссии, в Катынском лесу, когда он увидел черепа с одинаковыми дырочками в затылках, он понял, что немцы в данном случае не врут, что это все тех же «рыцарей революции» мокрое дело.

Затем, после сражения за Вильнюс, в котором как союзники дрались вместе с советскими войсками отряды АК, все прекрасно экипированные, в конфедератках и маскхалатах, настоящая регулярная армия... Первое позорное дело, подлое предательство! Мы сидели с польскими командирами за дружеским столом, а потом их всех куда-то увезли особисты, и они пропали — с концами!

«Таракан», похоже, давно уже разработал свой сценарий для Польши. Недаром однажды в Ставке положил здоровую лапу на карту, закрыв бугром ладони Варшаву, пальцами Краков и Данциг, и произнес одно только слово: «Золото!»

Недаром и создавалось позорное Войско Польское, куда набирали солдат с фамилиями на «ский». И далее: июль сорок четвертого, воззвание Польского комитета национального освобождения во главе с этим Осубкȯ-Моравским. Главная идея — противопоставить какие-то мифические польские силы правительству Миколайчика в Лондоне. А между тем в коммунистических отрядах Армии Людовой было не больше 500 человек. Что касается АК, то в ней под командой генерала Бур-Комаровского насчитывалось не менее 380 тысяч штыков. В Варшаве только полковник Монтер к началу восстания выставил 40 тысяч бойцов! Ясно как Божий день: решено раскассировать настоящее движение сопротивления и заменить его фальшивым, коммунистическим. Идет череда беспрсрывных провокаций. Московское радио «Тадеуш Костюшко» призывает варшавян к восстанию: «Час освобождения близок! Поляки, к оружию! Не теряйте момента!» В августе восстание разгорается, а наши войска останавливаются на восточном берегу Вислы и спокойно наблюдают, как в город входит дивизия «Герман Геринг», а вслед за ней какие-то особые части, составленные почти целиком из уголовников, бригады Дирлевангера и Камински. Мы созерцаем, как гигантские мортиры начинают планомерное уничтожение города, танкетки «Голиаф» разворачивают баррикады, как идут поголовные расстрелы мирных жителей, насилие, грабежи...

В штабе Резервного фронта по приказу Никиты несколько молодых офицеров, интеллигентные мальчишки, давно уже слушали передачи Би-Би-Си и подготавливали ежедневную сводку для командующего. Стройло небось и этот факт не забудет упомянуть в своей докладной. Так или иначе, из этих сводок Никита знал, что восстание задыхается, что Черчилль и Миколайчик обращаются к Сталину с просьбой о помощи и не получают ответа. Части Резервного фронта стояли за двести километров к северо-востоку от места трагедии. Никита звонил в Ставку. Достаточно только приказа, и Резервный фронт форсирует Вислу, обрушится с севера всей своей мощью на Бах-Залевского и в течение трех дней освободит столицу союзной державы. Штеменко ответил ему излюбленной советской поговоркой: «Попэред батьки в пэкло нэ лезь!» Как оказалось, Сталин вообще делает вид, что в Варшаве нет никакого восстания. Может быть, там и есть какая-то кучка авантюристов, но это не значит, что мы должны оказывать им помощь. Он приказал даже прекратить дозаправку американских челночных бомбардировщиков в Полтаве, в связи с тем что они сбрасывали на Варшаву парашюты с оружием и медикаментами.

И снова: сразу после поражения восстания обосновавшийся в Люблине Польский комитет национального освобождения опять выступает с каким-то странным призывом: «Час освобождения героической Варшавы близок! Немцы дорого заплатят за руины и кровь! Продолжайте сражаться!» Такое впечатление, что Сталин хочет руками немцев убрать всех, кто будет сопротивляться его польскому сценарию.

Победы сильно изменили «Таракана». Теперь он уже не особенно прислушивался к своим генералам, как в сорок втором году. Сумрачное величие, ощущение полной и окончательной непогрешимости — вот его новая поза. Временами, когда выпьет, начинает играть с людьми, ставить окружающих в дурацкие ситуации, испытывать. Странным образом иногда кажется, что он устал от власти. Вернее, от эстетики и этики, что сложились вокруг его власти. Этика сталинской власти! Следовало бы сказать — грязный этикет! Так или иначе, в трезвом состоянии он раздражен и груб. Шестьдесят пять лет. Может быть, его какая-нибудь болячка сосет? Сколько он проживет, сто лет, двести?

В феврале маршал Градов как член группы военных экспертов летал в Крым на совещание Большой Тройки. На аэродроме в Саки вместе с союзническим top brass* встречал Рузвельта. Президента выкатили из «священной коровы» бледным, с темными подглазьями, что называется, не жилец. Среди военных и журналистов в Ялте ходили разговоры, что Сталин совсем перестал считаться с больным американцем. Даже и на здорового британца рычит. Предъявляет наглейшие требования. Настаивает, например, на том, чтобы Советский Союз был представлен в ООН шестнадцатью делегациями, по числу союзных республик. Самую же неудержимую и непреклонную наглость выказывает всякий раз по «польскому вопросу». Видимо, потому, что давно уже считает Польшу своей собственностью. Выказывает самое оскорбительное презрение к «эмигрантикам», к Станиславу Миколайчику, бойцов Армии Крайовой называет пособниками оккупантов, отвергая любые компромиссы, робко предложенные Рузвельтом.

Ну а сейчас похоже на то, думал Никита, что приближается уже полнейшее сталинское изнасилование Польши. Комитеты лондонского правительства повсюду разгоняются. Шуруют особисты. Разоружаются группировки АК. Оставшимся не остается другого выбора, как драться против отступающих немцев и наступающих русских.

Черт побери, почему я опять оказался на берегах этого предательского моря? Опять передо мной страшный выбор, и теперь мне уже не найти такого однозначного решения, как в двадцать первом году!

---

* Здесь: верхушка, шишки *(амер. воен. жаргон).*

В ходе недавнего наступления через Данцигский коридор в зоне действий Резервного фронта оказалась дивизия АК. Ее разрозненные и сильно выбитые части — в общей сложности не больше 3000 бойцов, — очевидно, пробирались к морю, чтобы уйти в нейтральную Швецию. Обнаружив себя в советском тылу, поляки яростно атаковали вчерашних союзников. Ставка в ответ на запрос Никиты предложила решить этот вопрос «в рабочем порядке», то есть смять злополучную дивизию и немедленно о ней забыть. Вместо этого Никита начал переговоры с поляками.

Поляки требовали свободного прохода на побережье в районе Эльбинга и Остероде. Там, за пятимильной ширины лагуной Фрише-Хафф тянулась длинная песчаная коса Фрише-Нерунг, оттуда они и собирались отступить — как они выражались, эвакуироваться, — как настаивали представители Резервного фронта, в нейтральную страну.

Больше всего на свете — даже, кажется, больше взятия Берлина — Никита хотел обойтись без крови. Польская тема почему-то потрясала его своим вероломством и наглым давлением сильных на слабых, хотя, казалось, с его жизненным опытом он должен был бы быть застрахован от таких сентиментальностей. Польша — это русский позор, думал он. Начиная с Суворова — вот был гнуснейший старичок! — мы терзаем эту страну. Впрочем, кого мы больше терзаем, себя или их? Русские патриоты, мы еще не начали своей благородной истории! У нас только сейчас появился маленький шанс, и мы будем полными говнюками, если им не воспользуемся. Произнося в уме «маленький шанс», он тут же отодвигал, и подальше, всякие дальнейшие мысли об этом маленьком шансе: рано еще, нужно кончить войну. В общем-то он даже и не знал, что имеет в виду, говоря «маленький шанс». Вернее, не хотел знать. Пока не хотел.

Переговоры с поляками шли уже несколько дней. Ставка настаивала на разоружении дивизии и старалась обходить молчанием свободный выход к морю. Никита предложил полковнику Вигору (это, разумеется, была подпольная кличка поляка, настоящее имя держалось в секрете) свободный проход на Фрише-Нерунг, но без оружия. Вигор поначалу категорически отверг это предложение как унизительное: «Польская армия отступает с оружием в руках!» Он держался как гордый шляхтич, но был похож на учителя черчения. «Сохраните своих людей, полковник, — сказал ему тихо Никита, когда они отошли, разумеется, под бдительным оком Стройло, покурить к окну. — Еще два-три дня, и мне просто прикажут вас всех уничтожить». После этого пришли к соглашению: дивизия оставляет вооружение в расположении Резервного фронта, однако офицеры сохраняют личное оружие. Дивизии гарантируется свободная эвакуация (в русском тексте), то есть отступление (в польском тексте), через Балтийское море в нейтральную страну. Проход поляков к морю был назначен на завтра, то есть на утро после той ночи, начало которой застало нас вместе с маршалом Градовым на берегу муниципального пруда в пустынном, как театральная декорация, прусском городке Шлоссбурге.

Гуси уже плавали по пруду — деловито, как хозяева. Иные из них приближались глянуть круглым оком на человека, бессмысленно тревожащего веточкой водную поверхность, и на его зверя по кличке Полк.

«Существование равняется сопротивлению, — бормотал Никита. — Вот это формула. Она может выворачиваться наоборот, однако никто не ответит тебе прямо: равняется ли сопротивление существованию?»

Может показаться странным или даже надуманным, но пропавший сын маршала Градова Борис IV был в тот вечер тоже озабочен «польским вопросом». Собственно говоря, «польский вопрос» заботил его давно, поскольку он уже целый год находился на территории этого государства, столь неудачно расположенного между Германией и Россией, однако именно в тот сумеречный час, когда его отец предавался нелегким мыслям на берегу пруда в Шлоссбурге, Борис, или Бабочка, как звала его бабушка Мэри, подошел к этому вопросу, в который уже раз, с исключительной остротой.

Произошло это в городе Тельцы Краковского воеводства. В воссмь часов вечера на Рыночной площади, где под сильным юго-западным ветром раскачивались три уцелевших фонаря и где инвалид неизвестно каких войск пан Талуба играл на гармошке «Вальс Гнойной улицы», сидя под выщербленной рикошетками стеной со знаком «Готвицы», то есть аковского якоря, там, на этой площади, вобравшей в себя, казалось, все худосочие измордованной Центральной Европы, появилась шестерка молодых людей. Предварительно эта компания оставила за торговыми рядами четыре мощных немецких мотоцикла.

Парни были одеты в черные дождевики и кепки-восьмиклинки со значками АК, наспех приколотыми булавками. В одном из них не без труда можно было узнать нашего Бабочку. Твердыня юношеской челюсти поросла слегка рыжеватой, «папашиной», щетиной. Быстрыми шагами парни пересекли площадь и приблизились к зданию ратуши. Там горели все огни, на крыльце царило оживление. Народ входил и выходил, собирался в не совсем трезвые кучки дискутантов. Шло первое заседание многопартийного зажонта мейски. Здание охранял отряд бойцов из леса.

Появление шестерки не осталось незамеченным. «Чешчь, хлопаки, — окликнул один из охранников. — Вы откуда?» — «Ма мы лист от генерала Бура, — ответил вожак шестерки. — Особишче для пана Ветушинскего!»

Охранник махнул было рукой «проходи», но потом застыл с открытым ртом. Какой странный акцент! Пся крев, то не наши! «Марек! — крикнул он другому охраннику, тому, что стоял чуть выше по ступеням. — Эти, в плащах... Эй, стой!.. Курвы сын! Эй!..»

Это было последнее «Эй!» в его жизни. Из-под плаща одного из «не наших» сделал несколько горячих плевков ствол короткого автомата. Шестерка мгновенно, будто не раз репетировала, рассыпалась по зданию ратуши. Двое, присев за парадной лестницей, встретили выбежавших охранников кинжальным огнем. Двое ринулись вверх по этой лестнице в зал заседаний. Почти мгновенно оттуда стали доноситься взрывы гранат, дикие вопли публики. Оставшиеся двое деловито носились по вестибюлю, окатывали бархатные шторы бензином из принесенных под плащами канистр, вздувая и раздувая всепожирающее пламя.

Весь налет продолжался не более десяти минут, но за это время были перебиты все сидевшие на сцене члены зажонта, вся охрана и немалое число подвернувшейся под пули и гранаты публики.

Кто-то услышал, как переговаривались налетчики, и теперь уже под сводами ратуши среди воплей ужаса и отчаяния неслось: «Русске! Русске нас мордуе! Русске бандиты!»

«Уходим!» — крикнул наконец командир отряда Станислав Трубченко. Все как по нотам: четверо бегут, двое прикрывают огнем, потом двое других стреляют, а четверо бегут. Все, как доктор прописал.

Снова двое из шестерки, наш Бабочка и еще один, из-за угла торговых рядов окатывают плиты площади стальной поливкой. Пан Талуба хрипит на боку, гармонь пробита. Четверо за рядами заводят мотоциклы.

Взревели моторы. Борис прыгнул за спину Трубченко. Напарника его, Сережку Красовицкого, привязывали ремнем к седлу: зацепила руку парню белопольская пуля. Вырвались из-за рядов, пошли в отрыв, стреляя из «шмайссеров» и «вальтеров», расшвыривая гранаты. Колесница огня! Все в порядке, задание выполнено. Перехват на дороге вряд ли возможен: телефонный щит разбит перед самым началом операции.

Теперь они мчались под луной, словно мирная компания. Только девчонок не хватает. На всякий случай, чтобы под огонь своих не попасть, меняем кепари на родные советские пилоточки. Кого тут сейчас в Польше встретишь на дорогах, никогда не знаешь: Крайову, Людову, Красной Армии регулярную часть, а то и на фрица шального наскочишь или вот на такой отрядик, как наш собственный, как говорится, не приведи Господь!

Пока что они мчались, как в мирном сне. Мелькали пятна озер, озаренные луной верхушки леса, подъемы и спуски, склоны со спящими хуторами, костелы. Бурно, по-юношески, взлетали на серебрящиеся бугры первоклассные мотоциклы. Изредка шлепалась на асфальт плюха крови Сережи Красовицкого.

Проехав километров шестьдесят по шоссе, они свернули в разбойничий лес. Только тут, под нависшими крыльями слей, Борис остыл от жара битвы. Курва-мать, какая, на хуй, битва, бандитский налет на ратушу. Знал бы, что нас на Польшу готовят, никогда бы не пошел в «диверсионку»! С первого же дня тогда в Москве они удивлялись с Александром Шереметьевым: а почему, интересно, нам больше дают польского языка, чем немецкого? Им объясняли: на территории союзной Польши действуют многочисленные вооруженные немцами отряды реакционеров; до подхода частей Красной Армии вам придется обеспечивать охрану прогрессивных деятелей Польской республики, мирного населения, действовать в контакте с силами сопротивления; вот зачем вам понадобится элементарное знание польского языка; итак, повторим: руки вверх! клади оружие! ложись на землю!

Если бы мы знали тогда с Сашей, что тут в этой Польше на самом деле происходит, как тут на самом-то деле население ненавидит все советское и что тут нам придется делать, никогда бы не пошли в это училище, лучше бы в Мурманское водолазное записались. А теперь я даже не знаю, что произошло с моим лучшим другом, чемпионом Москвы среди юношей Александром Шереметьевым. И мне даже не отвечают на вопросы о его судьбе. «Забыли, Градов? До конца войны никаких дополнительных вопросов не задавать!»

Сначала, весной 1944 года, ребятам казалось, что они не на грешную землю спустились, а поднялись с парашютами на седьмое небо. Все было так классно! В отряде пятьдесят человек разных возрастов: опытнейшие тридцатилетние парни, подрывники, скалолазы, самбисты и ребятишки Бориного с Сашей плана, координированная молодежь. И дело вроде делали полезное: пускали под откос немецкие составы, нападали на станции и аэродромы, взрывали склады боеприпасов. А вот потом пошло все наперекос, начал воцаряться какой-то хаос. Чем ближе к освобождению, тем больше все запутывалось в «польском вопросе». Не всегда можно было понять, на чьей стороне правда. Тем не менее выполняли задания, как положено, без дополнительных вопросов. Все чаще происходили столкновения с АК. Народ там был смелый, злой, однако, конечно, не так хорошо подготовленный, как выпускники «диверсионки».

«Как вы видите, товарищи, они нас очень не любят», — говорил бойцам политрук, который в отряде по совместительству исполнял обязанности повара.

«А за что им нас любить, — тихо говорил Александр Борису. — Достаточно вспомнить некоторые моменты истории...»

Так или иначе, сражались и дополнительных вопросов не задавали. Прежнего вдохновения уже не наблюдалось. Иногда в отряде даже возникало препаршивейшее, пше прашам, настроение, особенно когда приходилось по политическим или тактическим соображениям ликвидировать пленных или убирать каких-то не вполне опознанных штатских лиц.

Однажды вообще вляпались в настоящее мерзейшее говно. Сидели в засаде, задача была — перехватить парашютный десант. Чей десант? Ну ясно чей — немецкий! Последние судороги смертельно раненной гадины. Десант Himmelfahrtkommando*; вот их-то и надо будет отправить на небо!

В результате получилась полнейшая несуразица. Над лесной поляной мрачнейшей ночью сделал несколько кругов самолет без опознавательных знаков. Потом стали один за другим опускаться парашютисты, всего десять человек. Подвесили осветительные ракеты, всех перебили, одного за другим. Оказались мужики не немцами, а англичанами, то есть, выходит, к АК на связь шли. Понимаете, хлопцы, какая провокация? Нет, не понимаем, товарищ капитан. Как же можно на союзников по антигитлеровской коалиции нападать? Молчать, хуи моржовые! Эти парашютисты стали жертвой провокации, многоходовой провокации реакционных сил Польши. Понятно? И дополнительных вопросов не задавать!

— Вам не кажется, Борис, что вся эта хуйня не совсем то, о чем мы с вами мечтали? — однажды спросил Александр Шереметьев. Они были по-прежнему на «вы».

Однажды, к концу лета сорок четвертого, произошло нечто на самом деле вдохновляющее, историческое. Они уже знали, что в Варшаве кипит восстание, что там их сверстники, в том числе и красивые польские девчонки, сидят на баррикадах, отражают атаки эсэсовских дивизий. И вдруг им объявляют, что ночью они вылетают и будут сброшены на Вар-

---

* «Вознесение», буквально: «отправляющая на небеса» – карательная команда *(нем.)*.

шаву. Общая цель — помощь героическим защитникам города, конкретная цель будет объявлена на месте. «Ура!» — вдруг возопили в один голос Сашка Шереметьев и Борька Градов. Десантники от неожиданности захохотали, а командир и повар переглянулись.

— Что это значит, «ура»? — спросил позже капитан Смугляный.

— Ну, вообще, — ответил Александр.

— Ну, как-то вообще, товарищ капитан, — сказал доверительно Борис.

— Вас что, на самом деле в самое пекло тянет? — спросил Смугляный.

— Так точно, товарищ капитан, — еще доверительнее сказал Борис. — Мы как лермонтовский парус. Вы согласны, Александр?

— А какого хера вы друг друга на «вы» называете? — спросил Смугляный.

— Да просто потому, что мы с ним еще на брудершафт не пили, — пояснил Александр.

Этих парней, по-моему, плохо проверили, подумал капитан Смугляный. В спешке их, должно быть, проверили не должным образом.

Ну, все-таки трудно не воскликнуть «ура», если тебе объявляют, что завтра ты примешь участие в Варшавском восстании, в одном из ключевых событий Второй мировой войны, будешь вместе драться со всеми свободолюбивыми народами мира! Не за немцев же нас посылают драться!

Утром на тайный аэродром прилетели два «дугласа» с Большой земли, а к вечеру стали грузиться.

— Варшава горит, — предупредил командир. — Смотрите, пацаны, не зажарьтесь!

Через полтора часа после вылета они уже увидели под собой во мраке нечто, напоминающее извержение японского вулкана, которое до войны показывали в кинохронике. Текли ручейки огня, то там то сям вспыхивали и опадали кусты огня, прокатывались шары огня. Сквозь клочья дыма, мрачно озаренные, возникали пустые дыры окон.

Высаживаться решено было на Краковском предместье. Главная задача — собраться вместе всем, кто уцелеет. В нашем распоряжении три рации. Держитесь поближе к радистам. Используйте сигнальные фонарики, в крайнем случае нашу комбинацию ракет. Ну, пошли, хуи моржовые!

Очень быстро, по одному, они начали выпрыгивать в красноватую адскую бездну. Борис приземлился с удивительной гладкостью, пролетев вплотную мимо зияющих развалин с опасно торчащими железными балками. Он быстро отстегнул и свернул парашют, снял автомат с предохранителя, стал пробираться вдоль стен, оглядываясь. За переплетами сгоревших крыш совсем неподалеку прошли вниз два парашютных купола. Значит, ребята садятся кучно. К счастью, ветра нет, не относит. Однако жарко тут, как в преисподней. И запах гнили — разлагаются трупы то ли поляков, то ли немцев. Вон они разбросаны вокруг, кучки тел. Перевернутый автобус, мешки с песком, еще дымящийся бронированный «слон»: остатки баррикадного боя. Стоит странная тишина, если не считать треска пожарищ. Он побежал туда, где по его расчетам приземлились два парашютиста, периодически прижимаясь к стенам, прокатываясь и переползая через пустые места. Вдруг страшный, долгий и множественный грохот прошел по округе. То ли дом рухнул, то ли минометная батарея разрядила стволы. Он завернул за угол и увидел над собой зрелище, которого, как говорили в отряде, Гиммлеру не пожелаешь. Горели опавшие, как скатерти после пьянки, два парашюта. На третьем этаже поджаривался пробитый насквозь голыми прутьями балкона один из бойцов их отряда. Равиль Шарафутдинов. Он, кажется, был уже мертв или без сознания. Чуть выше, запутавшийся в стропах, вниз головой свисал из дыры окна Александр Шереметьев. Правая его нога была чем-то заклинена, он на ней и висел, на своей правой ноге.

— Сашка, вы живы? — крикнул наверх Борис. — Держитесь, еб вашу мать, ссйчас я вас вытащу!

Он побежал вверх по лестнице, проскакивая через площадки, охваченные огнем, и слыша, как позади обрушиваются ступени.

С шереметьевской ногой, похоже, было покончено: придавлена стальной балкой и остатками какой-то каменной наяды. Борису удалось при помощи парашютных строп втащить Александра в окно. Тот был без сознания. Улыбка какого-то высокомерного превосходства застыла на лице. Теперь надо было вытаскивать ногу, не отсекать же ее штыком-тесаком. Расшвыряв куски наяды — грудь с соском, венок с виноградом, прочее, — Борис взялся за балку. Нечего было и думать о том, чтобы хоть чуточку приподнять пятидесятиметровый ржавый брус. Единственный выход — подорвать на полпути, уменьшить вес и длину тормозящего рычага. Отбежав в конец бывшей квартиры — в пробоины увидел раскинувшуюся на полу старую пани, рядом с ней расколотую фаянсовую фигурку альпийского пастушка, — Борис заложил заряд, укоротил взрывной шнур, поджег, бросился назад, упал на тело Сашки, зашептал: «Господи Боже, правый и милосердный, спаси нас» — то, что слышал не раз от Агаши. Взрыв грохнул, все вокруг протряслось и затихло. Послышался страшный рык Александра Шереметьева. Ошметки его правой ноги теперь тряслись в воздухе. Стальная балка откатилась в сторону.

Рык перешел в истерический хохот: «Борька, жопа, вы жизнь мне спасли, а на хуя?! А видели вы, как Равилька-то Шарафутдинов поджаривается? Ну, прямо шашлык! Ха-ха-ха-ха-ха-ха...»

Совершенно невредимый, но трясущийся, как отбойный молоток, Борис потащил друга вниз. Перетягивал через провалы лестницы. Шереметьев то впадал в прострацию, то начинал вопить: «У вас что, пули нет для друга, пули экономите?» — и тогда начинал бешено хохотать. Наконец, достигнув первого этажа, Борис взвалил друга на плечи и отбежал на середину улицы. Вовремя — вся стена дома вместе с висящим на балконе телом Шарафутдинова медленно и торжественно обвалилась.

В следующий момент он увидел бегущих к нему своих, весь сплотившийся заново отряд. С ними вместе бежали уже какие-то поляки. Эти последние вытащили из-под камней носилки, положили на них Шереметьева. Размочаленную ногу перетянули под пах парашютной стропой. Сделали укол морфина из десантной аптечки. Побежали дальше; автоматы наизготовку. Поляки вели.

По дороге командир ознакомил группу с основным заданием. К разочарованию Бориса и других парашютистов, это был не налет на штаб-квартиру немецких карателей, не захват Бах-Залевского, а всего лишь спасение какого-то важного польского коммуниста, генерала Армии Людовой Стыхарьского, эвакуация его из опасной зоны.

Парашютисты бежали за польскими проводниками, среди которых, кажется, была одна женщина в комбинезоне, временами занимали боевую позицию и простреливали подозрительную улицу. В частности, изрешетили пулями и подорвали гранатой немецкий фургон с антенной перехвата. Затем все нырнули в катакомбы развалин, ушли в подземелье и неожиданно выскочили в освещенный электричеством подвал, где на стене мирно, что в твоем красном уголке, посиживал в рамочке В.И.Ленин с газетой. Там ужс Стыхарьский и сопровождающие лица в сильном волнении ждали отправки. При виде сталинской гвардии сразу повеселели: «Спасибо, товарищи! Мы знали, что братья по классу нас не забудут!»

Через вонючий люк вся группа спустилась в сточный канал. Битый час брели по щиколотку в жидком дерьме. Вдруг вышли к решетке, а за ней мирный мир, восток: купы деревьев, река в отдалении течет, и только зарево оставленного позади города в ней отражается. Решетку взорвали, вышли на волю. Весь остаток ночи пробирались к Висле. Грохот боя в Старом Мясте стал глуше. Несколько раз видели из кустов деловито катящие по дорогам немецкие колонны, однако обошлось без столкновений. На рассвете вышли точно в назначенную точку. Там ждали моторки. Борис с автоматом в руках стоял по пояс в воде, повернувшись лицом к городу. Хотя бы говно с ног смоет быстро текущая Висла. Рядом с ним стояла девка в комбинезоне. Красивое мрачное лицо. «Ну, а ты чего? — сказал он ей. — Полезай в лодку!» Она не поворачивалась. «Ну!» — сказал он. Тогда она повернулась к нему. «Это ты иди в лодку! — шепотом закричала ему в лицо. В глазах слезы, а рот искривлен презрением. — Русские предатели! Мы в вас верили, а вы только смотрите, как нас убивают! Иди! А я туда пойду, где все мои умирают!» — и побрела к берегу.

«Градов!» — свирепым голосом позвал командир. Борис бросил автомат в лодку и вскарабкался сам. Через несколько минут они достигли восточного берега, где стояла в бездействии могучая армия. Там царила идиллия. Двое артиллерийских ездовых, будто в ночном, обмывали в заводи упряжку своих коней.

«Убийцы, предатели, захватчики» — только это мы и слышим от здешнего народа, думал Борис IV, медленно на глухо ворчащем мотоцикле подъезжая к тайной базе отряда. Даже та, коммунистка из Армии Людовой, предпочла на баррикады вернуться, чем с нами и со своим Стыхарьским тикать. Что-то мы не то здесь делаем, что-то неправильное. Сашка был прав, мы не о такой войне мечтали. Выжил ли он? Ни слуху ни духу, вопросов задавать нельзя. Отправили в тыл, а нас снова за линию фронта забросили, мы — не люди, а тени, согласно инструкции. Письма домой писать запрещается. У вас нет дома, кроме отряда, и мамаши, кроме вашего папаши, командира, ясно?

Из училища он все-таки умудрялся посылать треугольнички, каждый раз начинавшиеся так: «Дорогая мамочка! Я нахожусь на N-ском участке фронта. Жив, здоров, обут, одет, согласно солдатской формуле. Это письмо бросит в московский почтовый ящик один мой товарищ, находящийся в командировке проездом через Москву...» Он временами остро скучал по матери, но не по той, что вернулась из мест не столь отдаленных. Прежняя мать, молодая красавица, что шутливо хватала Бобку Четвертого то за вихор, то за ухо, тормошила его, тискала чуть ли не до двенадцати лет, вот она возникала в памяти как символ тепла, дома, детства, а потом, после черного разрыва, сразу появлялась другая, не совсем своя. Нынешнюю Веронику он жалел, однако как бы со стороны; она не входила в жизнь сосредоточенного юнца. Он понимал, что у них неладно с отцом, однако и отец ведь вернулся другим, да и вообще, какое нашему поколению дело до всяких плачевных драм в мире немолодых?

Лишь только тогда его пронизывало глубокое, почти прожигающее до какого-то темного основания, почти невыносимое, но непонятное чувство, когда он видел по утрам проходящего из маминой спальни в ванную Шевчука в галифе с висящими по бокам подтяжками.

Может, я от этого и убежал? — иногда задавал он себе вопрос. От ее похмельного вида и циничной улыбочки?

Проехали первый КП отряда. Акульев и Рысс вышли из дупла дуба словно два шурале. На втором КП Верещагин и Досаев свисали с ветвей, как два питона в маскхалатах. Наконец открылась потаенная поляна и на ней двухэтажное шале, в котором уже вторую неделю располагалась база. Здание выглядело заброшенным и абсолютно аварийным, внутри, однако, все было, как положено; даже «ленинский уголок» с соответствующей литературкой, чтоб подзаправить агитбаки усилиями капитана Смугляного.

Вышел командир, жилистый сорокалетний Волк Дремучий. Поздравил шестерку с выполнением задания (ему уже кто-то «соответствующий» радировал, что все прошло чин чинарем), распорядился об оказании первой помощи Сереже Красовицкому, радистам приказал снестись с «соответствующими» по поводу переправки раненого в ближайший дивизионный госпиталь. «А ты, Градов Борис, зайди ко мне после ужина», — вдруг сказал он и отправился к себе на мансарду, где в свободное время любил заниматься с бесконечными картами: большой был любитель топографических игр.

Что бы это значило? Может, про Сашку Шереметьева что-то хочет сообщить нехорошее? Стряпня Смугляного всегда носила несколько тошнотворный характер, а сейчас Борису в глотку не полезла. Быстро выпил кофе с печеньем, с трофейным конфитюром, пробухал бутсами на чердак:

— Прибыл по вашему приказанию, товарищ майор!

Майор Гроздев (он знал, что подчиненные называют его Волк Дремучий, и это ему нравилось) сидел за столом, как будто ждал Бориса.

— Садись, друг! Некуда садиться? Да садись на койку, пень с ушами! Ну, во-первых, разреши тебя поздравить. За сегодняшнюю операцию будете все представлены к ордену Красной Звезды, и по звездочке на погоны. Кроме того, за Варшаву польское правительство наградило нас всех орденами «Виртути Милитари».

— Какое польское правительство? — спросил Борис без особого восторга.

Волк Дремучий усмехнулся:

— То правительство, которое мы признаем, то есть единственное польское правительство. Однако позвал я тебя не для этого.

— Понятно, что не для этого, — буркнул Борис. Долгие месяцы диверсионной работы научили его не очень-то заискивать перед начальством. — Ну, говорите, товарищ майор!

— Я тебя хотел спросить, Борис... Ну, просто по-товарищески. — Гроздев вдруг как-то странно, в совсем ему не свойственном ключе, замялся. — Что же ты при поступлении-то в училище не написал, что ты из тех Градовых, что ты маршала сын?

Борис Четвертый только слюну сглотнул, не зная, что сказать, пропустил, можно сказать, неожиданный прямой в голову.

— Ты думаешь, мы ничего не знали? — чей-то голос сказал сзади. Обернулся — в дверях стоял, облокотившись, капитан Смуглянный. — Знали, Боря, с самого начала. Мы все знаем.

— Кончай, Казимир, баки забивать, — уже в привычной своей манере рыкнул Волк Дремучий. — Просрали, ну и нечего баки забивать. Однако, Борис, ты поставил раком все наше начальство, вот какое дело. Подразделение у нас, как ты знаешь, секретнейшее из всех секретных, справок никому никаких не даем, а тут приходит запрос от Рокоссовского. Что делать? Я сам не знаю, друг. Не исключено, что мне тебя придется отчислить, хотя ты такой хороший товарищ, просто отличный товарищ и настоящий мужик! Что ты сам-то об этой херне думаешь?

— Если отчислите, значит, мамаше моей поможете сделать из меня паразита, — мрачно и независимо сказал Борис, а сам, к собственному удивлению, подумал: «Ну и отчисляйте, хватит с меня этого говна!»

— А это уж от тебя самого зависит, Борис! — с некоторым пафосом начал Смуглянный. — От тебя самого зависит, станешь ты человеком, коммунистом или тунеядцем ка...

— Обожди, Казимир, — оборвал его Гроздев. — Ты же знаешь, Борька, что я тебя как младшего брата люблю, почти как сына...

— Никогда этого не замечал, — буркнул Борис и подумал, что все, видно, уже решено, а сейчас просто подслащивают пилюлю. Ну, сейчас Волк Дремучий поймет, что это дело пустое, подберет сопли и войдет в свою привычную роль: «Все ясно? Можете идти!» Командир, однако, продолжал задушевничать. В чем дело? Неужто на самом деле не хочет со мной расставаться?

— Ты пойми, Борис, ведь мы же не существуем. Ты же сам клятву давал, отказывался на время войны от существования, да? Нас ведь даже к наградам под другими фамилиями представляют, и вдруг сведения проникают, что сын Градова среди нас. Такого быть не может, нас нет. Никто ж не знает, что мы, ну, в натуре, существуем...

Кто-то все-таки знал, что они «в натуре» существуют, хотя, кажется, вот именно хотел, чтобы не существовали.

Взрыв произошел почти вплотную с домом, едва ли не под террасой. Он тряхнул дом и зигзагом распорол дряхлую стену. Свет погас, и сквозь прореху мгновенно приблизился черный лес, внутри которого стал быстро-быстро мелькать огненный язык пулемета. Гроздев, Смугляный и Градов кубарем покатились вниз разбирать оружие. Все диверсанты уже выскакивали из окон и дверей и занимали круговую оборону. Команд не требовалось: ситуация была многократно отработана на учениях.

Следующая мина, пущенная из леса, снесла мансарду и окончательно перекосила все строение. Взлетела осветительная ракета нападавших. Считают, очевидно, сколько стрелков уцелело. Пока эта лампочка висела, оборонявшиеся пустили свою. Обстановка получилась почти праздничная, как на катке в ЦПКиО имени Горького. В зеленом свете замелькали перебегающие от куста к кусту фигурки. Ну, что и требовалось доказать, АК! Решили мстить за Тельцы. «На их месте я бы тоже отомстил, — думал Борис. — На их месте я бы тут всех до единого сукиных детей уничтожил!»

Огонь шел со всех сторон. Да их тут набралось не меньше батальона! Кажется, всем нам крышка! И поделом!

Капитан Смугляный между тем весело хлопотал за поленницей дров: «А где же наши минометики? Давай тащи, еб вашу мать, наши минометики!»

Прогремел голос командира:

– Со мной остается отделение Зубова! Остальные по машинам! Идите на прорыв. Сбор по первому варианту!

— Я тоже останусь! — крикнул ему Борис. Стайка стальных птичек срезала верхушку холмика, за которым они лежали.

— Ты что, сука, приказа не слышал?! — в ухо ему влез здоровенный ствол командирского ТТ. Вот теперь Волк Дремучий в своем репертуаре.

Зубовские ребята уже подтащили два 50-миллиметровых минометика, начали расторопно стрелять по опушке леса. Вдруг сам Зубов покатился по щепкам, зажимая рану в животе. Основная масса отряда, человек тридцать, уже неслась на полной скорости к лесу на трех «доджах». Борис лежал на днище одного из них спина к спине с Трубченко, палили из автоматов без всякого прицела. Швырнули несколько гранат. «Хорошо едем!» — весело крикнул в прошлом альпинист-значкист, покоритель Памира Стасик Трубченко и тут же дернулся за Борисовой спиной и скукожился: похоже, мгновенно и ушел в свое заоблачное прошлое, к пикам Сталина и Советской конституции.

Весь вопрос состоял в том, сможет ли тройка машин без зажженных фар на полном ходу влететь на замаскированную дорогу, не врежется ли в деревья под градом пуль? Под упомянутым выше градом у пассажиров, однако, возникали и другие вопросы. Теперь за Трубченко, значит, и меня, да? Так, должно быть, спрашивал каждый в течение всей минуты, пока летели с ревущими моторами, отлаиваясь по мере возможностей от оглушительного лая леса.

«Ну, теперь и моя, ха-ха, очередь, да?» — повторял как заведенный Борис Градов, которого бабушка Мэри и нянюшка Агаша любили называть Бабочкой, которого и мать Вероника нежно любила, хотя и назвала на прощанье мерзавцем, в котором и папа, маршал Градов, и дедушка, профессор Градов, души не чаяли и видели продолжателя рода, которого и тетка Нинка, известная поэтесса, и дядя Кирилл, пропавший на каторге... которого и весь его высокососенный и звездный, морозный Серебряный Бор... «Ну, теперь и моя, ха-ха, очередь, да? Ну, теперь и моя, ха-ха, очередь, да?..» Не отвязывалось идиотское «ха-ха». «Ну, теперь и моя, ха-ха...» Кажется, произношу вслух. Мелькнул чей-то удивленный глаз. Вдруг небо скрылось, и лай леса мгновенно притих. «Доджи» один за другим, неся на себе убитых и раненых и орущих «ха-ха» диверсантов, влетали на замаскированную дорогу.

По фасаду собора святого Августина, что в Шлоссбурге, Пруссия, разбросано было не менее двух дюжин гранитных исчадий, когтистых и гривастых ящерков, нередко с человеческими физиономиями. Иные из них использовались функционально в качестве водостоков — прошедший под утро дождь сливался, например, из пастей двух удлиненных чудищ, нависших над балкончиком, где сидел Зигель, однако большинство никакой функции не несло, кроме олицетворения изгнанных из храма злых духов. Главнейшая, по мнению Зигеля, и наиболее близкая к первооснове химера, то есть та самая, изначально произведенная Тифоном и Ехидной, располагалась на самом балкончике, заслоняя своей львиной гривой, козьим телом с хилыми ножками и могучим драконьим хвостом восточную часть балтийского небосвода.

Зигель любил ставить на изгиб ее хвоста свою бутылку. Она ему вообще нравилась. Ему даже казалось, что в чертах ее лица есть некоторое сходство с его мордой: те же удлиненные губы, тот же нос с вывернутыми ноздрями, вечно смеющиеся припухшие глазки. Химера с большой буквы, под пузом которой можно было бы укрепить пулемет! Вообще хорошо, что на балкончикс обошлось без этого христианского детского лепета.

Внизу ходили русские солдаты, их голоса иногда доносились до Зигеля с его мальчишками. Солдаты грабили церковное имущество, хлопотливо что-то все время вытаскивали из собора. Что там было такого, что можно так долго вытаскивать? Может быть, мощи тянут из бездонных катакомб? Дурачье, самое ценное перетащил в эту поднебесную келью из покоев прелата лично он, гауптштурмфюрер Зигель. Три ящика крепкого и душистого «Бенедиктина». Один хороший глоток — и живешь полчаса. В общем, должно хватить до конца. А русское дурачье, наверное, там внизу церковное вино лакает. Лучше не думать об этих унтерменшах. Сиди себе под брюхом у своей сестры Химеры и жди момента. Он скоро придет. Думать об этих недолюдях, которые по какому-то непредвиденному повороту стихий явились на землю главной «юги», было невыносимо. Если бы хоть еще евреи пришли, тогда было бы понятно, однако евреев мы все-таки успели всех отправить в астрал. Всю еврейскую «югу» спровадили туда, куда ей пришло время уходить.

— Хюнтер, что, мы всех евреев успели отправить?

— Яволь, херр хауптштурмфюрер.

— Очень хорошо, дай-ка я ущипну твою ягодичку, мой мальчик. Не вздрагивай, пожалуйста, это так у нас всегда полагалось в бригаде недооцененного родиной и историей Оскара Дирлевангера — ущипнуть за попку в знак поощрения.

Все трое мальчишек лежали попками кверху на гранитном, вытертом четырехвековым ветром балкончике и смотрели в бинокли на городской замок. Какое счастье, что я завершаю всю эту историю вместе с тремя четырнадцатилетними мальчишками! Трое самых юных фольксштурмистов и один старый шакал из бригады, которую презирали все вооруженные силы разбитой империи и за которой всегда посылали, когда все остальные обсирали свои штаны. Идеальная химмельфарткоммандо! Мы с Оскаром всегда предпочитали мальчишек, хотя вынуждены были это скрывать, находясь под мнимой властью плебея Шикльгрубера. Мы даже девок брали, воображая, что под нами мальчишка.

— Ханс, как ты думаешь, кто был первым в нашем движении?

— Я не очень понимаю, о чем вы говорите, херр хауптштурмфюрер Зигель.

— Я спрашиваю, кто считался первым в нашем симфоническом великом движении? Ты скажешь — Адольф Хитлер и ошибешься, мое дитя!

— Кто же, если не великий фюрер, херр Зигель?

— Кто, я тебе не скажу, потому что и сам этого пока не знаю, но Ади Шикльгрубер был сто двадцать седьмым, паршивый аршлох!

— Мне не совсем по душе то, что вы говорите, херр хауптштурмфюрер Зигель, — проговорил, поворачивая к нему свой чистый зеленый глаз, третий и самый главный мальчик, Хуго. Идеальное здоровье, идеальное арийское воспитание, идеальный раб плебейской силы, захлестнувшей наше движение.

— Мне кажется, херр хауптштурмфюрер, вам нужно слегка ограничить потребление «Бенедиктина», — продолжал зеленоглазый. — Приближается решительный момент, херр хауптштурмфюрер!

Он прав, этот зеленоглазый юнец. Момент приблизился вплотную. Брахма удаляется, Вишну горько плачет, плечи расправляет и гулко хохочет великий Шива.

Рушится закон, и беззаконие торжествует! Гауптштурмфюрер Зигель готов ко всем повторным циркуляциям. Он хотел бы, ну, если будет в этом нужда, вернуться именно вот в таком виде, вот с этими козьими ножками, с драконьим хвостом, с собственной мордой химеры; увы, таких на этой земле пока что не существует.

С трудом он вылез из своего угла, отпил из горлышка полбутылки благодатной вязкой влаги, потом рухнул тяжелыми чреслами на мускулистую попку Хуго, стал имитировать общедоступную акцию благоволения. Мальчишка, сначала растерявшийся, а потом превратившийся в стальную пружину, сбросил его с себя, пинками гитлерюгендовских сапожек в раскисшее пузо загнал обратно, поднял пистолет.

— Херр хауптштурмфюрер, нам придется избавиться от вас. Вы мешаете операции!

— Хорошая мысль, мой мальчик, однако кто, кроме меня, покажет вам, как обращаться с реактивными «кулаками»?

Поляки шли через Шлоссбург разрозненной толпой. У них были усталые, равнодушные лица. Они старались не смотреть на парадный подъезд замка, где стояло советское командование, как будто хотели пройти незамеченными. Если же кто-нибудь случайно бросал взгляд на маршала Градова, тут же отводил глаза в сторону, как будто не было для этих лесовиков ничего особенного в том, что их провожает в шведскую ссылку командующий Резервным фронтом советской армии.

Подъехал на «виллисе» полковник Вигор с помощниками. Согласно договору на офицерах было личное оружие, пистолеты в обтрепанных кобурах. Никита взял под козырек. Скосил глаза на свое окружение — кто последовал его примеру? Оказалось, что все это сделали, даже главный оппонент, начальник политуправления Стройло. Вдруг одна странная деталь бросилась в глаза: на груди Стройло среди его орденов сегодня опять красовалась круглая медалька «XX лет РККА». Когда он только появился в штабе фронта, на нем была эта медаль. Никита тогда демонстративно на нее уставился. Стройло ерзал, а он все смотрел. Потом взял комиссара под локоть, отвел в сторону: «Послушайте, Семен Савельевич, это не совсем этично. Здесь многие знают, что вы не были двадцать лет в составе РККА. Зачем быть посмешищем? Снимите!» Стройло тогда весь зацвел разными оттенками вареной свеклы и с тех пор никогда не надевал эту, весьма уважаемую среди советских командиров медальку. Что бы это могло означать? Почему сегодня опять навесил?

Поляки встали в «виллисе» и тоже взяли под козырьки своих конфедераток. Джентльменская церемония продолжалась не больше одной минуты. «Этот Градов — необычный какой-то парень для красных гадов, — думал полковник Вигор, бывший варшавский архитектор. — Неужели не обманут? Глядя на Градова, трудно не верить его слову...»

Стояние с ладонями у козырьков чуть-чуть, может быть, на несколько секунд затянулось. Несколько неловких секунд были связаны, естественно, с вопросом рукопожатия. Выйти из машины и подойти к нему с протянутой рукой? Нет, это уж слишком, думал Вигор. Спуститься к ним и пожать руки? Нет, это уж слишком даже для меня, думал маршал. Немедленно передадут в Кремль, что напутствовал «антисоветчиков».

В конце концов он сделал жест ладонью от козырька к полякам — пока, мол, поляки! — повернулся и пошел внутрь замка. Все двинулись за ним, в оперативный отдел штаба, большой зал с тремя высокими застекленными дверьми, выходящими на террасу и далее на пруд, за которым над переплетением ветвей парка возвышался собор святого Августина. В пруду, заметил Никита, совсем уже по-домашнему плавали вчерашние послы из Эль-Аламейна.

Все встали вокруг стола с расстеленной картой Германии и лежащей поверх нее картой Померании. Каждый день ожидался приказ о финальном штурме Берлина. Работы по координации армий и отдельных дивизий было больше чем достаточно.

— Какие теперь будут предприняты действия по отношению к Вигору? — вдруг спросил Стройло.

— Что за странный вопрос? — нахмурился Никита. — Мы разошлись с Вигором. Больше нет никаких действий.

— Вы, конечно, шутите, Никита Борисович? — голос Стройло сильно набирал высоту и угрожающую, весьма странную, совсем не свойственную вечно униженному политработнику силу. — Вы что же, собираетесь дать уйти целой дивизии антисоветчиков? С тем чтобы они продолжали свои провокации из-за рубежа?

Никита понял: что-то серьезное произошло за ночь, уперся двумя руками в карту Германии и вперился в каменеющее с каждой минутой лицо своего генерального соглядатая.

За ночь действительно произошло кое-что. Трижды по каналу связи СМЕРШа Стройло разговаривал с кабинетом Берии. К утру прилетела группа оперативников, явно нацеленная на удар по непосредственной охране маршала. Среди них был некий майор Ересь, которому предписывалось в случае нужды выполнить особо ответственное задание. Письмо, доставленное в пакете с личной печатью Берии, содержало окончательную инструкцию по поводу поляков: разоруженную дивизию Вигора интернировать, в случае сопротивления применить соответствующие меры; также принять немедленные меры по оздоровлению атмосферы в руководящем составе Резервного фронта; учитывать специфику продолжающихся военных действий, возможность внезапной вспышки боевой активности.

— Вы, кажется, забыли, товарищ генерал-лейтенант, — медленно заговорил Никита, не спуская глаз с начполитуправления, — что я подписал договор с полковником Вигором, что я поручился своим честным словом, то есть честным словом Резервного фронта, а значит, и...

— Вы, кажется, уже отождествляете себя со всей Красной Армией, Градов? — вдруг с диким надрывом, почти по-театральному завопил Стройло и сделал жест своему человеку из штаба. Тот мгновенно распахнул двери. Из коридора быстрыми шагами в зал вошла группа оперативников, среди них майор Ересь.

— Тревога! — закричал один из «волкодавов» маршала, но бросился не к оперативникам, а к стеклянным дверям.

Все обернулись и в последний момент своей жизни увидели взлетающих на террасу трех мальчишек с нацеленными прямо в зал фаустпатронами. Высокий и ярко-зеленоглазый... автоматная очередь поперек груди уже не смогла остановить его палец... Три взрыва слились в один мощный разворачивающий удар. Тела повалились в клубах дыма, меж тем как беспредметные сути людей отошли в сторону от этой страшной картины, хотя и сохранили еще нити с последними мыслями убитых.

«...Она, которую хотел украсить» — вот что успел вспомнить Семен Стройло.

«...Теперь прохожу дуновением в кустах под окном моей матери» — вот что успел осознать Никита Градов.

Глава восемнадцатая
Словесный соблазн

Похоронная процессия во всю ширину Большой Пироговской двигалась по направлению к Новодевичьему кладбищу. Впереди медленно поднимала и опускала сверкающие голенища рота гвардейцев. Солнце поблескивало на широких штыках. За блеском кожи и стали двигался блеск меди, духовой оркестр Резервного фронта заполнял весь объем улицы траурным маршем Шопена, что было как нельзя более кстати: ведь он не предал поляков.

Самого молодого маршала Советского Союза везли на орудийном лафете. Большой отряд офицеров впереди нес на бархатных подушечках его ордена. Далее следовал неровный ряд скорбящих, в центре которого в глубочайшем трауре шла жена Вероника и держащая ее под руку двенадцатилетняя Верочка с распухшим личиком. С другой стороны вдову поддерживал маршал Рокоссовский. В первом ряду шли крупнейшие военачальники, сумевшие прилететь на один день в Москву из расположения своих фронтов и армий. Вперемешку с ними родственники героически погибшего маршала — мать его с измученным, но все-таки еще очень гордым лицом, отец, внешность которого напоминала о неплохих людях из русской истории, сестра Нина Градова, да-да, та самая... Далее двигались генералы Ставки и генштаба, адмиралы флота, знаменитые летчики, деятели науки, литературы и искусства, целая колонна выдающихся личностей, в самом хвосте которой шли шофер лейтенант Васьков, работник АХУ штаба Резервного фронта старший лейтенант Слабопетуховский, а также заплаканная молодушка, лейтенант медслужбы Таисия Пыжикова, несущая в своем чреве ребенка провожаемого в последний путь маршала. У ворот Новодевичьего монастыря отделенную от масс москвичей цепью охраны процессию ожидала еще одна толпа деятелей, среди которых были дипломаты и представители военных миссий союзников, в частности полковник Кевин Тэлавер. Рота, медь, орденоносцы, траурные кони, орудийный катафалк с закрытым гробом, колонна скорбящих медленно втягивалась в ворота монастыря.

Во время церемонии прощания Тэлаверу удалось занять выгодную позицию, с которой он мог видеть Веронику. Значительность печального события, а значительность события не подлежала сомнению, ведь многие эксперты видели в маршале Градове некий будущий день России, отодвинулась в глубину, как всякий раз все на свете отодвигалось в глубину или отъезжало в сторону, едва лишь он бросал взгляд на Веронику. Подумать только, какое изящество, какое благородство сквозит в каждом ее жесте, в каждом наклоне головы, сколько поэзии немедленно проникает в воздух с каждым, самым малым огоньком ее глаз! Что бы случилось со мной, если бы я не встретил ее? Кремль краснокирпичный, символ мирового мрака, ты для меня стал Италией, Падуей и Вероной, Римом и Венецией моей любви!

Произносились речи, прогрохотал артиллерийский салют, оркестр взмыл крещендо, когда стали опускать гроб, потом начался русский ритуал — каждый бросал в могилу пригоршню земли. Пусть будет земля ему пухом, так они, кажется, говорят. Отходя от могилы, важные военные и штатские сановники почти немедленно начинали оживленно переговариваться. Обрывки фраз долетали до Кевина Тэлавера. Оказывается, ждали Самого, то есть Сталина, но он почему-то не явился. Присутствовал, однако, Берия, и даже вытирал платком пенсне. Были Маленков, Хрущев и Микоян. Уровень вполне приличный. Они все время говорят об «уровнях» и сопровождают это словом «приличный». В принципе, перед нами не что иное, как весьма серьезная «светская жизнь» сродни нью-йоркским сборищам of anybody who's somebody*. Очень важен момент присутствия, хотя бы промельк в глазах других членов номенклатуры. Хроники светских событий здесь нет, в газетах сообщается одной строчкой: «Присутствовали руководящие работники партии и правительства, деятели литературы и искусства». Однако где-то в домах и офисах этого дымного, безрадостного города, очевидно, обсуждается: этот был на похоронах маршала Градова, а того не было на похоронах маршала Градова, и это, очевидно, очень много значит. Здесь, конечно, уже возник новый класс, едва ли не наследственная иерархия. Очень любопытное разви-

---

* Тех, кто что-либо собой представляет *(англ.)*.

тие марксизма. Новый класс со своей Анной Карениной, не так ли?

Вырос холм, покрылся цветами и лентами, гвардейская рота дала тройной залп в серые, такие рутинные апрельские небеса, и все было кончено. Масса людей медлительно, «прилично» качнулась к выходу. Тэлавер видел сзади затылок Вероники с зачесанными наверх, под черную шляпку, золотистыми волосами, с трогательными, юными колечками непослушавшихся прядей. Принцесса Греза, недостижимая мечта коннектикутского слависта!

Их сына не было на похоронах. Она никогда о нем не говорит, только пожимает плечами — «он где-то на фронте» — и отворачивается со слезами на глазах. Задавать какие-либо вопросы бестактно.

То, о чем всегда как бы мимоходом, как бы по-дружески, по-мужски, всегда с затаенным раскатиком докладывал начполитуправления Стройло командующему Градову, соответствовало истине, но только в абсолютно прямом смысле слова. Вероника Градова и Кевин Тэлавер действительно встречались. Встречались на улице, на улице и расходились.

Обычно происходило это возле телеграфа. Вероника, к примеру, задумавшись, переходила улицу Горького. Перейдя, поднимала голову: высокий военный денди в шинели из верблюжьей шерсти спускался по ступеням. «Миссис Градова! Вот так сюрприз!» Ну и она, разумеется, удивлялась: «Ба, кого я вижу! Полковник Тэлавер, I assume?*» Или другой пример: она спускается по ступенькам телеграфа, а полковник Тэлавер как раз пересекает улицу Горь-

* Здесь: если не ошибаюсь *(англ.)?*

кого. «Ба, кого я вижу! — произносит он быстро усвоенную русскую фразу. — Миссис маршал Градов, I assume?!» Она хохочет, в глубине рта чуть-чуть поблескивает золотой грибочек. «Ха-ха, кажется, я в руках буржуазной разведки?!» Они немного прогуливаются у всех на виду, чтобы не было кривотолков. Говорят о театре: в Москве уже вовсю функционируют и Малый, и Большой, а главное, МХАТ, МХАТ! Говорят о литературе. Вообразите, новая публикация Ахматовой, цикл Пастернака... У вас, кажется, ренессанс? Вам нужно познакомиться с моей sister-in-law, она знаменитая поэтесса. О, я буду счастлив! Ну, до свидания, мне пора!..

Иногда он видел издали, как она выходила из подъезда своего дома с мордастым офицером явно не фронтового типа. За время своих многочисленных поездок на фронт Тэлавер научился улавливать так называемый «фронтовой шик», по отсутствию которого сразу можно было определить тыловика. У этого офицера почему-то всегда на губах блуждает кривая, слегка криминальная улыбочка, из-под козырька на брови спускается богатый чуб. Он открывает перед Вероникой дверь большой немецкой машины, а сам садится за руль. Очевидно, шофер. Скорее всего, приписанный к семье маршала военный шофер. Вот так живет советская элита: разъезжает в лимузинах с подлейшими порочными шоферами.

Иногда Тэлавер и Вероника проходили в толпе, как бы не замечая друг друга. Ничего удивительного, собственно говоря, не было в том, что они часто проходили друг мимо друга в этой московской толпе. Что может быть в этом странного, если твой офис находится в двух шагах от ее дома? Каждый идет по своим делам и может по нескольку раз в день пройти мимо другого, не заметив последнего.

Однажды, не замечая ее, он заметил, как она, не замечая его, улыбнулась. Сердце его забабахало, будто лошадь копытами в галопе. Она улыбается не только тому, что как бы не замечает его, а тому, что он как бы не замечает ее, и таким образом становится понятно, что она на самом деле замечает, что он так часто мелькает на этом людном перекрестке просто по своим делам, не замечая ее, и, не замечая ни капли его, она своей улыбкой дает понять, что она тоже его не замечает, потому что это было бы странно так часто его замечать, когда человек вот просто так тут проходит, поскольку его офис просто за углом...

У Кевина Тэлавера был, прямо скажем, небогатый любовный опыт, хотя в тридцатые годы в Париже его друг Рест немало сделал для того, чтобы дать ему необходимое современному мужчине образование. Буря тех лет, однако, прошла, и Кевин как-то весь подсох, смиренно уже, в епископальном стиле, готовясь к пожилой комфортабельной холостяковщине. Вину за нынешний «бахчисарайский фонтан» он сваливал целиком на русскую литературу. Вот к чему может привести предмет невинного «хобби», вот перед нами чистая инкарнация словесного соблазна! А самое печальное состоит в том, что у нашего романа — романа, ха-ха, несколько прогулок по улице! — нет никакого будущего. Теоретически он и то безысходен. Даже в нацистской Германии перед войной, если бы я встретил женщину, мы смогли бы вместе уехать. В красной России это невозможно, хотя мы союзники. Большевики создали тут такой климат, что даже психологически это невозможно. Иностранец для них не совсем принадлежит к человеческой расе. Мне и самому что-то противоестественное видится в самой идее сближения с русской женщиной. Тем более с Вероникой Градовой! Это уже нечто вроде бунта против самого Сталина!

Несмотря на эти мысли, Кевин Тэлавер не мог себя заставить прекратить хождения по улице Горького и всякий раз замирал, как школьник, едва только открывалась дверь ее подъезда. Даже гнусный шофер, прогуливающий ее собачонку, — ухоженная болонка посреди убогой Москвы! — вызывал у него не по возрасту сильные чувства.

Он увидел ее на третий день после похорон. Она была в весеннем костюме. Короткая жакетка с большими плечами. Не знаю, какие моды возникли под немцами в Париже, но на Пикадилли-стрит она бы вполне сошла за свою.

Возле телеграфа, ну, разумеется, возле телеграфа... «они встречались возле полюбившейся им скалы на берегу океана», то есть они встречались у телеграфа... Он прямо подошел к ней и сказал:

— Миссис Градова, позвольте мне выразить вам глубочайшие соболезнования. Маршал Градов всегда был для меня воплощением всех героических качеств!

Она пожала ему руку, и они пошли вверх по Горького. Временами они ловили на себе дикие взгляды. Американский офицер и модная красавица казались в той толпе пришельцами с другой планеты.

Таких пришельцев, впрочем, к концу войны становилось в Москве все больше: связи разрастались, шла постоянная циркуляция военных и гражданских лиц, англичане даже начали издавать свою газету «Британский союзник», распространялся и глянцевитый журнал «Америка». Никогда еще со времен большевистского переворота у России не было таких живых связей с Западом. Тому начинали способствовать и явно прозападные вкусы московских красоток. Может быть, и дальше так пойдет? Может быть, Россия намерена к нам вернуться? В этом случае и моя влюбленность выглядит не так уж безнадежно.

Вероника вдруг начала ему рассказывать о своем сыне. В конце сорок третьего семнадцатилетний Борис сбежал на фронт. Полтора года мы не могли его найти. Вообразите, командующий Резервным фронтом не мог найти своего сына! Мы были почти уверены, что он погиб. Наконец совсем недавно он был почти обнаружен, оказалось, что он все это время был на секретном задании в тылу немцев. У меня просто холодели конечности, Кевин (да-да, так запросто — Кевин; просто у нее холодели конечности, Кевин!), когда я представляла себе моего мальчика на секретном задании в тылу врага! Короче говоря, я уже торжествовала: он жив, война кончается, мне обещали, что он скоро будет дома, как вдруг что-то ужасное случилось, мне ничего не говорят, но Борис снова пропал... Ну, как вам это нравится? Не слишком ли это много для одной немолодой женщины? Тэлавер, переполненный чувствами, симпатией, жалостью, восхищением, какими-то струнными пассажами Моцарта, витающими в воздухе, вдруг предложил:

— Послушайте, Вероника, ведь настоящая весна вокруг! Почему бы нам не поехать в Сокольники? Там столько берез, такая Россия!

Она смотрела на него с грустной улыбкой. Наверное, она любит Блока, не может не любить. Возможно, думает сейчас почти блоковской фразой: «Ну вот, и этот влюблен». Далее в голове Тэлавера промелькнуло что-то из более близкой ему культуры: «...и башмаков еще не износила, в которых шла за гробом...» Но это же совсем не о том, и речь вовсе не идет о... Это просто душевная близость, обычные человеческие симпатии, желание отвлечь обожаемое существо от военного мрака, хоть на час вернуть ее к собственной красоте, к природе, к идеальной России...

— Ну хорошо, давайте поедем. — Она улыбнулась повеселее. — Ну что, поедем на метро?

— Нет, подождите, у меня есть машина!

Он оставил ее на Тверском бульваре, а сам помчался в посольский гараж за своим «бьюиком». Возвращаясь, трепетал вместе со стареньким мотором: а вдруг не дождалась и ушла? Прелесть, однако, сидела на той же скамейке, перелистывала «Британский союзник». Рядом поселилась с вязаньем идеальная русская старушка, истинный оплот этой культуры, Арина Родионовна.

Пока добирались до Сокольнического парка, начался закат. Он отражался в многочисленных лужах на главной аллее, скромненько подкрашивал стволы явно символических берез. Было пусто. Кевин и Вероника медленно огибали лужи. Иногда она протягивала ему руку, и он поддерживал ее прыжок через малое водное пространство. Можно было бы надышаться дивным воздухом, то есть воздухом дива, если бы она столько не курила. Курит без остановки. Интересно, что курит «Честерфилд». Этот запах вызывает в памяти бар, атмосферу пьяной толкучки, когда у стойки обмениваются откровенными взглядами. Разумеется, у тех, кто хаживал по таким барам, не у нас же!

Она рассказывала ему о погибшем маршале. Не странно ли слышать, как стратегическое понятие Второй мировой войны называют по имени, Никитой? И выясняется к тому же, что это стратегическое понятие, только что под гром салюта и музыку меди отправленное в землю, в бытность свою геройским юношей Никитой, в 1922 году, встретил у ночного костра в горах мечтательную девушку Веронику, и костер этот трепетал на скале, над огромным морским пространством, под ветром, который она называет чисто гомеровским, то есть под ветром «Одиссеи»... И дальше, как они жили, черт побери, в общем-то весело, хотя его и мучили кошмары Гражданской войны. Хотите верьте, хотите нет, но я была классной теннисисткой, ха-ха, чемпионкой Западного военного округа. Хотите верьте, Вероника, хотите нет, но я был тоже когда-то чемпионом в кантри-клабе «Нью-Хэвэн». Ах, вот как, вы тоже теннисист, это очень приятно. Вот и сразимся летом, если не... Что «если не»?.. Да так, ну просто сразимся...

Расскажите мне о вашей семье. Моей семьей была его семья. Она рассказывала о Градовых, о вечерах в Серебряном Бору, где иногда казалось, что с Россией ничего не случилось... Как вы сказали, Вероника? Почему вы замолчали?

После тягостной паузы она сказала, что оттуда как раз ее и забрали. Что значит «забрали», дорогая Вероника? Арестовали. Простите, я, кажется, вас не совсем понимаю, вы хотите сказать, что вашего мужа арестовали? Я слышал, что у маршала Градова в прошлом четыре года военной тюрьмы, но вас ведь не могли же арестовать, мадам?

На каждом шагу она оглядывалась. Сначала ему казалось, что она оглядывается, чтобы запечатлеть всю красоту медленно уплывающего заката, потом ему показалось в этом что-то нервическое. Говоря о военной тюрьме, вы, надеюсь, не имеете в виду что-то вроде замка Монте-Кристо, господин полковник? Он был в шахте, и там он чуть не сдох от голода. Что касается «миссис маршал», то она провела четыре года на лесоповале, на мерзкой войлочной фабричонке, в гнусных бараках, и...

Говоря это, она уже не оглядывалась, а смотрела прямо на него, как будто спрашивала: «Ну что, Кевин, теперь-то рухнул твой образ советской Анны Карениной?» Рука ее с сигаретой и губы подрагивали. Прижаться бы хоть на миг к этим губам!

— Хватит об этом! — Она бросила сигарету и пошла прямо по лужам.

Он бросился вслед.

— Я надеюсь, вы мне больше расскажете о тех временах?!

— Не надейтесь! — резко бросила она. — Уже темнеет, поехали по домам!

Несколько минут шли быстро и молча. Разлетались брызги. Туфельки на каучуке и шелковые чулочки были в грязи, но шелест ее юбки, шелест ее юбки... ей-ей, это из Достоевского, Полина и Алексей...

Навстречу плелись два русских мужичка. Тэлавер попытался отвлечь свою спутницу от мрачных воспоминаний.

— Посмотрите на этих мужичков, Вероника! Просто тургеневские персонажи, не правда ли? Ну чем вам не Хорь и Калиныч, а?

Вероника вдруг вся передернулась и дико посмотрела на мужичков. Они разошлись. Прошли молча еще полсотни метров, и она вдруг схватила Тэлавера за руку:

— Кевин, я боюсь «тургеневских персонажей»! Обернитесь!

Он обернулся и увидел, что мужички остановились и смотрят им вслед. В сумерках уже не было видно их лиц, но так могли смотреть вслед и агенты полиции, и простые любопытствующие лесники. Каждую минуту приходится напоминать себе об особенностях этой страны, о вечно цветущей паранойе.

— Разве вы не понимаете, они повсюду, — шептала Вероника. — Всякий раз, когда мы с вами встречаемся на улице Горького, они немедленно появляются вокруг. Сегодня, когда я осталась на бульваре, они немедленно подсунули мне какую-то свою мерзкую старуху с вязаньем. А когда мы ехали сюда, вы не заметили «скорую помощь»? Вы думаете, это действительно была «скорая помощь»?

Было совсем уже темно. Вокруг уже не было никого. Уже пропали из глаз и из памяти все персонажи классической литературы, и никого вокруг не было. Была только ранняя уже ночь, нарождалась уже луна, обещая прибыток; ночь последней недели второй уже мировой войны, если, конечно, не считать Японии, а ее следовало считать. Но было не до Японии уже. Уже в березах только поблескивали глаза, так было.

Она взяла его за руку и потянула с аллеи в березы.

— А, черт, — прошептала она. — Пошли бы все, ну, к черту, — продолжила она. — Гады, скоты! — чуть не заплакала она. — Никого больше нет, — продолжила она.

Он, позабыв о парижском опыте, положил ей руку на плечо, как будто верному другу. Не плачь от одиночества, хотелось сказать ему, теперь ты не одна, хотелось продолжить, но он промолчал. Она расстегнула ему пальто.

— Ну, что же, целуйте! — сказала она.

Он прикоснулся к ее нежнейшим, хоть и прокуренным, губам. Она расстегнула свою жакетку и блузку, пуговки мягкой жилетки. Он взял ее грудь. «Ну, вот, идите сюда! Ну, вон туда, разве не видите?» Он увидел свежеспиленный пень. Наверное, Хорь и Калиныч позаботились. Он сел. «Ну, что же, где же они, где же ваши пуговицы?» — «Пуговки нет, это — зип». — «Ха-ха, никогда раньше не видела». — «Позвольте, теперь уже я...»

Он быстро вспоминал парижский опыт. Она стонала, то откидывая голову назад, то кладя ее ему на плечо. «Гады, мерзавцы, вот вам, вот вам! — бормотала она. — Ненавижу, ненавижу...»

«Забудьте о ненависти, — нежно увещевал он ее. — Забудьте обо всем, любимая Вероника, я вас больше уже никому не отдам...»

— Вот это баба! — сказал как бы с некоторым восхищением Лаврентий Павлович Берия после того, как Нугзар Ламадзе доложил ему о художествах маршальши Градовой. У Берии, впрочем, никогда не поймешь — то ли действительно восхищается, то ли проявляет зловещую иронию. — Вот это русская баба! — продолжал Берия, как бы углубляясь в размышления. — Помнишь, Нугзар: «Коня на скаку остановит, в горящую избу войдет...»

Вспоминая строчку из Некрасова, давно уже ставшую расхожим местом, Берия говорил так, как будто он и не «коня» и не «избу» имеет в виду, а что-то другое, только лишь слегка созвучное.

Потом он ударил ладонью о ладонь, посмотрел на Нугзара поверх пенсне и улыбнулся так, как будто самого себя вообразил на месте помощника военного атташе США.

— На пеньке, говоришь? Ах, неплохо!

Ламадзе, как всегда, подыгрывал хозяину, старался угадать направление его мыслей, но не высказывался. Берия вышел из-за стола, прогулялся по кабинету, в отдаленном углу расхохотался, еще раз хлопнул ладонью о ладонь. А говорят, что лагерный опыт на пользу не идет! Потом он вдруг быстрыми шагами подошел к сидящему в кресле Нугзару, тряхнул его за плечо:

— Ты почему молчишь, Нугзарка? Почему всегда меня подталкиваешь к решению? Ну, что, не понимаешь обстоятельств — ночью в лесу, на пеньке, с американцем, со шпионом, ну! Ну, говори, шени дэда товтхан, что предлагаешь?

— Я думаю, Лаврентий Павлович, что нельзя упускать такого случая. Она, по-моему, хочет с ним уехать, но нам нельзя этого так упускать.

— Тогда действуй! — сказал Берия и тут же перешел к другим делам. То есть к другим своим преступлениям, как скажут неблагодарные потомки.

Уже отгремели залпы финального победного салюта, уже знамена немецкой армии были брошены к подножию Мавзолея Ленина, то есть к подошвам Сталина, когда в самом конце июня 1945 года на квартире покойного маршала Градова состоялся весьма примечательный ужин.

Ужин вроде совсем не парадный, всего на три персоны, однако для устройства, готовки и сервировки Вероника на три дня привезла из Серебряного Бора саму Агашу.

Первым из гостей явился генерал Нугзар Ламадзе. Для этой оказии он облачился в новенький серый костюм, весьма выгодно ниспадавший вдоль его стройной талии. К костюму неплохо был подобран галстук в «огурцах» и аналогичный платок, только чуть-чуть высовывающийся из нагрудного кармана, чтобы ни у кого не возникло желания в этот платок высморкаться. Никому, конечно, не должно было прийти в голову, что приятный молодой кавказец обладает высоким чином страшного секретного ведомства.

Хозяйка дома встретила его в темно-вишневом платье, у которого был такой вид, будто оно только что покинуло плечи хозяйки и не намерено долго задерживаться на груди.

— Вероника, душа моя, клянусь Алазанской долиной, ты неотразима! — нашел нужным воскликнуть Ламадзе и сделал это не без удовольствия. — Если бы не долг службы, ха-ха, впрочем, что я, ты меня сейчас не узнаешь, Вероника, душа моя. Повеса Нугзар стал образцовым семьянином. Ты должна взять под опеку мою Ламару, она все еще дичится в столице...

Стол был идеально сервирован: хрусталь, фарфор, салфетки в серебряных кольцах. По русской традиции все напитки были выставлены на обеденном столе. Водки — одна простая, другая лимонная — в тяжелых штофах, бутылки вина и коньяку соседствовали с закусками, частично прибывшими из отдела снабжения высшего командного состава Министерства обороны, частично — из Агашиных немалых серебряноборских резервов. Основной гость, которого ждали, хоть и был иностранцем, но предпочитал именно русскую традицию.

Погуляв по хорошим туркменским коврам квартиры, Нугзар присел к столу и налил себе тонкую рюмочку водки. Вероника присела рядом со своей неизменной сигаретой. Они хотели было уже возобновить один из своих тяжких, хоть и волнующих, вернее, просто переворачивающих все существо Вероники разговоров, когда в столовую вдруг вошел шофер Шевчук. Чуб у него был сегодня припомажен, прохоря начищены до исключительного блеска, с ними соперничали пуговицы парадного кителька и новенькие, торчавшие крылышками лейтенантские погоны. Он явно собирался тут отужинать, хотя его никто не приглашал.

Спокойненько, со своим вечным хулиганским перекосом рта, он отодвинул стул, уселся и только тогда уже спросил с полным этикетом:

— Надеюсь, не возражаете, Вероника Александровна?!

В последнее время Шевчук Леонид капитально психовал. Маршальша, которую он за глаза называл не иначе, как зазнобой, перестала допускать к себе, а вместо этого шляется с нерусским офицером, не исключено, что югославом, о чем Шевчук уже бросил пару рапортичек куда положено. Теперь еще этот кацо, пижон засранный, появился на горизонте. Бесится баба! Однажды он даже имел с ней веселый разговорчик. Ты, видно, Вероника, хочешь, чтоб все узнали, какую я из тебя делал кошечку? Может, еще и про лагерную самодеятельность рассказать югославским товарищам? Вместо желаемого результата получил в ответ форменную истерику, бросание неподобающими вещами, в частности нерусской книгой.

В тот вечер Шевчук по месту жительства, то есть в подвале того же дома, принял четвертинку, начистился и явился, чтобы поставить все точки над «i». Вероника же, как только он уселся, тут же встала и торжественно, в своем блядском платье, проследовала на кухню, будто по хозяйству. Теперь кацо сверлит нехорошим глазом. Ну, давайте в гляделки играть, товарищ кацо; посмотрим, кто выиграет.

— Леонид, — представился он гостю и с вызовом потянулся за штофом.

— А ну, убирайся отсюда, Леонид! — спокойно сказал сидящий бочком на стуле гость.

— То есть как это? — не понял Шевчук.

— Собирай прямо сейчас все, что у тебя тут есть, и немедленно испаряйся, Шевчук Леонид Ильич, тысяча девятьсот пятнадцатого года рождения, — сказал гость таким голосом, что бывший нижний чин вохры сразу понял, кому, каким голосам извечно подражало лагерное начальство; это был один из основных голосов.

— Да как же, эй, товарищ, куда ж я, — еще пытался он дрыгаться, как полураздавленный муравей, однако уже со стула встал и кителек одернул.

Гость вынул из кармана блокнот со страшными буквами, чиркнул что-то, вырвал, протянул:

— Завтра придешь на Кузнецкий мост, восемь. Покажешь вот это в бюро пропусков. Все. Вали!

Когда Вероника заглянула из кухни в столовую, докучливого шофера больше в ее пространстве не обнаруживалось.

— Все в порядке, Вероника, — весело улыбнулся Нугзар. — Больше он никогда не будет тебя шантажировать.

Она подошла и поставила почти целиком явившуюся из разреза платья ногу на стул:

— Послушай, черт, откуда ты знаешь, что он меня шантажировал? У вас тут что, аппараты какие-нибудь в стенах?

Он добродушно улыбнулся:

— Ну, а как ты думаешь? Маршал Градов, как ты думаешь, что это такое?! Это ж было дело большой государственной важности!

— Значит?.. — Она расхохоталась вроде бы с прежней дерзостью, но он ясно видел, немного струхнула. — Значит, все слышали?

— Спокойно, спокойно, — он умиротворял воздух ладонью. — Многое слышали, но не все, конечно. Оттуда почти все слышали, ты уж извини. Отсюда похуже. Но это не важно, Вероника, ты можешь не беспокоиться. К нашему делу не имеет никакого отношения. И потом, не зови меня чертом. Я хоть и не ангел, но все-таки не черт!

Нугзар появился почти сразу же после Сокольников. День или два мелькал, не делая секрета из неслучайности своих мельканий. Потом вдруг прибыл с букетом цветов явно не из подмосковных огородов, а из каких-то спецоранжерей.

— Вы что, ухаживать за мной взялись, кузен? — с автоматическим кокетством спросила Вероника, хотя, конечно, уже понимала, какого рода тут идет ухаживание.

— Ах, если бы! — вздохнул он. — Увы, я к тебе по службе. Послушай, Вероника, тебе, наверное, придется познакомить меня с полковником Тэлавером.

— С какой это стати? — резко спросила Вероника, спросила так, будто и не испугалась вовсе, а, напротив, возмущена.

Нугзар усмехнулся: он прекрасно видел, что она дрожит от страха.

— Служба, дорогая. Государственные интересы. К вашим личным делам это имеет только косвенное отношение.

— А все-таки имеет косвенное отношение?! — опять взвилась она. — С какой это стати?

— А вот с такой стати, — вдруг возвысил он голос, — что ты являешься вдовой дважды Героя Советского Союза, кавалера Ордена Суворова первой степени, не считая полсотни других орденов, маршала Советского Союза Никиты Градова. Ты что, не понимаешь, что твои личные дела — это не совсем твои личные дела?

С этого разговора началась открытая «психическая атака» органов на красотку Веронику. Типчики, или, как она их теперь называла, «тургеневские персонажи», поджидали ее повсюду: плелись по пятам, дежурили на лестнице, цинично скалились из проезжающих машин. В Сокольниках теперь казалось, что из-за каждой березы торчит национально причастная морда. Однажды, когда они целовались с Кевином, их вдруг ослепили три сильных фонаря. Потеряв голову, дипломат бросился было на огни с кулаками, но фонари тут же пропали, и только прокатился меж стволов дикий хохот лесовиков. Шина «бьюика» оказалась в тот вечер проколотой. Тэлавер бесился. Вероника не могла прийти к нему и не решалась пригласить его к себе. В огромном городе им нигде нс было места. Пожаловаться в официальном порядке он тожс не мог. Государственный департамент и Пентагон, скорее всего, отозвали бы его из Москвы во избежание скандала.

— Нам нужно пожениться как можно скорее! — настаивал он. — Нужно идти в этот, как его, в этот ваш загс.

Она молчала, но не возражала. После одного из таких порывов американца Нугзар завел с ней страннейший разговор:

— Знаешь ли, несмотря на все заслуги, репутация Никиты была далеко не безупречной. Эти фауст-патроны спасли его от кончины другого рода, хотя, конечно, маршальские похороны в любом случае были обеспечены. Что я хочу этим сказать? Почему что-то зловещее? Ну, не преувеличивай, красавица! Как ты докажешь, что я на что-то намекал? Смешно. Я просто хотел сказать, что взгляды моего кузена были, к сожалению, далеки от совершенства. Прости, но многим товарищам казалось, что маршал Градов лелеет какие-то далеко идущие планы. А вот скажи, Вероника, он ничего после себя не оставил? Почему «вздор»? Почему «гадко усмехаюсь»? Ты как-то нехорошо преувеличиваешь, дорогая. А вот некоторым товарищам кажется, что он оставил какие-то записи. Ты ничего не припрятала, Вероника?

Тут он увидел, что она по-настоящему испугалась. Успокаивающе положил ладонь на ее подрагивающую руку:

— Ну-ну, не надо так волноваться. Подумай о дочери. Без материнской заботы с ребенком все, что угодно, может случиться.

Она начала задыхаться. Он налил ей стакан вина:

— Хорошее вино всегда помогает. Не надо театра, Любовь Яровая. Пока что с твоей дочерью ничего не случилось, верно? Надо просто всегда думать о детях. Вот я всегда думаю о своих детях, и о Шоте, и о Цисане. И тебе нельзя забывать о Вере, о Борисе. Что о Борисе? Как что о Борисе? Конечно, знаю о Борисе. Мы всегда все знали о Борисе. Ты еще не убедилась, что мы все знаем? Надо было думать, куда за справками обращаться. Кстати, о Борисе. Не все товарищи уверены, что и у него идеальные взгляды. Он, конечно, герой, храбрый юноша, однако некоторые думают: не унаследовал ли он от отца какие-нибудь ущербные взгляды. Нет-нет, пока он не приедет. Война, да, кончилась, но он еще нужен. Надеюсь, что скоро приедет, если ничего не случится. Как что может случиться? С живым человеком все может случиться. Что из того, что война кончилась? Не на войне все то же самое может случиться. Ну, в философском смысле, конечно.

Совершенно потрясенная этим разговором, Вероника на несколько дней прекратила встречаться с Кевином. Услышав его голос в телефоне, опускала трубку. Старалась не подходить к окну, чтобы не увидеть вышагивающую возле телеграфа смехотворно-любимую фигуру этого стареющего мальчика. Коннектикут... «к» в середине почему-то не произносится... профессорская должность в Йеле, Гепите... нью-йоркская берлога на Риверсайд, с окнами на Гудзон, который, конечно, не Гудзон, а Хадзон... там будем ночевать, когда приедем на концерт в Карнеги-Холл... почему-то все это представляется в осеннем, прозрачном свете, красные и темно-лиловые листья... Зимой будем уезжать на Бермуды, sweetheart... на Бермуды там, оказывается, ездят зимой... Все кончено, ничему этому не бывать. Они меня уничтожат, думала она. Как только он уедет, мне конец. И всем моим конец; теперь уж они не отстанут...

В панике она перевезла Верулю в Серебряный Бор под присмотр бабушки. Мэри что-то почувствовала. Может быть, уехать с девочкой в Тифлис? Там когда-то Нинка спасалась. Бо возьмет отпуск. Не надо, не надо, ой, я сама не знаю, Мэричка, милая, ничего сказать не могу, не спускай глаз с Верульки... Выскочила из калитки. На углу лениво курят два больших мужика. Неужели они уже и здесь, «тургеневские персонажи»?

Вдруг все переменилось. Опять вынырнул Нугзар со сладчайшими улыбками, с предупредительными жестами. Он боится, что она его неправильно поняла. Зачем эта паника? Разве кто-нибудь что-нибудь сказал против полковника Тэлавера? Отношения между нашими странами никогда не были такими хорошими, а будут еще лучше. Вместе сокрушили такого врага! Полковник Тэлавер — хороший офицер, честный ученый человек. Русофил к тому же. Давай поговорим обо всем спокойно, без истерики, все взвесим. Конечно, я на государство работаю, однако я же тоже человек, и даже родственник...

В таких вот делах странное трио — Вероника, Нугзар, Тэлавер — подошло к своему церемонному ужину.

Кевин тоже пришел в штатском: пиджак в «селедочную косточку», вязаный галстук.

— Простите, что я вас не предупредила, господин Тэлавер, что будет еще один гость, — церемонничала Вероника. — Это двоюродный брат моего покойного мужа Нугзар Ламадзе. Он появился неожиданно, как... — тут она хохотнула, — как черт из табакерки!

— Ай-ай-ай, Вероника, — зажеманничал Нугзар, который в своем модном костюмчике и ярком галстуке, да еще и с горячей кавказской фактурой, по американской классификации выглядел как что-то близкое к категории «латинский любовник». — Ай-ай-ай! Опять «черт»?

Вероника поразило, что всесильный энкавэдэшник явно стесняется иностранца.

— Я, конечно, не ангел, но все же не черт! — повторил Нугзар свою излюбленную шутку.

— Я вижу, — сказал Кевин.

— Что? — как бы слегка вздрогнул Нугзар.

— Что вы не ангел, — улыбнулся Кевин.

— А вы, господин Тэлавер? — Нугзар, явно для того, чтобы побороть свое странное смущение, прищурился на американца. — Вы, по-моему, тоже не ангел?

Вероника развеселилась:

— Ну, садитесь к столу, черти!

За столом, едва выпили по первой рюмке, Кевин склонился к соседу и спросил:

— Вы из энкавэдэ, Нугзар?

От неожиданности «латинский любовник» уронил на скатерть давно уже облюбованный гриб.

— А почему вы так решили, господин Тэлавер?

— Сразу же видно, — любезно пояснил американец. — Как только я вас увидел, сразу же подумал: ну, сегодня у мадам Градовой человек из тайной полиции.

Все рассмеялись вполне добродушно, но Нугзар не смог остановиться, когда другие замолчали. Он все хохотал, пуще и пуще, вытирал лицо своим красивым платком и снова начинал кудахтать так, что Вероника и Кевин стали переглядываться с опаской.

— Ой, вы меня уморили, Кевин, — наконец сказал Нугзар. — Вот коллегам расскажу, тоже обхохочутся! Ну, давайте выпьем за американский зоркий глаз!

— Не распространяйте это на всех американцев, — сказал Кевин. — Уверяю вас, любой мой коллега сразу же поверил бы, если бы вы представились, скажем, укротителем питонов. У меня это просто от занятий русской литературой.

— Вот и прекрасно! — воскликнул Нугзар. — Давайте выпьем за русскую литературу! Эта нация ни хрена не создала великолепного, кроме литературы и тайной полиции, как вы выражаетесь. Мы выражаемся иначе — органы пролетарской диктатуры. Вам смешно? Почему не смеетесь? Можно смеяться, не бойтесь! Теперь, когда я разоблачен, давайте говорить напрямую. Вот скажите, Кевин, какие планы у Америки на Тихом океане?

Опять все трое начали хохотать, хотя вроде ничего смешного не было сказано. Как будто веселящий газ Чека пускает через какие-то свои тайные дырки. Так и весь ужин прошел. Агаша даже несколько раз в столовую заглядывала. Что происходит? Хохот стоит, звон бокалов, как будто целая большая рать гуляет, а там всего лишь Вероничка и Нугзарчик (Агаша помнила его еще по танцам 1925 года) да один приличный гражданин из ненаших.

Часа через два Нугзар стал прощаться. Естественно, облобызал «атлантического союзника» и взял с него слово приехать в Грузию на кабанью охоту. Не в том смысле, Кевин, что кабаны будут охотиться на людей, а наоборот. Чуть-чуть, в хорошем стиле, покачиваясь, потащил с вешалки плащ, по дороге зацепил телефонную трубку, буркнул в нее «Ламадзе» и двинулся к дверям. В дверях прихватил Вероникино ухо, шепнул в него: «Хороший парень!» — после чего исчез.

В квартире теперь стояла полная тишина. Вероника погасила свет в прихожей, сбросила туфли. Потом подумала: «Войду к нему совсем голой!» —

и стащила через голову платье. Когда она вошла, в столовой тоже было темно, только за окнами через улицу на стене телеграфа светился под лампами огромный портрет Сталина. Полковник Тэлавер, выключив свет, тоже сильно саморазоблачился — сбросил пиджак и расслабил галстук. Явление голой нимфы потрясло его. Вот она, награда за танталовы муки! «Стой, стой, — прошептала она. — Ну-ка, дай-ка! Ой, что же, а здесь почему просто пуговки?»

Всю ночь они предавались любви, как двадцатилетние дети, а к утру она прижала к губам палец и написала в блокноте карандашом: «Это наша первая и последняя ночь, Кевин. Они требуют, чтобы я работала на них, шпионила за тобой. Иначе — не выпустят».

Прочтя, он взял у нее карандаш, перевернул страницу блокнота и написал одно слово: «Соглашайся». Подумав, поставил восклицательный знак. Потом вырвал оба листочка, смял и поджег их зажигалкой. Подбрасывал в ладонях, пока они не сгорели дотла.

В Серебряном Бору теперь еще до темноты начинали филигранствовать соловьи. Нина, сидя на ступенях террасы, цитировала Зощенко: «Жрать им хочется, вот и поют!» Мэри Вахтанговна издали бросала на нее взгляды и видела, что все не так-то просто: дочка, кажется, опять влюблена. Снова она не лишний человек в «соловьином саду». Нина следила взглядом за полетами светляков. Они возникали иной раз у самого носа, зажигали фонарик и, повисев долю секунды в диогеновом раздумье, сливались с темнотой. Вспышки мелькали по всему саду, поднимались даже к вершинам деревьев. Мгновенные имитаторы планет. Я ему скажу, чтобы нарисовал такой примитивный пейзаж, ранняя летняя ночь со светляками. Пусть потрудится. А я припишу внизу соловьиный свист. Это будет примитив, жалкая человеческая жалость, прощание с войной.

Мэри и Вероника сидели в отдалении на скамье, следили за мелькающими девочками, тихо разговаривали. Смерть Никиты опять притянула их друг к другу.

— Посмотри, родная моя, — сказала Мэри с нежнейшими грузинскими придыханиями. — Видишь эти кусты под окном спальни? В тот день и, я уверена, точно в тот момент, что-то меня толкнуло к окну. Мы как раз только что выставили зимние рамы, все открыли... воздух, запах весны... и вдруг мне показалось, что там Никита прошел, вернее, не прошел, а как-то быстро проплыл, как будто на боку проплыл через кусты... Уверена, что это он прощался со мной...

Вероника целовала ее щеку и ласкала плечо.

— Мэричка, я никому не хочу пока говорить, но я, возможно, скоро уеду в Америку.

— А как же Бабочка? Ты не дождешься его? — спросила старая женщина так, будто и не удивлена Америкой.

— Мне нужно как можно скорее уехать, — зашептала Вероника. — Это очень важно. Для всех. Для Борьки тоже. Поверь мне, Мэри, я спасаю не только себя.

— Кому же мне еще верить, если не тебе? Ты — мать моих внуков.

Они поцеловались и прижались друг к дружке. Подошла ревнивая Нинка:

— Пустите, что ли, меня в серединку!

Теперь сидели, обнявшись, втроем.

— Там, на похоронах, — вдруг сказала Вероника, — была женщина, которую он любил. Я хотела ее найти, но это было невозможно.

— Надо ее найти, — сказала Мэри.

— Зачем? — пожала плечами Нина. — Любил, ушел. Вспыхнул, погас. Так вот и мерцает вся земля.

Глава девятнадцатая
Озоновый слой

— Цецилия Наумовна, вас к телефону! — долетел из коридора голос соседской дочки, семиклассницы Марины, вполне благовоспитанной школьницы. На кухне между тем продолжали полускандально перекликаться, базлать, как они выражались, привычные женщины, квартиросъемщицы. Огромная коммуналка на Фурманном, вместившая двенадцать семей плюс одиночку Цецилию, продолжала жить своей кухонно-туалетно-коридорной возней.

— Эй, Наумовна! — хрипло проорала с кухни главная баба квартиры, тетя Шура Погожина. Она с утра уже была на посту у своей конфорки, все что-то перемешивала и дирижировала оттуда коммунальной жизнью.

— Ты, Маринка, в дверь ей стукни, небось не слышит!

В эту квартиру, к отцу, Цецилия Розенблюм переехала в тридцать девятом. До этого прожили они с Кириллом несколько счастливых лет в знаменитом московском доме «Деловой двор», что украшал собою бывшую Варварку. Этот дом, когда-то пристанище большого московского торга, вместилище крупных капиталистических фирм предреволюционной поры, теперь давал крышу сонмищу советской бюрократии, министерствам и ведомствам. В тридцатые годы несколько его коридоров с оставшимися от прежних времен гостиничными зеркалами и решетчатыми дверями лифтов принадлежали жилфонду ВЦСПС. Там, в бывших номерах, селились по ордерам партийцы средней руки. Там даже жила легенда революции, знаменитая Анка-пулеметчица, о которой ходили пугающие слухи, что ее дочь Зинаида прижита от иностранца. По ночам в тридцать седьмом году ковровые купеческие дорожки, хоть и основательно вытертые за два десятилетия, все-таки приглушали шаги «соответствующих органов». Однажды как-то, уже после ареста Кирилла, Циля проснулась от беспрерывного скрипа чьих-то дверей. Выглянула в коридор, там уже собралось несколько соседей. Все молча смотрели на восьмилетнюю Раечку Келлер, которая с отпечатанной будто не на рту, а на щеке улыбкой каталась на тяжелой двери своей комнаты, где она жила с отцом Илюшей Келлером, преподавателем кафедры общественных наук МГПИ. Раечкина мама Нюша уже несколько месяцев как не вернулась домой с работы, из того же МГПИ. В комнате, внутри, было темно, только видно было, как сильно вздуваются на огромном открытом окне бязевые занавески.

— Ты что же, Раечка, так среди ночи катаешься? — засуетилась было Циля, еще не понимая, что случилось что-то страшное.

— А вот так я и катаюсь, — грустно и нежно ответствовала Раечка.

Кто-то из соседей решился, попытался снять Раечку с дверей, она не поддавалась. Все еще ничего не понимая, Циля забежала в комнату. «Илюша! Илюша!» Ответа не было. На подоконнике она увидела след резиновой подошвы. Глянула вниз — Илюша, раскидав руки и ноги, недвижно лежал на тротуаре. Рядом с ним сочилась влагой оставленная на ночь тележка газированной воды.

Словом, жили. Однако в тридцать девятом гостиничные номера стал занимать Наркомат черной металлургии. Циле без излишних церемоний приказали собирать манатки: «Прописывайтесь обратно к отцу, Розенблюм!» Таким образом она и оказалась в коммуналке на Фурманном, подселилась к своему скромнейшему «деду Науму», сидевшему уже двадцать лет счетоводом в райжилуправлении и все свое свободное время отдававшему любимому занятию — шитью великолепных сапог из материала заказчика, что приносило ему все ж таки, худо-бедно, что вы хотите, некоторый дополнительный доход. В конце концов и на Фурманном Циля осталась совсем одна, если не считать, конечно, двенадцати семейств по соседству, потому что дед Наум вдруг, не причиняя никому никаких хлопот, перебрался в неведомые края, где, возможно, уже не требовалось прятать взгляд и с притворной старостью шаркать подошвами.

После смерти папаши соседи стали присматриваться к Цилиной комнате, некоторые уже впрямую высказывались, что метраж ей отошел непропорциональный. «Четырнадцать квадратных метров на одну неряху, немножко несправедливо, не находите, товарищи?» — так, например, иной раз возвышала голос нотариус Нарышкина. Выручила, как ни странно, тетя Шура Погожина. Однажды вечером явилась к Циле с поллитрой:

— Давай выпьем, Цилька, за упокой души! — Слезы текли по бородавчатому лицу еще не старухи. — Эх, Наум, Наум, — все говорила она, всхлипывая. — Эх, Наум, Наум! Хошь верь, Цилька, хошь не верь, но я никогда на него не сказала, что сапоги шьет!

Обнявшись, они проплакали всю поллитру, и с той поры все разговоры о метраже прекратились: могущественней тети Шуры в квартире никого не было.

— Иду, иду! — Циля выскочила в коридор без юбки, спохватилась, бросилась назад, накрутила какую-то простыню вокруг тяжелой попы, что-то опять получилось, по выражению Иосифа Виссарионовича, «типичное не то», прибежала обратно, заметалась среди бесчисленных книг, пока не пришла спасительная идея надеть пальто.

В коридоре уже стоял грубый хохот. Там у входных дверей шпанистый подросток Сранин подтягивал спицы на своем пиратском велосипеде. Всякий раз при виде Цецилии Наумовны этот юный хмырь, почему-то гордившийся своей нецензурной фамилией, начинал петь популярную о ту пору антисемитскую песенку:

Дохожку не спеша
Стахужка перешла,
Навстхечу к ней
Идет мильционех.

Тетя Шура нередко цыкала на него, а то и веником замахивалась, но он неизменно доводил до конца великолепное пение:

Свистка не слушали,
Закон нахушили,
Платите, бабушка,
Штхаф тхи хубля!
Ах, боже-боже мой!
Ведь я спешу домой,
Сегодня у Абхаши выходной.
Купила кухочку,
Фханцузску булочку,
Кусочек маслица, два пихожка.
Я никому не дам,
Все скушает Абхам,
А кухочку разделим пополам.

— Артист, — со скрытым чувством говорил пространщик из Сандунов, папаша Сранин, если ему случалось быть поблизости к моменту завершения куплетов. Подросток Сранин, спев все до конца, немедленно про еврейку Цилю забывал и начинал соображать, что бы ему сегодня сорвать, пролетая по Сретенке на велосипеде.

Между тем в телефонной будке звучал басок Нади Румянцевой:

— Ну, Цилька, тебя ждать, сдохнуть можно! Опять небось с голой попой в коридор выкатилась?

После той встречи у ворот Лефортовской тюрьмы в самом начале войны Циля и Надя стали задушевными подругами, несмотря на существенные различия в политических и философских взглядах. Надя всегда выручала плохо организованную марксистку. Однажды пришла и видит Цилю у плиты. Читает, дура, как всегда, труды «симбирского идиота» и ужин, видите ли, себе готовит, а именно: стеариновой свечкой смазывает сковородку и кладет на нее где-то одолженные картофельные очистки. Оказалось, что не прикрепилась Цецилия ни к одному магазину и даже практически не знает, как это сделать; все продовольственные карточки пропадают втуне. Практически получается парадоксальная ситуация: из Института мировой политики ее еще до войны попросили как нераскаявшуюся жену врага народа и больше, конечно, никуда в штат не берут. Практически «вольный казак», Цецилия пробавляется лекциями через партпросвет, но те, разумеется, шваль марксистская, и слышать не хотят о прикреплении одиночки к своей системе. Словом, подыхай!

Сама Надя Румянцева много лет работала корректором в издательстве «Правда» и, хотя зарплата у нее была микроскопическая, получала надежный «литер В» и отоваривалась на полную катушку.

Ну, в общем, худо-бедно, ей удалось все-таки прикрепить подругу хотя бы к хлебному, получать свои 400 граммов черняшки. Просто на горло взяла в райисполкоме, на демагогию. Человек партийное слово проводит в жизнь, а вы ее голодом морите?! Затем познакомила дуреху с местной княжной, заведующей вузовской столовой на Маросейке, Гудьял Любомировной Мегаполис. Вот, Гудьял Любомировна, этот товарищ сможет для вашей дочки Осанны писать вдохновенные патриотические классные сочинения. Гудьял Любомировна пропела: «Любопытно», долго изучала пучок бесцельных Цилиных продовольственных карточек, встряхивала его, будто битую птицу, а потом произнесла с неожиданно широкой и ясной улыбкой:

— Приходите, милочка, с бидончиком к заднему ходу и назовите свое имя-отчество. Только не фамилию, умоляю!

В бидончик стали Цецилии почти регулярно наливать чечевичный суп, а иногда даже питательную жидкость «суфле». Чечевичный суп надо было, конечно, отстаивать. Часа через три вся грязь оседала на дне бидончика, а питательные бобы всплывали. Жидкость «суфле» она употребляла сразу, иногда даже не доходя до дома. Та же самая Надя Румянцева, между прочим прошуровав по сусекам покойного Наума, обнаружила сберкнижку с неплохим вкладом, явным результатом подпольного сапожного дела, она же настояла и на оформлении Цилиного наследственного права.

Та же самая Надя Румянцева, между прочим, еще до всей этой волокиты с продовольственными карточками умудрилась вытащить Цецилию из ее кратковременной, но почти катастрофической эвакуации, где она уже почти прощалась с «формой существования белковых тел» на проклятой станции Рузаевка, но это уже отдельная история, не вмещающаяся в этот роман.

Здесь мы только лишь хотим указать на то, как Циле повезло в мире «объективной реальности». Вдруг явился сильный и чистый друг, приносящий столько благодеяний. Приносящий и получающий, хотим мы добавить, потому что хоть от Цильки и мало было практической пользы, Надины благодеяния приносили благо в ее собственную одинокую жизнь. Дающий всегда что-то получает взамен, хотя частенько этого и не замечает. Она замечала.

Она давно уже отказалась от поисков мужа, смирилась с потерей «Громокипящего Петра», однако никогда не осаживала подругу, если та начинала заново рассказывать о своих бесчисленных заявлениях и апелляциях. Никоим образом не устроилась и личная жизнь Надежды. Похоже, что и на этом уже можно было поставить крест, подвести черту, завязать концы, как вам будет угодно. «Куда уж нам сейчас с тобой, Цилька, — говорила она. — Молодые девки с ума сходят, бросаются на любой обрубок, на любой крючок, а кто уж на насто с тобой позарится, на старых выдр». Говоря так, она, конечно, имела в виду самое себя. Циля даже не очень-то, похоже, и понимала, о чем идет речь. Половая жизнь для нее просто закрылась как исчерпанный аргумент с уходом Кирилла. Иногда, впрочем, они забирались с ногами на кровать, курили в темноте и вспоминали своих мужей, их фигуры, одежду, голоса, фразы, романтические моменты жизни и даже интимные подробности, порой даже очень интимные подробности. Ну вот, и он тогда, ну и я... Ну и что ты? Ну?.. Ну и я, признаться, была удивлена...

Это были, пожалуй, самые сокровенные минуты для Надежды Румянцевой. Она тогда, пожалуй, просто обожала свою Цильку. Даже ее вечный противный запашок переставала замечать, этот ее вечный вульвовагинит.

— Ну что, ну что, ну что, ну что? — затарахтела Цецилия. С некоторого времени у нее стала иногда проявляться какая-то ступорозность: зацепится за какое-нибудь слово и бесконечно, бессмысленно им тарахтит: — Ну что, ну что, ну что, ну что?

— Цилька, ты не поверишь, произошло событие! — Голос Нади вдруг выдал сильнейшее, столь несвойственное ей волнение. — Приехал зоотехник Львов! Не важно, какой зоотехник Львов, важно, что оттуда! Откуда «оттуда»? Дуреха, не понимаешь? Короче, приходи к шести, он придет и все расскажет. Что расскажет? Цилька, это не телефонный разговор! Приходи, все узнаешь. Оденься поприличнее. Надень ту синюю, что я тебе дала. Обязательно надень ту синюю и белые носки! Поняла? И потом, помойся как следует, ты поняла? Нагрей воды и вся помойся, ты поняла?!

Ничего, разумеется, не поняв, Цецилия все-таки сделала, как говорили: промыла в ванной комнате все складки тела и даже приласкала слегка свои тяжелые груди. Из-под двери заброшенной ванной комнаты, которую жильцы давно уже использовали только для стирки, стала вытекать в коридор лужица. Нотариус Нарышкина базлала: вот вам, пожалуйста, не пора ли задуматься о некоторых, что разводят антисанитарию?!

К шести часам Цецилия в синей юбке и белых носках, а также в отцовском вельветовом пиджаке прибыла на Зубовскую, где в полуподвале с отдельным (!) входом проживала ее подруга Надя Румянцева.

Зоотехник Львов занимал своей персоной всю сторону стола: он был невероятно широк, хоть и не толст. При виде новой дамы встал, заполнив собой половину лачуги: он был исключительно высок, хотя обладал очень маленькой головой, небольшими женскими ручками и деликатными ступнями, обутыми в модельные (почти «розенблюмовские», подумала Цецилия) сапожки. В целом исключительно видный, представительный мужчина, отличный представитель нашего инженерно-технического персонала. Короткие светлые волосы, славянские глаза, слегка уже затуманенные, но опять же по-хорошему, чистым полезным ректификатом.

«Кажется, беспартийный», — подумала Цецилия, когда он поцеловал ей руку, и не ошиблась. Зоотехник Львов отсидел пять лет по бытовой статье, до войны еще освободился (судимость снята «за отсутствием состава преступления») и теперь работал вольнонаемным специалистом, «энтузиастом Крайнего Севера», то есть заместителем директора зверосовхоза «Путь Октября», что возле Сеймчана, то есть по соболям и черно-бурым лисицам.

Он рассказывал чудеса о том крае, откуда приехал в отпуск:

— У нас там сам Вадим Козин поет, девушки! «Сашка, ты помнишь эти встречи в приморском парке на берегу...» Колыма — это золото, девушки, лес, пушнина, огромные ставки с северными надбавками! Знаете, сколько с собой в отпуск везу? Я сам не знаю, сколько везу! Вот, пожалуйста, угощайтесь! — Он вываливал на стол из огромного мешка, что стоял за его стулом, разнокалиберные плитки американского шоколада. — У нас там Америка под боком, девчата! Ленд-лиз через нас идет, самолетами, пароходами!

И впрямь дивным американским уютом пахнуло из крохотной Надиной кухоньки, где жарилась привезенная Львовым американская ветчина, в сопровождении подмосковной картошки с лучком.

— Вот, говорят, витамины, — продолжал гость. — Некоторые утверждают, что на Колыме бушует авитаминоз. Не верьте, девушки! Посмотрите на мои зубы, один к одному, ни одной пломбы к сорока годам!

Цингой никогда не страдал, даже в лаге... ну, в общем, даже в трудных условиях! А почему? Потому что летом Колыма превращается в неисчерпаемый резервуар витаминов! Все сопки красными становятся от брусники, орехов кедровых навалом! Нажрешься так, что на всю зиму хватает! А зима у нас знаете какая? «Эх, Колыма ты, Колыма, чудная планета. Двенадцать месяцев зима, остальное — лето!» Ну это так, фольклор! Зимой надо пить настойку стланика, милое дело! Мы даже зверю примешиваем в пищу, и что бы вы думали, зверь прибавляет в пушистости, а наши меха на международном аукционе за фунты стерлингов, за целые фунты стерлингов, девушки, за фунты, фунты, килограммы и центнеры стерлингов, стерлингов, стерлингов...

Голубые глаза временами стекленели, и рука сама по себе начинала плясать по столу в поисках бутыли с прозрачной жидкостью. Выпив, зоотехник Львов с некоторой лихорадочностью начинал закусывать, растаскивать хвалеными зубами соленую кету, что крупными кусками громоздилась на столе.

— А рыба-то, а рыба! Вот эту кету сам брал! Заходи по колено в ручей и руками вытаскивай! Такова Колыма!

— А вы не могли, вы, товарищ Львов, — начинала Циля (в кармане у нее лежало заготовленное письмо без адреса, но с именем любимого на конверте), — а вы не могли бы? — Но тут вбегала Надежда со свежими добавками кулинарии.

— Ну-ну, девушки, так нельзя! — хохотал Львов, разливая спирт по граненым стаканчикам, подкрашивая его «Тремя семерками». — Я один пью, а вы только закусываете! Интоксикация должна быть взаимной! Давайте за дружбу! За будущее счастье присутствующих и отсутствующих!

Надю Румянцеву узнать было нельзя: раскраснелась, размолоделась, словно комсомолка первой пятилетки. Щечки яблочками рдеют, чистый Дейнека!

— Ты посмотри, ты посмотри, Цилька, что мне привез зоотехник Львов! — вскричала она, вытаскивая из-за фартучка. — Письмо от Петра! Он жив и здоров, работает при звероферме! Ой, да я просто не знаю, ну просто не знаю, что для тебя сделать, зоотехник Львов! — И она присаживалась к гостю на длинное колено и ерошила его волосы. — Да, ой же, Цилька, ты его попроси про твоего там справки навести, он всех на Колыме знает!

Циля вытащила из вельветового кармана заветное письмо:

— Я как раз, товарищ, хотела вас попросить, вот, если вам не составит труда, вдруг какая-нибудь случайность... У моего мужа, с которым, без сомнения, произошла серьезная ошибка... ну, в общем, говорят, что без права переписки, но в деле этого нет, то есть формально он именно с правом переписки, хотя...

— Ну-ну, Цилечка! — Зоотехник Львов одной рукой оглаживал спину Надежды Румянцевой, второй же сильно и дружески, едва ли не целительно, провел по всему Цилиному хребту от затылка до копчика. — Ну-ну, девчата, не скулить! — Он подцепил Цилино письмо, глянул на имя и кивнул: — Лады, Кирюше Градову доставим!

— Что-о-о?! — вскричала, вскакивая, хватаясь за сердце и сверху, над грудью, и снизу, под грудью, Цецилия. — Вы его знаете?!

— Как ни странно, вообразите, знаю! — хохотал зоотехник Львов. — И с Петей они знакомы, даже друзья неразлучные. Только вот нынче он на бесконвойную командировку в Сусуман этапировался. Я сам его временно туда отослал, чтобы начальство не придиралось. Но там он в порядке будет, ты, Цилечка, не беспокойся. Интересный человек твой Кирюша, очень положительный...

Спасаясь от нарастающего головокружения, Циля хватанула до дна стаканчик обжигающей подкрашенной влаги. Нечто бравурное, сродни какому-то нарастающему детскому маршу, охватывало ее. Он жив! Мой мальчик жив!

— Зоотехник Львов, вы какой-то необыкновенный, вы какой-то просто сказочный, если не сочиняете, посланец! — млела под мужской рукой Румянцева.

Гость уже влек ее за штору, где высилось пухлявое безбрачное ложе. Шторка задернулась, кровать пошла на разнос. «Вот такие пироги, — приговаривал с надсадом зоотехник Львов. — Вот такие пироги!» Надя Румянцева заливалась по-соловьиному. «Цилька, не уходи!» — крикнула между руладами.

Циля и не думала уходить. Не обращая ни малейшего внимания на зашторную раскачку, ходила взад-вперед по полуподвалу, папироса в зубах, папироса на отлете, дым изо рта, как из полыхающей домны. За окном иногда в свете фонаря прошлепывали разбитые сандалии с окаменевшим набором пальцев.

«Значит, ты жив! — думала Циля. — Значит, я была права, а не те, серебряноборские! Значит, мы с тобой еще увидимся, значит, снова схватимся по

Эрфуртской программе, снова вместе разнесем в клочки релятивизм Шпенглера!»

«Все выше, и выше, и выше!» — запели за шторкой на два голоса. Выше было уже некуда. Триумф аэронавтики!

Что такое? С масляной мордочкой, будто собственная несуществующая дочка, из-за шторки выскочила Надька Румянцева. Влезает в какие-то красные — что-то раньше таких не наблюдалось — трусики.

— Цилька, теперь ты! Иди-иди, дуреха, это не измена! Это же друг приехал к нам, большой друг!

— Нет уж, увольте! Вы что, товарищи?! Товарищи, товарищи! — Циля упиралась, но маленькая рука большого друга, высунувшись из-за шторки с лютиками, уже ухватила ее за подол.

— Эх, Цилечка, да разве же ты не понимаешь? Войне конец, и тюрьме конец.

Угомонившись, все трое прогуливались по ночной Кропоткинской, до Дворца Советов и обратно.

— Вот здесь, между прочим, жила Айседора Дункан, — на правах москвички показала Циля зоотехнику Львову. — Слышали о такой деятельнице революционной эстетики?

— Только в связи с Сергеем Есениным, — сказал колымчанин и неожиданно для дам процитировал: «Пускай ты выпита другим, но мне остались, мне остались твоих волос стеклянный дым и глаз осенняя усталость».

У всех троих были смоченные и приглаженные волосы. Впервые за долгие годы вокруг них образовался озоновый слой свежести и надежды.

— А вот скажите, Львов, — по-светски неся папиросу в чуть откинутой вбок руке, спросила Надежда Румянцева, — вот вам не страшно передавать приветы женам врагов народа?

— Страшно, — сказал зоотехник Львов. — Однако в мире есть кое-что и кроме страха.

Как раз в ту ночь, а с учетом разницы во времени, возможно, как раз к моменту этой августовской прогулки, на Хиросиму была сброшена атомная бомба. Начинался век большой технологии.

Глава двадцатая
«Путь Октября»

В октябре 1945 года в Елоховском соборе служили торжественную литургию в связи с окончанием военных действий, разгромом злейшего врага Германии и победой над Японией. Службу вел сам митрополит Крутицкий и Коломенский Николай. Пел хор из Большого театра, участвовали и солисты, народные артисты СССР.

«Вознесем Господу нашему, братия, благодарственную молитву за дарование победы в великой войне! Вознесем славу героической нашей армии и ее вождю, великому Сталину!»

Великолепно вступил хор: «Славься, славься ты, Русь моя! Славься ты, русская наша земля!»

— Помнишь, откуда это? — шепнул Кевин Веронике.

Она кивнула:

— Ну, Глинка, конечно, «Иван Сусанин».

— Раньше эта опера называлась «Жизнь за Царя», — напомнил он, — и пели иначе: «Славься, славься, наш русский царь, Господом данный нам государь...»

Она улыбнулась ему через плечо, на котором покоилась высококачественная черно-бурая лисица.

Кевин недавно вышел в отставку и с удовольствием перекочевал из пентагоновских одеяний в свои длинные коричневые и серые костюмы, а также в темно-синее пальто из мягкой альпаки. Днями они уезжали из СССР. Сначала в Стокгольм, потом в Лондон, а дальше уже к коннектикутским подстриженным лужайкам.

Надо бы расчувствоваться, пустить слезу, думала Вероника, ведь это же прощание с родиной. Нет, не могу, слеза не выдавливается, родины не чувствую. За Тараканище молиться? Пардон, без меня!

Великолепно шла литургия, однако духовенству было не по себе. Присутствовали лишь члены дипломатического корпуса да некоторые, редкие «деятели науки, литературы и искусства». Никто из ожидавшихся высших чинов не явился. Церкви вновь напомнили, что она отделена от государства.

Осенью 1945 года рано запуржило на Колыме в районе прииска Джелгала. В октябре по открытым местам, по слежавшемуся уже насту мела могучая поземка, порой взлетающая и завивающаяся у валунов, как волна у парапета. В иных распадках, впрочем, зелень стояла еще нетронутая, бока сопок синели или багровели под перезревшей ягодой, падавший мирно, как в опере, снег тут же таял у теплых источников. Туда устремлялись бесконвойные зеки, чтобы нахаваться витаминами на всю зиму. Жадно пили и воду из петляющего по распадкам ручья: считалась, конечно, чудодейственной.

Иногда выпадало такое благо и на долю обычной, то есть подконвойной, рабсилы, если попадались человечные вохровцы. Вот, например, Ваня Ночкин, рязанский лапоть, как он сам себя иной раз любовно называл. Конвоируя знакомую «контру» на ночную смену в зверосовхоз, он нередко в сумеречный час останавливался в таком оазисе вроде бы отлить или на корточках посидеть; отпускал, стало быть, рабсилу попастись в ягоднике. Сидел, кряхтел, любовался полосками заката над дикой землей, мечтал о том, как домой вернется после «дембиля», как будет врать сельчанам про войну с японцами.

В тот вечер, однако, протопали поверху над распадком, прямо сквозь пургу к огонькам совхоза. Никто из «контриков» даже не намекнул Ване, что, мол, неплохо было бы облегчиться. Вся дюжина бодро чимчиковала и меж собой разговаривала мало, как будто боялась опоздать на работу. Народ в общем-то был сытый, трудоспособный: подкормились и обогрелись при зверье капитально.

Среди этой дюжины шел и сорокатрехлетний Кирилл Градов. В ушанке, телогрейке, ватных штанах и крепких чунях, он выглядел как надежно пристроенный к какому-то блатному или полублатному, во всяком случае к неубийственному, делу зек. Так оно и было на исходе восьмого года его заключения, но сколько всякого этому предшествовало, сколько умираний и тлеющих ненавистных возрождений!

В колымские лагеря он попал еще на исходе так называемой гаранинщины, когда гулял по приискам бесноватый полковник Гаранин с пистолетом в руке, когда на каждом вечернем разводе хмыри из УРЧа выкрикивали имена так называемых саботажников, которых тут же, что называется, не отходя от кассы, выводили в расход за углом барака. «Нам-то с вами, Градов, как тюрзекам уж наверняка не уцелеть, — говорил ему московский знакомый, сосед по нарам Петр Румянцев. — Так что не рассчитывайте на золотую старость и вечерок у камелька с Аристотелем на коленях».

Вдруг в начале сорокового по Севлагу пошло другое поветрие — сохранение рабочей силы. Гаранин куда-то исчез, и Градов с Румянцевым временно уцелели. В бесконечной лагерной пересортировке они потеряли и забыли друг друга, естественно не подозревая, что через полтора года их жены, или, как нередко с юмором говорили в мужских зонах, «наши вдовы», встретятся в очереди у Лефортовской тюрьмы и станут закадычными подругами.

Кирилл угодил в шахту на прииске «Золотистый», что находился всего лишь в сотне-другой, если по прямой, километров от адской прорвы Зеленлага, специального лагпункта для особо опасных государственных преступников, где в это время пытался выжить его родной брат, гордость семьи, Никитушка-Китушка.

Трудно сказать, какие преимущества имели обычные севлаговцы перед обреченными зеленлаговцами. На «Золотистом» Кирилл стал очень быстро «доходить», все даже как-то уже и смешалось в его голове, однако вновь незадолго до войны прошел какой-то слегка не столь наждачный бриз, и он вместо морга угодил в ОПЗ, то есть в оздоровительный пункт, где стал получать невыносимо вонючий, но явно полезный жир «морзверя».

Едва оклемался Кирилл в ОПЗ, как началась война и вместе с ней по Колыме, будто проволокой помели, пошел свирепый ураган все новых и новых инструкций об усилении режима, повышении бдительности к предателям, террористам, оппозиционерам, фашистским наймитам и троцкистам, поди разбери. Подхваченный этой проволочной метлой Кирилл загремел на леденящую душу еще с гаранинских времен Серпантинку. Традиции железного чекизма там поддерживались на славу, хотя инструкций кончать прямо за углом пока еще не поступало. Он снова начал там очень быстро «фитилить», и снова случай выдернул его из увядающей, слабо шамкающей неживыми ртами массы. На этот раз это был медбрат Стасис, он взял его к себе санитаром.

Вот так и швыряло кандидата марксистских наук Кирилла Градова все восемь лет его хождений по стране практического марксизма. То захлопывалась уже над ним крышка канализации и он опускался для окончательного размыва в хлорную известь, то он вдруг выскакивал каким-то никчемным пузырьком на поверхность. Из шахты вдруг попадал в рай земной, в теплую долину, подсобником на квашпункт. Капусты! Турнепса! А то вдруг среди голодухи сорок третьего получал от сердобольной поварихи целую пол-литровую кружку дрожжей. Сытым бабам в кошмарной округе почему-то нравились его глаза. «Ну и глаза у тебя, мужик! Чего стоишь, как неродной? Давай заходи, не студи хавиру!»

Была одна любопытная деталь в лагерной судьбе Кирилла, деталь, о которой он сам не имел отчетливого представления и о которой, к счастью или к несчастью, не имело представления лагерное начальство. В тридцать седьмом, после двух недель чекистских беснований, его приволокли на суд так называемой тройки и быстренько отштамповали приговор: десять лет исправительно-трудовых работ без права переписки. Далее пошло все, как у обычных зека: пересыльные тюрьмы, этапы, доставка на Колыму. К тому времени он уже прекрасно знал, что означает формулировка «без права переписки», однако чем дальше, тем больше ему начинало казаться, что эта формулировка где-то потерялась по отношению к нему по мере продвижения на восток.

Надя Румянцева, сказав как-то у ворот Лефортовской тюрьмы: «Не удивлюсь, если у них там такой же бардак, как везде», была близка к истине. Скорее всего, формулировка осталась по недосмотру в какой-то одной папке кирилловского дела и не перекочевала в другие. В одних списках он, возможно, существовал как ликвидированный, в других же получал лагерное довольствие как обычный составной элемент колымской рабсилы. Однажды он решил испробовать судьбу, написал письмо Циле. Ответа он не получил, но года через два в лесной командировке на Сударе свалилась ему в руки из почтового грузовика посылка, произведя эффект мягко опустившегося из небесных глубин золотого метеорита. В посылке была и написанная ее любимым псевдоготическим, как они шутили, почерком записка, из которой он понял, что то его письмо до нее преспокойно дошло, а вот ее все предыдущие отправки либо канули в неизвестность, либо были отвергнуты.

Стоит ли рисковать, думал он, и ее будоражить, и вызывать на свет зловещую формулировочку? Пусть живет так, как будто я мертв, пусть найдет себе мужа; я ведь все равно не совсем тут жив, хоть и привык к этой нежизни и боюсь «формулировочки».

Вдруг он признался себе, что нередкие мастурбации оттеснили Цецилию к периферии в его памяти. Здоровые молодые мужики в лагере решали половую проблему хоть и простым, но довольно вдохновенным образом. Это называлось «сходить за кипятилку». По ночам, за полчаса до отбоя, за сараем с двумя пыхтящими титанами всегда стояла группа, а иногда даже и толпа мечтательно зырящих в небо зеков. Слышались стоны, иногда рыканье; каждый плавал в собственном воображении. Кириллу почему-то никогда не грезилась собственная жена, зато всегда появлялась в этих «путешествиях» какая-то смуглая тоненькая девчонка, похожая на его сестру, если не она сама.

Иные ушлые зеки умудрялись заводить за зоной знакомых вольнонаемных и через них налаживали надежную корреспонденцию. Кирилл ни разу не попытался этого сделать. Иногда он признавался себе, что ему даже не хочется, чтобы его считали живым там, в том мире, где отец его стоит с добрыми огнями в глазах посреди своего, похожего на него самого дома и сам похожий на этот дом, где мать тащит его, четырехлетнего, приговаривая со смехом: «Кирилл-Упал-с-Перил! Вот уж этот Кирилл-Упал-с-Перил!» Брат наверняка убит, что мне-то вылезать в живые? Что же мне-то опять унижаться, вместо него выставляться живым, говорить им: хе-хе, все-таки не унывайте, Никитушка-Китушка убит, но я-то, Кирилл-Упал-с-Перил, все-таки жив!» Такие странные мысли иногда мелькали в его голове, но он, спохватываясь, немедленно приписывал их авитаминозу.

Нередко, впрочем, ему казалось, что он и не жив вовсе. Вполне возможно, что «формулировочка» еще тогда, в тридцать седьмом, была приведена в исполнение, а я из-за побоев этого просто не заметил. Может быть, меня сбросили в общую яму и засыпали хлоркой, а то, что сейчас со мной происходит, это просто постепенное, посмертное угасание сознания, или наоборот... Что «наоборот»? Что может быть наоборот?

А вот, может быть, наоборот, нынешнее несуществование — это лишь начало чего-то грандиозного, мучительный проход к феерии истинной жизни и бестелесному царству свободы и красоты?

В обоих случаях, что значит наш земной путь с его триумфами и провалами, с его шампанским и хлорной известью? Что все это значит и не является ли весь наш марксизм простым увиливанием от вопроса? Весь этот революционный порыв, которым я с такой страстью и верностью жил, лишь увертка?

— Как ты думаешь, есть в этом какой-то смысл? — спросил он однажды медбрата Стасиса.

Могучий литовец из Мемеля всем своим видом, казалось, опровергал нереальность лагерного существования. На самодельных лыжах он скользил по снежному насту, прокладывал путь от одной командировки до другой. И доходяги, увидев появляющегося из пурги широкоплечего, длиннорукого лыжника с поросшими ледяным мхом бровями, с серым свечением глаз, с яблочным румянцем, со всей этой комбинацией красок, напоминающей о каких-то детских снегирях, встряхивались, чтобы прожить еще один день и отойти к еще одному живому сну.

— Пожалуйста? — не поняв вопроса, Стасис всем телом повернулся к своему санитару.

Они сидели в покосившейся хавире медпункта. Во всех углах постанывал упорно просачивающийся под крышу ветер. Снег быстро заметал мутное окно. На плите в углу кипятились шприцы. «Если бы слушался отца и шел в медицинский, — говорил часто Стасис, — ты был врач, врач! Ты понимаешь, врач даже в лагере врач, не зек!» Медбрат обожал медицину, и среди его заветных книг, что он таскал за собой с одной командировки на другую, был учебник общей хирургии профессора Б.Н.Градова, написанный в давние времена, когда тот только занял кафедру и обнаружил существенные недостатки в методике преподавания. Этот учебник, собственно говоря, и спас жизнь Кириллу. Перевязывая обмороженных, медбрат Стасис вдруг споткнулся на фамилии Градов и со смехом спросил, не родственник ли знаменитому профессору. Узнав же, что родной сын, бросился немедленно спасать. С тех пор чуть ли не год, до очередного колымского поветрия, они были неразлучны, обходя самые отдаленные лесоточки и командировки, то есть охватывая их медицинской помощью и санитарными мероприятиями, стараясь все-таки не только форму соблюсти, но и на самом деле что-то сделать для обитателей этих призрачных «точек» и «командировок».

— Ну, есть какой-нибудь смысл в человеческой жизни? — продолжал Кирилл той ночью в свистящей и воющей на все голоса тайге. — Мы всегда называли это «проклятыми вопросами», Стасис, и привыкли относиться к ним с улыбкой. «Проклятые вопросы русских мальчиков» и все такое. Все это снисходительно, но никогда не всерьез воспринималось. Особенно в нашей семье, с ее позитивизмом девятнадцатого века, с верой в человеческий гений, в науку... Ты все понимаешь, Стасис? Если не все, скажи: я повторю, могу даже немного по-немецки...

— Я все понимаю, — коротко сказал медбрат Стасис. Он сидел теперь спиной к Кириллу, не оборачиваясь и глядя прямо перед собой на отсвечивающий под слабой лампочкой бок стерилизатора.

— Понимаешь, вроде бессмысленный неврастенический вопрос, когда нужно бороться за свои идеи, за будущее, за новое общество, когда жизнь почти полностью подменена литературой о жизни и ты сидишь за чайным столом в окружении не только своей семьи, но и всего сонмища лиц, формирующих внутренний мир русского интеллигента, лиц, которые уже столько раз задавались тем же вопросом и как бы отвечали на него фактом своего существования в некоем умозрительном пространстве.

Даже на войне, среди смерти, среди постоянного и привычного надругательства над плотью, этот вопрос кажется неуместным, потому что там бушует страсть, гомерические чувства, разыгрывается действо, идет театр. «За родину!» — вот бессмысленный смысл мгновенно уничтожаемых жизней, «За свободу!» ну и так далее, вся эта музыка.

Музыка, Стасис! Только здесь нет музыки, на каторге, в лагерях, за тачкой, в бараке, в баланде... Здесь уже все без обмана, просто распад белка, смерть литературы, утрата всех героических и антигероических поз, простое шествие в яму...

— Здесь тоже есть, имеет быть музыка! — вдруг с жаром перебил его Стасис, но тут же, будто спохватившись, сразу замолчал.

Кирилл щелчком сбросил в печурку остатки докуренной почти до пальцев цигарки:

— Я знаю, что ты имеешь в виду, медбрат. Веру? Христианские мифы? Я знаю, что ты верующий, видел, как ты молишься. Не бойся, не настучу.

— Я не боюсь, Кирилл. И это не обман, Кирилл. — Стасис теперь повернулся лицом к Кириллу и сидел ссутулившись, приподняв большие, будто навьюченные мешком плечи и опустив переплетенные набухшими венами руки и длинное лошадиное лицо.

— Ну, научи меня верить, Стасис! — с удивившей его самого страстью попросил Кирилл. — Я знаю, что Маркс сдох, но откуда мне знать, что Бог жив, когда все говорит об обратном? Ну, научи, медбрат?!

— Хочешь взять выпить? — спросил Стасис, кивком головы показывая на заветную склянку с притертой крышкой.

— Не надо, — отказался Кирилл. — Со спиртом это легко, но только на минуту. Я хочу всерьез... попытаться уверовать... Ну... ну расскажи мне о себе! Кто ты?

Ветер, очевидно, оторвал от дерева сук и швырнул его на провода. Маленькая лампочка погасла. Красноватый, дрожащий и слабый свет из печурки как нельзя лучше подходил для ночных откровений.

Стасис Йонаскис происходил из балтийского племени куршей, что расселилось на песчаных дюнах перед вечным накатом моря между Мемелем и Кенигсбергом. Отец его в Первую войну потерял ногу и потому вынужден был оставить хутор и баркас и найти себе другую работу, а именно сторожем при монастыре францисканцев. В монастыре прошло все детство Стасиса. Он прислуживал на мессах, монахи учили его читать и писать, а также географии, истории и биологии. Разумеется, читал по-немецки и по-латыни святые книги. Кроме того, занимался спортом. Пожалуйста? Да-да, конечно, спортом. В семнадцать лет он выступал за команду монастыря по гребному спорту. Так что получилось вполне натурально быть монахом. Да, постричься в монахи, спасибо. Не натурально, ты говоришь? Пожалуйста? Нет-нет, я хотел быть слуга Бога, и я был счастливый. Изучал медицину. Вот именно, будучи монахом, Стасис изучал медицину в фельдшерской школе. Это было уже в Литве, в Паланге. Там, после катастрофы, он попал в облаву. На переписи сказал, что фельдшер, но не сказал, что монах. Вот и все. Никто в Советской России не знает, что он монах. Теперь только Кирилл знает, но он ему верит. Если узнают, что он францисканец, тогда ему конец, потому что для них это, наверное, хуже, чем троцкист. Между прочим, он очень счастлив, что его здесь называют «медбрат Стасис», потому что это звучит почти как «брат Стасис», если не лучше.

— Ты сказал, что ты очень счастлив? Разве можно быть счастливым на Колыме? — спросил Кирилл.

Медбрат Стасис был убежден, что можно. Медицинская помощь дает очень много не только пациенту, но и врачующему. Особенно если веришь в Бога и постоянно молишься ему. Здесь, в лагерях, надо молиться не только время от времени с чтением молитв, но каждый миг. Он, медбрат Стасис, научился вдыхать Бога, и это всегда будет с ним, никто не сумеет это отобрать до конца земного плена. Вот именно плена, Кирилл, но если потом ты хотел свобода, это твой воля, ты делай это сам сейчас для свобода всех, прости мой русский язык. Этому, к сожалению, нельзя научить, это не спорт и не медицина. Вера и жизнь — это одно, если ты это постиг, значит, победил.

— Но все-таки ты меня научи хотя бы каким-нибудь молитвам, медбрат Стасис, — вдруг прослезившись и хныкая, как дитя, попросил Кирилл.

— Я, к сожалению, не знаю их по-русски, — сказал Стасис. Он не уговаривал Кирилла перестать плакать, а, наоборот, смотрел на все усиливающиеся рыдания морщинистого сурового лица с самой что ни на есть светлейшей радостью.

— Дай мне их по-латыни, я запомню, — умолял Кирилл.

Так началась их дружба, что совсем не означает, будто Кирилл немедленно усвоил сокровенное умение медбрата «вдыхать Бога». Несколько месяцев они провели вместе как фельдшер и санитар, потом колымские сквозняки разбросали их по разным лагпунктам. Иногда их дорожки пересекались, и тогда они радостно бросались друг к другу, обхлопывали друг друга по всем бокам, как бы желая удостовериться, что кореш жив, говорили чаще всего о лагерной чепухе, о том, чем жив был полуживой люд лютого царства, и только урывками шептали вместе латинские слова молитв. Иногда они не виделись месяцами, но всегда, на протяжении всех этих лет, да и дальше, на протяжении всей оставшейся жизни, в памяти Кирилла не тускнела та, почти кромешная ночь в хавирс инструментальщика, переделанной во временный медпункт, когда он вдруг весь пролился детскими слезами.

В 1945 году вдруг несказанно подфартило: попал под надежную крышу зверосовхоза «Путь Октября», в котором правил удивительный человек, зоотсхник Львов. Совхоз этот напрямую подчинялся московскому могущественному ведомству «Союзпушнина», поэтому местные бонзы УСВИТЛа на него только издали клацали зубами: их власть туда не распространялась. Кто-то там вычислил, что пушной зверь лучше размножается в колымских вольерах, чем где бы то ни было, и зоотехнику Львову даны были большие полномочия и по развитию производства, и по набору рабочей силы. Чудаковатый Львов вел себя так, как будто не понимал, что живет в сердцевине гигантской каторги. Охотился, рыбачил, выпивал, слушал пластинки с музыкой из оперетт. Это не мешало ему, как хорошему рабовладельцу, приезжать в лагпункты для отбора рабочей силы. Отобрав, однако, он уже за свой народ стоял и зеков никогда не унижал, напротив, с некоторыми даже здоровался за руку, поддерживал почти приятельские отношения. Вот съездил в отпуск на «материк» и привез живые приветы от жен Петру Румянцеву и Градову Кириллу. Ну и зеки ему платили верностью, рвением в работе. Совхоз процветал. Работаем, ребята, на фунты стерлингов, говорил зоотехник Львов, на тяжелую валюту! Тяжелее золота!

Сегодня ночная смена двигалась от зоны к совхозу через нарастающую пургу особенно споро, крепким шагом, что твоя блоковская дюжина. «Революционный держите шаг, неугомонный не дремлет враг!» Причина такой спешки, однако, крылась не только в рвении, но также и в том, что этой ночью ожидался приезд медбрата Стасиса.

Пока шли, окончательно стемнело, впереди не видно было ни зги, однако стал уже доноситься характерный шум зверосовхоза, никогда не прекращающийся лисий лай. Сотни животных с драгоценными шкурами крутились в вольерах, вокруг кормушек, выясняли свои отношения, требовали еды. Кормили их так, как не снилось в лагерях и «придуркам». Государство знало, кого как кормить. Если бы у зеков были такие же пушистые, красивые шкуры, нас бы тоже здорово кормили, а потом бы забивали, обдирали и дубили, как мы забиваем, обдираем и дубим этих лис. Не знаю только, жрала бы тут обслуга котлетки, как мы иногда жрем тут котлетки из лисятины. Страшный концлагерь, вот что это такое, в моменты мрака думал Кирилл. Фабрика смерти, капище первородного греха.

Он работал в дубильном цехе, где свежие шкурки подвергались первичной обработке. Оттуда их отправляли в упаковочную и далее на «материк», на мехкомбинат, где они уже превращались в элегантнейший товар. Временами ему удавалось отвлечься от сути своего дела и смотреть на шкурки лишь как на сырье. Счищал скобелем окровавленную мездру и даже умудрялся думать о чем-нибудь другом, разговаривать с товарищами. Иной же раз эта суть вдруг пронзала его, и он казался себе грязным блудливым губителем живого, Божьей твари, столь гибкой и ловкой, с вертящимся хвостом, с искринками в меху, с лукавинкой в маленьких, все мгновенно улавливающих таежных глазах. Однако ведь и тварь эта для поддержания жизни должна убивать или, как вот здесь в своем концлагере, жрать убитое, и так все и идет в тварном мире, круговорот жестокости, выливающийся, в конечном счете, в море человеческого террора. Где же исход?

Топали чунями, бахилами, валенками, а то и настоящими галошами, стряхивали треухи, шарфухи, рукавицы в прихожей совхозоуправления, тут же вениками выметали наружу снег. Ваня Ночкин ружжо поставил в угол, благо незаряженное, не стрельнет. «Ну а что, медбрат сегодня пришедши?» — «Ну а как же, давай-давай, ребята, топай все на прививку в красный уголок!» Дюжина потопала по дощатому долгому коридору, все были тут друзья и надеялись, что среди них нет стукача.

По дороге в коридоре попался сменившийся Румянцев Петр, этот на ходу уже читал что-то фундаментальное. Шутливо пихнул локтем Градова Кирилла, шепнул: «Клерикалы вы, мракобесы!»

В полутемной комнате «вечно живой» тускло отсвечивал лысиной черного камня. «Десять сокрушительных сталинских ударов» синими клиньями пересекали пространство незабываемого «материка». Под картой медбрат Стасис быстро из акушерского чемоданчика вынимал и расставлял на полочке свое хозяйство: распятие, крошечный складень, триптих лагерного художника «Мадонна Литта», мензурки разведенного вина и нарезанный мелкими кусочками американский «ватный» хлеб для причастия. Ваня Ночкин с ружжом встал в углу: «Быстрее молитесь, робята, а то нас всех тут на месте пришибут!»

Медбрат Стасис обернулся к дюжине зеков и поднял руки. «В день всех святых помолимся, братья, нашему Господину Иезусу Христу!»

Он встал на колени, и вся дюжина быстро к нему присоединилась, и Ваня Ночкин, зорко оглянувшись, последовал примеру старших.

Тихо запел медбрат Стасис свой собственный перевод из матери языков, святой латыни:

Верим в единого Бога,
Отче Всемогущего,
Небес и Земли Творца,
Всего видимого и невидимого.
Верим в нашего Господина, Иезуса Христа,
Сына Бога Единственного,
Навеки рожденного от Всемогущего,
Бог от Бога, Свет от Света...

Подвывала по углам пурга. Доносился неумолчный лисий лай.

Антракт IX. Пресса

Скандинавское телеграфное бюро

Генерал Власов во время пропагандистского тура был арестован в Риге гестапо за то, что слишком много говорил о России. По слухам, он помещен в концлагерь.

«Обнова», Белград

Глава Русской освободительной армии генерал Власов сказал, что его внешняя политика строится на основе «искренней, стойкой дружбы между русским и германским народами.

Нашим главным врагом, — продолжал он, — была и сейчас является Англия, чьи политические и экономические интересы всегда противоречили России. После войны в России должна быть тоталитарная система».

«Нью-Йорк Таймс», 21 мая 1945 г.

Во время баррикадных боев в Праге на помощь партизанам пришел, явно желая спасти свою шкуру, генерал Власов. Партизаны приняли помощь, однако никто, похоже, не знает, что произошло с Власовым, когда 9 мая пришла Красная Армия.

29 мая 1945 г.

Как выясняется, Гитлер был против того, чтобы иностранные прогерманские части носили немецкую форму. «Каждый бродяга лезет в немецкую униформу!.. Пусть эти казаки носят свою форму!»

27 июня 1945 г.

Генерал Власов в руках Советов, сообщает корреспондент газеты в Москве.

Части власовской армии гитлеровцы использовали против партизан в Югославии и против «маки» во Франции.

2 августа 1946 г.

Московское радио сообщило, что по приговору военной коллегии Верховного суда генерал Власов и десять его офицеров были подвергнуты казни через повешение.

«Ньюсуик», январь 1944 г.

Передают, что во время Тегеранской конференции Уинстон Черчилль от имени Короля Георга VI вручил маршалу Сталину на церемонии в советском посольстве так называемый «Меч Сталинграда», выкованный 83-летним кузнецом Томом Бизли. Глубоко тронутый Сталин поцеловал меч, после чего передал его маршалу Ворошилову. Ворошилов уронил королевский подарок.

Аверелл Гарриман: «Вести переговоры с русскими — это все равно что дважды покупать одну и ту же лошадь».

Антракт Х. Лейб-гвардии гуси

В конце нашей второй книги, осенью 1945 года, мы видим профессора Бориса Никитича Градова на берегу озера Бездонка. В закатный час. В одиночестве. Любой час сейчас для меня закатный, думал он. Война окончилась. Мне семьдесят лет. Семья разрушена. Все вдохновения — фальшь. Даже медицина. Закатный час. Жизнь может оборваться в любой момент. Как, впрочем, и у любого Homo sapiens, как старого, так и молодого. Каждый день, в принципе, напоминает тот танковый бой в подсолнухах, после которого мы встретились с Никитушкой. Как верно он тогда говорил об интоксикации войны, об опьянении, которое только и дает возможность идти в бой, то есть жить, не думая о смерти. Сейчас мой хмель уже испарился до конца, и эти отблески заката на зеркальной воде не вдохновляют больше ни на миг, ни на долю мига, если только не...

Если только не появляются гуси. Они появляются. Девятка могучих птиц, нагулявших силу на заполярных болотах, направляется по вечному маршруту к дельте Нила. Озеро Бездонка, оказывается, одна из посадочных площадок на их пути. Клин снижается, вожак старается посадить всю команду разом, в одно касание. «Делай, как я! Делай, как я! Дслай, как я!» — кричит он. На мгновение эскадрилья как бы зависает и затем приводняется. Высший пилотаж!

Старый профессор вдруг преисполняется восторгом от причастности к гусиному триумфу, ко всей этой странной феерии, что разыгрывается на планете Земля. Может быть, некогда и некая часть моей сути была перелетной тварью? Кто знает, через какие трансформации проходят наши сути за пределами суеты? Что помешает нам вообразить эту девятку отрядом павловских гвардейцев, приученных к гусиному шагу под свист русско-прусских флейт и бой преображенского барабана? Что помешает нам представить, как они стаскивали сапоги, чтобы перейти с гулкого гусиного шага на бесшумный кошачий по коридорам Инженерного замка? Ради свободы, ради избавления родины от тирана, во имя либеральной истории — тихий перепрыг к грязному, мокрому делу... И все вокруг корчится от греха, и все вокруг задыхается от любви.

Старому профессору кажется, что кто-то вместе с ним проходит через те же мысли, сидя на берегу холодной и темной воды, кто-то маленький и бесконечно любимый. Он поворачивается и идет по тропе в сторону дома.

1991
Вашингтон — Москва

ОГЛАВЛЕНИЕ

Василий
Аксенов

Московская сага
Война и тюрьма

Книга вторая

Редактор *Инесса Назарова*
Оформление *Александр Анно*
Корректоры *Татьяна Калинина,*
Наталия Пущина
Компьютерная верстка *Юлия Дородницына*
Художественный редактор *С. Киселева*

Подписано в печать с готовых монтажей 23.11.2004.
Формат $84x108^{1}/_{32}$. Гарнитура «Ньютон».
Печать офсетная. Усл. печ. л. 25,2.
Доп. тираж 10 000 экз. Заказ № 131.

Издательство «Изографус»
109193, Москва, ул. Петра Романова, д. 19, оф. 13

ООО «Издательство «Эксмо».
127299, Москва, ул. Клары Цеткин, д. 18, корп. 5.
Тел.: 411-68-86, 956-39-21.
Home page: www.eksmo.ru E-mail: info@ eksmo.ru

Отпечатано с готовых диапозитивов издательства
на ОАО "Тверской полиграфический комбинат"
170024, г. Тверь, пр-т Ленина, 5. Телефон: (0822) 44-42-15
Интернет/Home page - www.tverpk.ru Электронная почта (E-mail) -sales@ tverpk.ru

ЧИТАЙТЕ КНИГИ ВАСИЛИЯ АКСЕНОВА

Апельсины из Марокко

«Коллеги», «Звездный билет», «Апельсины из Марокко», написанные Василием Аксеновым в шестидесятые (прошлого уже века!) годы, сделали его знаменитым. Время действия всех трех повестей — те же шестидесятые — многим сегодняшним читателям может показаться царством абсурда. К примеру, сюжет одной из них лихо закручен вокруг незаурядного для советской действительности события: лютой зимой в дальневосточный городок пришел груз экзотических апельсинов и стал центром для всей таежной и морской округи. Между тем герои всех трех повестей — веселые, непоседливые, славные молодые люди со всеми достоинствами и недостатками нынешних — ищут в море, в тайге, в сельской больнице, кто где, приложение своим силам, свободу, свежий воздух. То, чего так часто не хватает нам и сегодня.

Затоваренная бочкотара

В давние времена, шестидесятые — семидесятые, люди до дыр зачитывали журнальные тетрадки с его новыми повестями и рассказами. Особенно популярна была «Затоваренная бочкотара» — фразы из нее становились крылатыми. Пусть и нынешний читатель откроет для себя эту мудрую и озорную повесть, откроет «Поиски жанра», «Пора, мой друг, пора», «Рандеву», «Свияжск». Ведь по сути дела Россия сегодня все та же...

Скажи изюм

Один из самых известных романов Василия Аксенова — озорная, с блеском написанная хроника вымышленного фотоальбома «Скажи изюм». Несколько известных советских фотографов задумали немыслимое для советской действительности — собрать свои работы в одном альбоме и издать его в обход цензуры. Бдительные стражи партийной идеологии и «органы» (в романе — «железы») начинают преследовать «идеологических диверсантов». За увлекательно придуманной историей неподцензурного фотоальбома «Скажи изюм» угадывается вполне реальная история знаменитого литературного альманаха «Метрополь», авторы которого замахнулись на один из краеугольных камней режима — цензуру и поплатились за это, а за мастерами объектива, за героями книги — метропольцы, известные писатели и поэты, в том числе и сам автор романа.

Знаменитый роман «Остров Крым» Василия Аксенова принес автору мировую известность. В основе фабулы невероятное допущение: как могла повернуться история, если бы Крым не был захвачен большевиками, а остался свободным и независимым. В романе много приключений, гротескных житейских ситуаций. Несмотря на фантастический сюжет, книга во многом оказалась провидческой.

Кесарево свечение

В новом романе Василия Аксенова «Кесарево свечение» действие — то вполне реалистическое, то донельзя фантастическое — стремительно переносится из нынешней России в Америку, на вымышленные автором Кукушкины острова, в Европу, снова в Россию и Америку. Главные герои — «новый русский» Слава Горелик, его возлюбленная Наташа и пожилой писатель Стас Ваксино, в котором легко угадывается автор.

Ожог

Роман Василия Аксенова «Ожог», донельзя напряженное действие которого разворачивается в Москве, Ленинграде, Крыму шестидесятых — семидесятых годов и «столице Колымского края» Магадане сороковых — пятидесятых, обжигает мрачной фантасмагорией советских реалий.

Книга выходит в авторской редакции, без купюр.

Новый сладостный стиль

Один из последних романов Василия Аксенова. Главный герой книги театральный режиссер, актер и бард Александр Корбах, в котором угадываются черты Андрея Тарковского, Владимира

Высоцкого и самого автора, в начале восьмидесятых годов изгнан из Советского Союза и вынужден скитаться по Америке, где на его долю выпадают обычные для эмигранта испытания — незнание языка, безденежье, поиски работы. Эмигрантская жизнь сталкивает его со многими людьми, возносит к успеху и бросает в бездну неудач, мотает по всему свету. Это книга о России и Америке, о переплетении человеческих судеб, о памяти поколений, о поисках самого себя, о происхождении человека — не от обезьяны, а от Бога. И еще это — книга о любви.

В поисках грустного бэби

Книга об Америке — какой увидел ее и ее обитателей свежим взглядом русский писатель. Увлекательное путешествие по Америке, встречи с яркими людьми, много юмора. И в то же время — о России, какой она была в семидесятые — восьмидесятые годы, когда автор был вынужден уехать из своей страны. Этой же эпохе советской действительности посвящен и второй его роман — «Бумажный пейзаж», фантасмагоричный, как сама эпоха.